Micheline Dalpé

Marie
Labasque

Les Éditions
Coup d'oeil

Couverture et conception graphique : Annie Ladouceur
Révision et correction : Fleur Neesham
Photo de la couverture : Jamie Robertson

Première édition : © 2008, Éditions Au Pied de la Lettre,
Micheline Dalpé
Présente édition : © 2014, Les Éditions Coup d'œil, Micheline Dalpé
www.facebook.com/EditionsCoupDoeil

Dépôt légal : 2ᵉ trimestre 2014
Bibliothèque et Archives nationales du Québec
Bibliothèque nationale du Canada

Imprimé au Canada

ISBN : 978-2-89731-015-8

DE LA MÊME AUTEURE

L'épicier, Les Batissette T. 1, roman, Éditions Au Pied de la Lettre, 1998 (réédition Les Éditions Coup d'œil, 2013).

L'habitant, Les Batissette T. 2, roman, Éditions Au Pied de la Lettre, 1999 (réédition Les Éditions Coup d'œil, 2013).

La fille du sacristain, roman, Éditions Au Pied de la Lettre, 2002 (réédition Les Éditions Coup d'œil, 2012).

Joséphine Jobé, Mendiante T. 1, roman, Éditions Au Pied de la Lettre, 2003 (réédition Les Éditions Coup d'œil, 2012).

La chambre en mansarde, Mendiante T. 2, roman, Éditions Au Pied de la Lettre, 2005 (réédition Les Éditions Coup d'œil, 2012).

L'affaire Brien, 23 mars 1834, roman, Éditions Au Pied de la Lettre, 2007 (réédition Les Éditions Coup d'œil, 2012).

Évelyne et Sarah, Les sœurs Beaudry T.1, roman, Les Éditions Goélette, 2012.

Les violons se sont tus, Les sœurs Beaudry T.2, roman, Les Éditions Goélette, 2012.

Faut marier Héléna, La grange d'en haut T.1, roman, Les Éditions Goélette, 2013.

L'exode de Marianne, La grange d'en haut T.2, roman, Les Éditions Goélette, 2013.

À mon fils Jean

«Aux pierres des tombeaux, leur histoire fut écrite.»

– Longfellow

I

Grand-Pré, 1738

À une heure avancée de la nuit, un boghei fonçait à toute allure sur le chemin croche qui serpentait entre les collines de Grand-Pré jusqu'au bassin des Mines.

Dans le silence de sa chambre, Albertine entendait une espèce de roulement, comme un grondement de tonnerre. Elle souleva la tête de son oreiller et secoua énergiquement le bras de sa sœur qui dormait dans le même lit.

– Bernadette, réveille-toi! T'as entendu le bruit? On dirait un attelage à l'épouvante. Sors le fusil.

Albertine et Bernadette Arseneau vivaient seules dans une chaumière soustraite à l'ombre d'un chêne. Ces demoiselles, au début de la cinquantaine, partageaient la même maison et aussi la même paillasse. Depuis le décès de leur mère, Albertine, trop craintive pour coucher dans sa propre chambre, se retrouvait à tout bout de champ dans le lit de sa sœur où elle éprouvait une certaine sécurité. Au fil des jours, elle s'y était installée pour de bon, comme si cette place était sienne depuis toujours.

Une obscurité profonde remplissait la maison.

Albertine se leva, pieds nus, et étira le cou à la fenêtre qui donnait sur le chemin, mais déjà le bruit de la voiture s'éteignait au loin.

— Je me demande bien qui ça peut être, en pleine nuit. Peut-être un Iroquois, ou des contrebandiers. Je ne serais pas surprise que ce soit un des frères Cormier. Ces vauriens profitent toujours des nuits les plus noires pour livrer leur baboche en cachette des garde-côtes.

— Laisse nos cousins en dehors de ces histoires de contrebande.

— Bof! Cousins éloignés.

— Si papa vivait, il t'en voudrait de critiquer la famille.

— J'ai vu des affaires qui ne trompent pas.

— Et puis, étirait Bernadette la voix endormie, les contrebandiers ne feraient pas de bruit, ils risqueraient de se faire pincer.

— J'ai vu passer le plus jeune hier avec un sac brun tout gonflé. Sa charge semblait lourde. Il marchait penché par en avant. Je me demande bien où il allait et ce que pouvait contenir sa besace. Sans doute des bouteilles de leur fameuse baboche. Mais je ne donne pas long que je le saurai. Parole d'honneur!

Une fois bien réveillée, Bernadette se roula lentement sur le ventre et appuya les coudes sur son oreiller.

— C'est peut-être la Chiasson qui se rend aux malades. Dorothéa doit être rendue à son temps.

– C'est bien possible. Avec cette noirceur, je ne vois presque rien. Mais, compte sur moi, je finirai bien par le savoir.

Comme les médecins diplômés étaient très éloignés de Grand-Pré, un substitut de campagne devait jouer son rôle. Françoise Chiasson, une femme bâtie solide comme un homme, détenait un pouvoir de guérisseuse. Elle traitait par infusions d'herbes et de plantes médicinales. Elle se servait aussi d'emplâtres et de cataplasmes dont elle composait elle-même la recette, et elle employait au besoin la saignée. La Chiasson, comme on la nommait, était aussi une accoucheuse de renom.

* * *

– Dors donc, grognait Bernadette, en se retournant sur le côté. Demain, tu ne pourras pas te lever et le déjeuner va encore traîner sur le coin de la table tout l'avant-midi.

La vieille fille édentée restait clouée à la fenêtre, le bonnet de travers, les bras croisés sur sa longue robe de nuit noire.

– Comment veux-tu que je dorme, quand il se passe dans notre coin des choses étranges qui risquent de me passer au nez? Tiens, je vois une lueur chez les Labasque. T'as peut-être bien raison quand tu prétends que Dorothéa serait en train d'accoucher. Franchement, à cinquante-trois ans, le beau Augustin aurait plutôt l'âge d'être grand-père. Dorothéa aurait mieux fait de s'amouracher d'un jeune de son âge. Il n'en manquait pourtant pas dans la place.

Une vieille rancune d'amour vibrait encore dans la voix d'Albertine.

– Et te laisser le beau Augustin, ajouta Bernadette avec une pointe de malice.

Lentement, Bernadette s'assit sur son côté de lit.

– À t'entendre, on croirait qu'Augustin t'allume encore.

– Tout ça fait partie du passé. C'est mort et enterré.

– Je me souviens de tes soupirs de désespoir. Dans le temps, tu te serais soumise volontiers à ses petites fantaisies, hein?

Albertine, d'une pudibonderie ridicule, raidit son long corps sec.

– Tu sauras Bernadette Arseneau que j'ai passé l'âge des soupirs. Et puis, Augustin est en ménage. Je sais tout de même distinguer le bien et le mal. Moi, je garde un cœur pur.

Albertine tentait d'écarter le sujet.

– En tout cas, si c'est Dorothéa qui accouche, je veux être la première à le savoir, ça fera le pied à la veuve Hugon. La vieille commère se vante toujours d'apprendre les nouvelles la première.

Sans amour partagé, Albertine Arseneau s'était façonné une existence bien remplie. Elle vivait sous son rideau, le nez collé à la vitre, toujours en quête de récents commérages. Elle s'était durcie et armée d'une froideur qui, au fil des ans, la rendait hargneuse.

Ses lèvres étaient rentrées par en dedans et son rire avait perdu son timbre clair. Cependant, Albertine ne possédait pas que des défauts ; pour aider ses semblables, il n'existait pas un être plus charitable.

Bernadette était née différente de sa sœur, de l'extérieur comme de l'intérieur. La grosse blonde au nez court et plat était portée à se ficher de tout. Son tempérament moqueur et son esprit libertin ajoutaient un peu de sel à son quotidien. Bernadette dissimulait un sourire dubitatif.

– Toi, un cœur pur ?

– Tu as tort d'imaginer des choses. Tu ne crois pas ta sœur capable de commettre le péché d'impureté ?

– En pensée, peut-être.

Offensée, Albertine témoigna son mécontentement par un grognement accompagné d'un haussement d'épaules. Elle ne pouvait détacher sa vue de la fenêtre. Elle passa à tâtons une main sur la commode à la recherche de ses lunettes qu'elle installa à califourchon sur son nez. Ainsi, elle distinguait un peu mieux la maison des Labasque.

Bernadette s'impatientait.

– Couche-toi donc, Albertine. Tu m'empêches de dormir.

– Non. Si c'est Dorothéa qui accouche, je veux rester réveillée pour compter les coups de fusil.

À Grand-Pré, des coups de fusil annonçaient les naissances, deux coups pour une fille, trois pour un garçon.

Jusqu'au petit matin, Albertine garda les yeux rivés sur la maison d'Augustin Labasque.

* * *

Assise sur le sommet arrondi d'une colline, la demeure des Labasque était joliment construite en charpente de chêne. Deux lucarnes perçaient son toit de chaume et un pignon formant un auvent abritait la porte principale. La maison des Labasque côtoyait une vingtaine d'habitations échelonnées le long du chemin croche dans un harmonieux désordre de pignons et de toits pentus. Elles étaient toutes sans verrous aux portes et sans barreaux aux fenêtres, ouvertes aux quatre vents comme l'était l'âme sereine de ses occupants.

Les élévations de terrain permettaient une communication entre les maisons et donnaient vue sur les prairies et les bois.

Augustin Labasque, un des fermiers les plus riches de Grand-Pré, était un bel homme, grand et fier, mais de santé chancelante. Il possédait beaucoup de terres et, comme ses voisins, son cheptel comptait quinze bêtes à cornes (il se rendait parfois même jusqu'à vingt), trois chevaux, dix à douze cochons et des centaines de bêtes à laine. À cinquante-cinq ans, Augustin avait déjà le front dégagé et de longs cheveux blancs.

Pendant toute sa jeunesse, Albertine l'avait aimé en silence. Son regard le suivait à cœur de jour, de l'étable à la maison, mais lui ne la voyait pas. Puis un jour, cachée derrière son rideau, Albertine vit passer Augustin avec la belle Dorothéa à son bras.

* * *

Le coq orgueilleux, dressé sur ses ergots, chantait le réveil de Grand-Pré.

Dans sa grande cuisine, Augustin se faisait un sang de punaise. Dans la pièce voisine, sa femme accouchait. Aux premiers cris du nouveau-né, l'homme se leva promptement de sa chaise et comme il posait la main sur la clenche de la porte, il se sentit gêné de s'introduire dans la chambre sans y être autorisé par la sage-femme. Il revint sur ses pas et se rassit aussitôt. «Quel fou je fais de moi, pensait Augustin, il faut bien laisser à la Chiasson le temps de terminer la délivrance.» Le nouveau papa eut un sourire béat. Il allait bientôt serrer son enfant sur son cœur et surtout, partager avec Dorothéa cette joie exubérante qui déjà, le transportait au-delà du réel.

Les minutes s'étiraient, interminables. C'était bien la première fois qu'Augustin montrait un mouvement d'impatience, chez lui, les gestes étaient habituellement lents et mesurés. Ses lenteurs laissaient supposer un manque d'imagination, mais elles n'étaient en réalité que des temps de réflexion.

La porte de la chambre s'ouvrit doucement. Françoise Chiasson se pointa dans la cuisine, l'air défait, le front en sueur. Son visage affichait l'air de quelqu'un qui n'a pas digéré son repas. Il lui restait maintenant la pénible tâche de parler au père. Elle posa sa grosse main sur l'épaule d'Augustin pour le retenir un moment sur sa chaise.

– C'est une fille. L'enfant se porte bien, dit-elle, le ton sans expression. C'est cette sacrée éclampsie ! Il y a eu les convulsions puis le coma. J'ai fait tout mon possible, croyez-moi.

Éclampsie, convulsion, coma. Que sous-entendaient ces mots ? Augustin quitta sa chaise brusquement et se rendit au chevet de Dorothéa avec l'intention de s'assurer lui-même de son état.

En entrant dans la chambre, Augustin pâlit. Il fit un pas en arrière, mais une main invisible le tirait vers le lit qui tanguait devant ses yeux. Il avançait, tel un fantôme et, en chancelant il s'accrocha au chiffonnier puis au pied du lit et de là au chevet de sa femme. À sa bouche et à ses yeux mi-ouverts, Augustin constata tout de suite que Dorothéa l'avait quitté pour un autre monde. Ses cheveux, blonds comme le blé, étaient éparpillés sur l'oreiller et sa main encore chaude traînait mollement sur le drap.

C'était le gouffre. Mille pensées obscures se bousculaient dans la tête d'Augustin. Il n'arrivait pas à assimiler le coup. La tête serrée comme dans un étau, il s'agenouilla et posa la main sur la paillasse où Dorothéa venait de trépasser. Il resta près du corps, muet de stupeur, pendant un temps indéterminé, comme s'il ne savait pas quoi faire de ce malheur.

Sa vie de ménage basculait de façon irréversible, ses amours, son mariage, sa vie tranquille et douillette avec Dorothéa qui courait au-devant de tous ses caprices. Elle le suivait au pas, à l'étable, aux champs, à la tonte des moutons, à l'église, aux fêtes du village. Pour les sorties du dimanche, elle portait toujours son chemisier rose thé qui donnait du teint à ses joues pâles.

Dire que Dorothéa et lui désiraient tellement un enfant. Après quinze années de vains espoirs de maternité et de déceptions, d'un commun accord, ils s'étaient résignés à faire le deuil de leur plus cher désir. Puis au milieu de la cinquantaine alors que sa femme avait trente-cinq ans, la Chiasson leur avait annoncé une naissance. Augustin était fou de joie et Dorothéa était comblée. L'enfant tant désiré naîtrait au mois de juin. Et voilà que juin arrivé, Dorothéa y laissait bêtement sa vie.

Augustin se signa et ferma les yeux de sa femme pour l'éternité. Ensuite, il resta là, à fixer Dorothéa, le visage fermé, dépourvu de toute vie, comme si en mourant elle l'avait tué aussi.

De la cuisine, la sage-femme surveillait Augustin. Elle s'inquiétait de son manque de réaction. Elle aurait préféré une agitation, une tempête à cet état d'apathie. Le nouveau papa allait-il enfin accorder un regard au nourrisson placé près de sa mère ? L'enfant réussirait peut-être à le sortir de son marasme et devenir sa raison de vivre. Mais non, le pauvre homme ne portait aucune attention au bébé, ni au bougeoir qui, à bout de souffle, allait s'éteindre à son tour.

La sage-femme posa son chapeau de paille sur sa tête, ferma sa trousse de soigneuse, puis fila en douce. Elle mena sa pouliche deux fermes plus loin où demeurait la sœur d'Augustin.

Françoise Chiasson sauta au bas de sa voiture, attacha sa bête au piquet et entra chez les Dugas sans frapper.

Dans la cuisine, huit enfants aux têtes brunes, blondes, rousses grouillaient pêle-mêle dans la cuisine comme une portée de chiots. Osite, dans son négligé du matin, retirait une pile d'assiettes de l'armoire et la passait aux mains de sa fille.

– Tiens, Juliette, prends garde de ne pas les échapper. Dresse la table.

La visiteuse s'affaissa sur la première chaise et pria Osite d'éloigner les enfants.

La femme refoula vivement tout son petit monde au salon.

– Juliette, raconte-leur une histoire pour les retenir.

– Quelle histoire?

– Peu importe! Celle de saint François d'Assise.

Osite referma vivement la porte sur ses talons et, étonnée, elle se tourna vers la visiteuse.

– Pourquoi tant de mystère, madame Chiasson?

– Un drame, madame, tout un drame! Votre belle-sœur vient de passer de vie à trépas. Un accouchement difficile qui a mal tourné. Si seulement j'avais pu! Si on avait un médecin dans la place...

Françoise Chiasson enfouit son visage dans ses mains, gênée de regarder Osite en face, comme si elle se sentait coupable de cette mort.

Osite, profondément affligée, était figée sur place.

– Dieu du ciel! Pas Dorothéa. C'est impossible. Hier encore, elle était assise là, près de la porte et puis comme ça, d'un coup, vous me dites qu'elle n'est plus de ce monde.

Osite se tourna face à la fenêtre afin de cacher son désarroi. Les bras croisés sur sa poitrine, elle courba les épaules comme une petite vieille qui ressent un froid dans ses os.

– Pauvre Dorothéa!

Dorothéa était non seulement sa belle-sœur préférée, mais aussi sa deuxième voisine. Elle allait faire son tour chaque après-midi et, un tricot dans les mains, toutes deux causaient agréablement, Dorothéa du petit être à venir et Osite, de sa smala d'enfants. Dorothéa maintenant partie, Osite n'entendrait plus ses longues aiguilles de bois s'entrechoquer.

– Et le bébé?

– La petite se porte bien. Mais votre frère passe un dur moment. Il a besoin qu'on s'occupe de lui sans tarder. Vous savez comme sa santé est fragile. Après la mort de sa femme, il n'a eu aucune réaction.

– Vous pouvez compter sur nous, madame Chiasson, on va faire tout notre possible pour l'aider à traverser cette terrible épreuve.

Osite frappa au salon et cria à tue-tête :

– Mathurin, cours chercher ton père au poulailler et dis-lui de se grouiller.

– Qu'est-ce qui se passe, maman ?

– Va ! Cesse de questionner et fais ce qu'on te dit.

Comme Mathurin passait devant sa mère, celle-ci lui flanqua une poussée dans le dos.

– Plus vite ! Ouste !

La Chiasson se leva.

– Je me charge d'avertir le père Félicien pour les derniers sacrements.

Sitôt Mathurin revenu de l'étable, Osite le pressa à nouveau :

– Va prévenir les demoiselles Arseneau.

La mauvaise nouvelle bondit aussitôt de colline en colline.

* * *

Sa messe terminée, le père Félicien retint les deux enfants de chœur dans la sacristie.

– J'ai été appelé au chevet d'une mourante et j'ai besoin de deux acolytes. Apportez-moi le viatique et joignez-y les saintes huiles.

Les gamins se regardaient l'un et l'autre. Une vive déception se lisait sur leurs traits. Ils étaient à jeun depuis la veille, à cause de la communion, et une grande faim les tenaillait. Cette longue distance à pied retarderait encore leur déjeuner. Ce rôle était loin de les amuser, mais l'obéissance était sacrée. De toute façon, le pasteur ne leur laissait pas le choix.

Le trio s'engagea à grands pas sur le chemin en lacet qui menait chez Augustin Labasque.

Le soleil du matin éclairait agréablement les rues de Grand-Pré et dorait le faîte des cheminées.

La paroisse vibrait de tous ses membres. À chaque porte, des chiens portaient à leur collier des grelots aux sons légers, des vieillards chevrotants, pliés en deux sur leur cane, distribuaient des sourires édentés. Les femmes et les jeunes filles, coiffées de leurs bonnets blancs comme neige, et vêtues de leurs jupes brunes, vertes, bleues, se tenaient assises sous les porches des maisons. Elles démêlaient, en un clin d'œil, des écheveaux de laine destinés à être tissés au métier. De l'intérieur des demeures ouvertes, des navettes venaient marier leur son aux chants des jeunes filles.

Au tintement lugubre de la cloche qui annonçait le passage des Saintes Espèces, les femmes laissaient leurs bobines en plan, les hommes descendaient des champs, les enfants suspendaient leurs jeux et les jeunes filles leurs joyeux refrains.

« C'est le père Félicien avec Benoît et Étienne Le Blanc, ses petits servants de messe, chuchotait une fileuse, ils s'en vont chez les Labasque porter les derniers sacrements. »

Le prêtre, coiffé d'une barrette à trois cornes, avançait gravement au milieu du chemin. Deux gamins le côtoyaient. Le plus petit secouait une clochette qui se lamentait et l'autre, un encensoir d'où s'échappait une colonne de fumée. À son approche, les femmes et les jeunes filles se jetaient à genoux, les coudes serrés le long du corps, les mains jointes sur le cœur. Elles adoraient le bon Dieu qui passait à leur porte.

Puis comme un frisson, le triste drelin déclinait et s'éteignait.

On entendit alors des bribes de conversations, de phrases et de souvenirs s'échapper des perrons. L'une disait: «Elle avait pourtant l'air bien portante la Dorothéa, je l'ai vue l'autre jour danser aux noces à Jean-Louis»; l'autre la contredisait: «Elle était de petite constitution; l'hiver passé, elle a souffert d'une fluxion de poitrine et en avril, elle portait encore un bonnet de laine enfoncé sur ses oreilles avec un châle par-dessus»; une autre enchaînait: «Elle connaissait pourtant maints secrets de tisane»; et encore: «On ne la verra plus jamais filer à sa fenêtre.»

* * *

Chez les Labasque, Augustin porta un bref regard sur l'enfant. La petite fille, oubliée près du corps de sa mère, bougeait doucement. Les yeux fermés, elle tournait la tête à la recherche du sein de sa mère.

Augustin en voulait à son enfant. Il la tenait responsable de la mort de Dorothéa. Sans cette naissance, sa femme serait encore en vie. Maintenant, le nourrisson s'avérait un fardeau pour lui. Il ne savait qu'en faire. Il confierait la petite à une nourrice ou bien il la donnerait à qui en voudrait.

Le bruit de la porte qui grinçait ramena Augustin à la réalité. Osite entrait discrètement. Elle s'avança vers lui, étreignit ses mains et laissa couler ses larmes.

Augustin gardait l'œil sec.

Osite se recueillit un moment devant le corps de sa belle-sœur. «Mon Dieu, faites que son âme repose en paix.» Puis sans perdre un instant, elle se mit en frais de nettoyer la pièce des linges souillés. La chambre devait être propre pour l'arrivée du prêtre. Elle souleva ensuite le bébé qui geignait doucement et l'emporta en murmurant.

– Je vais donner le bain à la petite.

En quittant la pièce, Osite prit soin de bien fermer la porte derrière elle. Une fois seul, Augustin pourrait tout à son aise se laisser aller à sa douleur.

La toilette du nourrisson terminée, Osite enveloppa l'enfant bien serrée dans une petite courtepointe. Sans nourrice, elle devait nourrir la nouveau-née au lait de mammifère. Elle versa dans un gobelet deux onces de lait de vache auquel elle ajouta une once d'eau bouillie et qu'elle réchauffa dans l'eau de la bouilloire. Elle fit avaler le liquide à l'enfant en se servant d'une cuillère.

La petite tétait avidement avec un bruit de succion. Tout le temps du boire, l'attention d'Osite se concentrait sur l'enfant aux traits délicats, au nez retroussé, à la bouche bien dessinée. «Si sa mère la voyait, elle la trouverait merveilleuse», se dit-elle. La petite gavée, Osite n'arrivait pas à lui faire rendre son rot; l'enfant dormait à poings fermés.

Elle traîna le berceau en douceur, de la chambre jusqu'au bout du poêle.

Elle s'attela ensuite fiévreusement à la tâche. De là-haut, Dorothéa devait compter sur elle pour tout mettre en branle. Il fallait revêtir l'enfant de sa robe de baptême, prier les compères, organiser la maison pour recevoir les visiteurs, préparer la nourriture pour les repas, des tartines pour les veilleurs de nuit, emprunter des chaises aux voisins. Elle n'arriverait jamais à abattre seule tant de besogne.

Au même instant, les demoiselles Arseneau entraient. Albertine accepta de bonne grâce de donner un coup de main à Osite pendant que Bernadette préparait les effets devant servir aux ablutions de la défunte.

L'enfant prête pour le baptême, Osite la présenta à son père. Elle s'attendait à ce que ce dernier se pâme d'admiration devant son adorable enfant toute vêtue de blanc. Sans doute la petite mettrait-elle un peu de baume sur sa blessure?

— Ta fille est prête pour le baptême, Augustin. Vois comme elle est belle dans la layette que Dorothéa a brodée de ses doigts. Au fait, as-tu choisi un prénom?

C'était une question inutile, Dorothéa en avait choisi des dizaines pour chaque fois revenir à Marie.

Augustin repoussa doucement sa sœur. Le père Félicien faisait irruption dans la chambre, suivi de deux enfants de chœur. Osite dut se pousser pour laisser passer les arrivants. L'enfant dans les bras, elle suivit le groupe au pied du lit, où le prêtre aspergeait la dépouille mortelle à coups de goupillon.

Ce jour-là, les cloches sonnaient deux événements : le décès de Dorothéa et le baptême de Marie Labasque.

***

Le lendemain de l'enterrement, Osite dut retourner chez elle, reprendre sa besogne. Elle se désolait d'abandonner lâchement son frère.

– Bon, moi, il faut que j'aille, dit-elle.

Pour ce qui était de tenir maison, Augustin ne valait pas le sou et il devait en plus s'occuper d'un nourrisson. Comment arriverait-il à se débrouiller seul ? En plus d'avoir perdu une aide précieuse aux champs et à la bergerie, tout le travail de la maison lui incombait. La charge était lourde.

Augustin était si désappointé du départ d'Osite que celle-ci crut un moment qu'il allait pleurer. Comme un gamin, il s'accrochait à la manche de son chemisier et, de son parler doux et lent, il tentait de la retenir.

– Reste donc, Osite.

– Si seulement je pouvais! À la maison, la besogne m'attend. Je suis certaine que déjà, tout est à la traîne. Juliette a beau faire son gros possible, elle n'est encore qu'une enfant.

– Et moi, dans tout ça? Dorothéa m'a abandonné avec une enfant sur les bras et maintenant, c'est toi qui me plantes là. J'ai du travail sur ma ferme. Je ne sais pas comment m'organiser avec la petite. Je songe sérieusement à la donner.

Osite, stupéfaite, semblait avoir été frappée par la foudre. Elle dévisagea son frère et sa voix criarde monta d'un ton.

– Quoi? Donner ta fille? Ma foi, t'es devenu fou, Augustin Labasque! Que tu te débarrasses de tout ce qui te rappelle ta femme, je comprendrais, mais abandonner son enfant comme si elle était une bâtarde, non. C'est trop fort! Est-ce que maman t'a donné, toi, parce que tu dérangeais sa vie?

– Bon, bon! Tu ne vas pas encore me servir une charretée de reproches juste pour une idée que j'ai eue comme ça?

Osite était furieuse. Elle ne pouvait concevoir que son propre frère ait si peu de cœur. Elle qui comptait sur l'enfant pour sortir Augustin de sa détresse. Elle se tut, le temps de se ressaisir. Augustin avait-il perdu la raison? Ou peut-être était-il trop ébranlé pour mesurer la portée de ses paroles.

– Ce soir, passe à la maison, dit-elle. On reparlera de ta fille et de tout ça à tête reposée. Avant de sortir, prends soin d'envelopper ta fille bien chaudement et rabats sa couverture sur son nez. Même en juin, les nouveau-nés sont sensibles aux plus petites variations de température.

Sur ce, Osite quitta la maison. Augustin restait sur le seuil de la porte, les bras ballants comme si ses nerfs avaient perdu toute leur vigueur. L'âme en peine, il regardait sa sœur s'engager sur le chemin croche.

* * *

À l'heure du souper, Augustin s'amena chez les Dugas avec, au creux du bras, l'enfant bien enroulée dans une petite courtepointe bleue qu'il avait pris soin de rabattre sur la jolie frimousse.

La cuisine des Dugas vibrait de bonheur, des cris des enfants que la vie choyait.

Sitôt entré, Augustin passa la petite Marie aux bras de Juliette. La fillette de dix ans la reçut comme un cadeau qu'elle développa délicatement et embrassa sur les joues. Elle emportait tout bonnement le bébé dans la berçante quand Osite lui cria brusquement :

– Juliette !

La fillette sursauta.

– Qu'est-ce qu'il y a, maman ?

Osite s'en approcha rapidement.

– Attention ! Tu vas lui casser le cou. Garde toujours ton bras sous sa tête ou bien soutiens-la de ta main. Ce n'est pas une poupée.

Osite retrouva son calme et, tout en s'affairant, elle causait avec Augustin.

– Qu'est-ce que tu envisages pour ta fille ? Tu as une idée ?

Augustin s'accorda un temps de réflexion.

– J'ai pensé qu'avec tes huit, un de plus n'y paraîtrait pas.

Osite déposa l'assiette devant lui d'un bruit sec. Elle promena son regard de l'un à l'autre de ses enfants. Elle s'en donnait du matin au soir pour eux, quand ce n'était pas la nuit également. Elle était épuisée et son frère osait lui dire que ce n'était pas un enfant de plus qui ferait la différence. Il fallait être bien inconscient pour parler de la sorte. Augustin ne connaissait rien à la besogne d'une maison. Toutefois, elle n'osait pas trop le secouer après le grand malheur qui venait de s'abattre sur lui.

– Mon pauvre Augustin, j'en ai déjà par-dessus la tête des miens. Pour que tu me comprennes, il faudrait d'abord que je te laisse ma besogne pendant une journée, une seule, que tu marches dans mes souliers avant de juger de mon travail. Tu vois, tout est à la traîne dans la maison. Et puis, on est rendu en juin et mon jardin n'est pas encore semé.

– C'est comme ça dans toutes les maisons. Et puis, le temps des semences ne fait que commencer.

Osite, offensée, pinça le bec. Elle n'allait pas soulever une discussion chargée d'arguments et de contradictions.

– Tu as bien raison ! Le travail est le lot des femmes. Toutes se tuent à l'ouvrage et les hommes se bouchent la vue pour ne pas le voir.

* * *

Ce jour-là, pour la première fois, Augustin remarquait la lourde besogne que sa sœur devait abattre jour après jour. Le repas servi, Osite faisait manger à la cuillère Magdeleine, sa petite dernière, tout en veillant à ce que les autres ne manquent de rien, mais la petite s'amusait à recracher sa nourriture. Entre chaque bouchée servie à l'enfant, Osite se levait comme un ressort : il lui fallait ajouter le lait, la mélasse et trancher le pain manquant.

Cajétan, son mari, frappait de légers coups de couteau sur son gobelet. Osite, souple à toutes les volontés de son homme, comprenait qu'elle devait servir le café. Cajétan n'aimait pas attendre. Pendant qu'elle versait le liquide bouillant, la menotte rapide du petit Jacques renversait un gobelet de lait à sa portée. Osite courait prendre un torchon sur le comptoir et épongeait le lait renversé sur la table.

La petite Magdeleine gavée, Osite l'emportait tout au fond de la cuisine, s'agenouillait par terre et changeait sa couche qu'elle déposait dans une chaudière d'eau placée à l'entrée du hangar. La femme savonnait ensuite ses mains et se servait une assiettée de fèves au lard qu'elle avalait en vitesse, assise sur le bout des fesses.

Une montagne de vaisselle sale l'attendait sur le bout de la longue table de bois délavé.

Augustin la regardait aller. Sa sœur était une petite femme bien méritante. Déjà mère de huit enfants, elle ne s'accordait pas une seconde de repos sans qu'un des siens ne réclame ses soins ou son attention.

— Juliette, dit-elle, c'est l'heure du boire de Marie. Fais chauffer un peu de lait.

Osite resta pensive un bon moment, comme pour reprendre son souffle, puis elle s'adressa à Augustin:

— Mais bon! Qu'est-ce que je ne ferais pas pour t'accommoder? Ça va! Je veux bien prendre ta fille, le temps que tu te retournes de bord, mais je tiens à ce que tu la ramènes chez toi chaque soir pour la nuit. Un enfant doit s'habituer à son berceau, à sa maison.

Osite ne lui dévoila pas sa crainte de le voir se désintéresser de sa fille.

— Si tu ne me laisses pas le choix, dit-il.

— Non, je ne te laisse pas le choix. Et si jamais la petite pleure la nuit, je veux que tu en prennes soin comme l'aurait fait Dorothéa. Et puis tiens, par la même occasion, tu viendras prendre tes soupers à la maison. Comme ça, il te restera plus de temps à consacrer à ta fille.

Osite chuchota pour ne pas être entendue des enfants.

— Aussi, tu devras chercher quelqu'un pour me remplacer à la naissance de mon prochain à la mi-novembre. Peut-être les demoiselles Arseneau?

— Tu en attends un autre? Tu n'en avais pas assez de huit?

Chez les Dugas, chaque année ajoutait un mioche à la famille et Cajétan ressentait une fierté de ses nombreuses paternités.

Il fusilla Augustin du regard. Une sourde colère couvait en lui.

– Je ne suis ni veuf ni impuissant, moi.

– Je te crois. La preuve est là : tu maintiens ma sœur grosse à longueur d'année.

Le fait d'être enceinte et le chambardement des trois derniers jours chez Augustin rendaient Osite davantage émotive. Elle leva le ton :

– Il faut bien gagner son ciel.

– Et son ciel, à lui ?

* * *

Osite avait épousé Cajétan Dugas sans amour. Il n'était pas très beau : son nez trop gros le défigurait. Par contre, tout le monde l'estimait pour sa simplicité et sa droiture. Osite désirait tellement une famille qu'elle avait épousé Cajétan, le seul garçon de la place qui avait levé les yeux sur elle. En retour, son homme ne lui faisait pas la vie dure ; il aimait Osite profondément. Il l'avait reçue comme une reine dans sa grande maison. Jamais un mot plus haut que l'autre. Cajétan la laissait agir à sa guise et il ne lui refusait jamais le sou. En retour, Osite lui accordait une grande considération. Avec l'habitude, elle voyait davantage ses qualités que son nez. Et puis elle savait se contenter d'un simple bonheur. Sa famille prenant tout son temps, il ne lui en restait pas pour s'apitoyer sur des détails insignifiants.

* * *

La remarque désobligeante d'Augustin avait piqué sa sœur au vif.

– Tu trouves que j'en ai assez de huit et tu viens me demander de prendre la tienne. Ça ne va pas dans le coco, toi ?

Osite était tout le contraire de son frère Augustin. Elle s'emportait pour un oui ou pour un non. C'était une habitude chez elle, même qu'elle allait lever le ton jusqu'à crier, mais jamais rien ne la fâchait de façon définitive.

– Ce n'est pas ce que j'ai voulu dire, rétorqua Augustin. Je ne peux pas m'empêcher de penser que si la grande Faucheuse frappait ici, vous laisseriez trop de petits orphelins.

– Tu as le tour de me faire sortir de mes gonds, toi. C'est bon. Je vais la garder ta fille. Entre frère et sœur, il faut bien se serrer les coudes.

Osite ne reculait devant aucun sacrifice.

– Si les demoiselles Arseneau acceptaient de s'en occuper, je pourrais leur laisser la petite tout de suite et te la ramener seulement après tes relevailles.

– Non !

Le non était parti raide comme une balle. Peut-être Augustin tentait-il encore d'abandonner sa fille ?

Si c'était le cas, Osite ferait des mains et des pieds pour l'en empêcher. Elle était bien résolue à garder son frère à l'œil et à le contraindre, de force au besoin, à s'occuper de son enfant. C'est ce que Dorothéa aurait fait promettre à Augustin si elle avait su qu'elle partait pour son dernier voyage.

– Comment veux-tu que ces femmes, qui n'ont pas le sens maternel développé, sachent donner les soins requis à un bébé naissant? Je les imagine d'ici, désarmées devant les coliques, les maladies, les crises de dents et de larmes. En fin de compte, ce serait la petite qui écoperait. Quand ta fille sera bien réchappée, on en reparlera.

– Et pour la pension, tu me chargeras combien?

– Je ne vais pas me mettre à calculer le lait, le son et l'avoine. Ici, la terre nous nourrit. Ce n'est pas une enfant de plus qui va nous ruiner. Pour le souper, je t'avertis, je ne ferai pas de fantaisie. Tout ce que je te demande, c'est de bien t'occuper de ta fille la nuit. Chaque fois qu'elle se réveillera, fais-lui chauffer deux onces de lait coupées d'une once d'eau bouillie et augmente les quantités au besoin. Compris?

– Compris! Je vais jouer à la mère, répliqua Augustin, le ton amer. Tu ferais mieux de me prêter ta Juliette. Elle a l'air d'avoir le tour avec les bébés.

– Oublie ça. Juliette n'est encore qu'une enfant. Et puis son tour viendra bien assez vite.

* * *

La première nuit fut pénible pour Augustin. Au coucher, il approcha le berceau contre son lit afin d'entendre les tout premiers cris de l'enfant. La petite Marie dormit deux heures d'affilée puis elle se mit à bouger et à grogner pour finalement hurler. Augustin sauta sur ses pieds. Quelle affaire! Il venait à peine de s'endormir et déjà le bébé l'arrachait au sommeil. Il souleva l'enfant. Les cris cessèrent net. Il se rendit à la cuisine, la petite chose au creux de son bras gauche et, de sa main droite, il prépara le lait.

Le contenant vide, Augustin déposa l'enfant dans son berceau, sans se demander si sa soif était étanchée. Les pleurs recommencèrent de plus belle. Augustin reprit sa fille dans ses bras, se jeta sur la berçante et chanta pour l'endormir. Sur la poitrine de son père, la petite Marie se calmait. Sa main menue serrait le pouce de son papa. Voyant l'enfant bien assoupie, Augustin l'installa de nouveau dans son berceau. Les vagissements reprirent aussitôt. Augustin jeta un œil rancunier du côté des Dugas. Les fenêtres étaient noires. Sa sœur devait dormir, elle. Comme il lui en voulait. Les enfants, l'allaitement, les couches et tout ça, c'était l'affaire des femmes. Il passa une bonne partie de la nuit à bercer la petite. Est-ce que ces nuits blanches dureraient encore longtemps? Cette nuit-là, Augustin aurait donné sa fille pour pas cher. Il pria les saints du ciel, y compris sa Dorothéa, de calmer son enfant. Augustin se demandait combien de temps les saints mettaient à exaucer les prières. Il grogna un vieil air qui s'acheva en pleurs silencieux. Le veuf pleurait son désarroi, sa solitude, sa Dorothéa.

Au petit matin, Augustin changea l'enfant de couche, l'installa sur son bras et prit le chemin qui menait chez sa sœur.

Osite remarqua les traits tirés de son frère.

La table était dressée pour le déjeuner. Augustin déposa l'enfant sur la huche à pain.

– Si tu savais quelle nuit atroce j'ai passée. J'ai dû dormir dans la berçante avec la petite dans les bras.

– Je le sais, j'en ai eu huit. L'as-tu changée de couche à chaque boire ?

– Pas à chaque boire. Une fois, ce matin. Son berceau était complètement trempé. Encore du linge à laver. Je me demande bien où je trouverai le temps.

Osite bouillait de colère. Elle se mit à gueuler :

– Tu mériterais une bonne volée, Augustin Labasque. Si les fesses de la petite s'échauffent, elle va pleurer encore plus et tu l'auras bien cherché. Malheureusement, c'est cette pauvre enfant qui en souffrira.

– Cesse de gueuler. Je ne suis pas sourd. Et puis tu vas faire peur à la petite. Tu ne me l'avais pas dit ; comment voulais-tu que j'y pense seul ?

Osite lança une couche dans les bras d'Augustin.

Elle baissa de ton.

– Tu ne t'en réchapperas pas de même, Augustin Labasque. Change-la et prends soin, chaque fois, de bien laver son fessier. À l'avenir, tu changeras sa couche à chaque boire. C'est ça ou bien tu n'as pas fini de passer des nuits blanches.

– Ça va. J'ai ma leçon.

– Et puis augmente les quantités de lait pour qu'à la fin du boire, il en reste au moins un doigt au fond du gobelet.

Osite ajouta :

– Comme son nombril est tombé, ça me soulagerait un peu si le matin tu lui donnais son bain.

– Son bain ? Je ne…

Osite lui coupa net la parole.

– Surtout pas de « je ne » !

* * *

Tout le temps du bain, Augustin sifflait un air familier. Il savonnait cette petite chose bien en chair. La petite l'observait paisiblement, les yeux bleus dans les siens comme si elle découvrait son père. Augustin avait sa méthode bien personnelle de laver un enfant. Comme pour la lessive, il plongeait sa fille jusqu'au cou dans l'eau de la bassine et l'agitait avant de l'enrouler dans une serviette.

Son long corps penché au-dessus de l'enfant, celle-ci passait une menotte attendrissante sur le visage de son père qui la laissait faire.

– Je n'ai pas le temps de te bercer, dit-il, viens.

* * *

Avec quelques petits ajustements, les nuits se firent plus calmes. Marie devint une enfant sage. Tout le temps de son boire, la petite, de ses yeux bleus de nouveau-née, fixait paisiblement son père. Augustin reconnut chez sa fille le regard posé et profond de sa Dorothéa qui, des années plus tôt, avait allumé ses sentiments. Dorothéa devait se prolonger dans son enfant. Il se gardait bien d'en parler, mais il considérait sa fille comme la plus belle enfant au monde.

Dès qu'il entrait chez les Dugas, Augustin filait chaque fois directement au berceau. À sa vue, l'enfant agitait ses bras et ses jambes.

– Osite, regarde, la petite me fait des façons.

Augustin la soulevait et les petits doigts énergiques s'accrochaient, soit aux cheveux longs de son père, soit à ses lunettes de métal quand ce n'était pas à ses lèvres ou à ses oreilles.

Peu à peu, l'indifférence d'Augustin envers sa fille se transforma en un attachement profond. Tout le temps qu'elle était à la maison, il lui parlait comme si elle comprenait tout ce qu'il lui racontait. Il la berçait et chantait pour l'endormir. Au coucher, quand sa fille s'abandonnait mollement, il la déposait délicatement dans un petit berceau collé contre son lit et il ne dormait que d'un œil.

Marie avait quatre mois quand Augustin la confia aux demoiselles Arseneau. Celles-ci attendaient le bébé à bras ouverts. Elles avaient descendu du grenier une couchette d'enfant ayant servi aux générations précédentes. Malgré un vent frisquet d'automne, Bernadette l'avait sortie sur le perron et, à l'aide d'une brosse et d'un savon du pays, elle avait redonné au bois blond sa couleur originale. De son côté, Albertine avait lessivé quelques morceaux de literie qui avaient résisté aux naissances répétées.

C'était à qui des deux filles s'occuperait davantage de la petite Marie afin de gagner son affection. L'enfant, avec ses cris, ses rires clairs et son joyeux babil, venait combler le vide mortel de leur existence, sans projet, sans affection, sans contact. Toute l'attention des deux femmes était tournée vers ce petit ange qui apportait plein de soleil dans leur maison en cette saison morne et silencieuse. Albertine ne se lassait pas de l'admirer. La petite avait de grands yeux bleus ourlés de longs cils très mobiles.

– Ah qu'elle sera jolie à quinze ans, quand elle portera, comme sa mère, de grands chapeaux de paille !

En peu de temps, Marie devint un sujet de querelles entre les deux femmes. C'était à qui lui donnerait le bain, le boire, les soins. La petite dormait son somme de la matinée dans les bras de Bernadette et celui de l'après-midi dans ceux d'Albertine qui interprétait toutes les chansons de son répertoire.

– C'est une enfant comme elle que j'aurais voulue, s'exclama Albertine en bécotant l'enfant dans le cou tendre.

– Encore t'aurait-il fallu un homme, répliqua Bernadette.

– Et si on offrait à monsieur Augustin de garder sa fille pour de bon. Je veux dire, jour et nuit et indéfiniment? Il pourrait lui rendre visite tant que bon lui semblerait. Je ne peux pas imaginer notre maison sans la petite.

– Monsieur Augustin a été clair à ce sujet; il refuserait ton offre. Déjà que tu lui fais un peu trop de minauderies pour t'attirer son attention. Si tu te voyais! Tu te rends ridicule à ses yeux.

Blessée dans son amour-propre, Albertine sentait un nœud dans sa gorge.

– C'est plutôt toi, Bernadette Arseneau, qui cherche à gagner ses faveurs avec tes farces plates. T'es trop grosse pour attirer un bel homme comme monsieur Augustin. Tu ne te vois pas: tu marches en te branlant le derrière comme une poule.

Bernadette souriait.

– Baisse de ton. Tu vas faire pleurer la petite.

Deux minutes plus tard, Albertine se reprochait d'avoir manqué de charité chrétienne envers sa sœur.

***

À la mi-novembre, Osite donnait naissance à un neuvième enfant, un gros garçon de huit livres, qu'elle prénomma Émile. L'aînée, Juliette, endossait courageusement la responsabilité de la maisonnée.

Même si l'événement avait mis toute la maison en effervescence, Augustin ne changea pas son habitude de venir prendre son souper chez les Dugas.

Le dixième jour, Osite se leva pour la première fois depuis l'accouchement.

La femme, pâlotte, s'approcha lentement de la table, les mains sur le ventre, comme si elle craignait de l'échapper.

Aussitôt, Augustin lui proposa :

– Maintenant que tu es sur pied, je vais te ramener ma fille. Depuis qu'elle vit chez les Arseneau, je la vois si peu. Je n'ose pas aller déranger les demoiselles à toute heure du jour.

Sur le coup, Osite ne répondit pas. Elle s'assit sur sa chaise aussi précautionneusement que si elle s'assoyait sur des œufs.

– Tu sais, Augustin, tu devrais penser à te remarier, à donner une mère à ta fille. Laisse passer une ou deux années de veuvage pour ne pas faire jaser et d'ici là, surveille un peu autour.

Le regard d'Augustin se refroidit. Il se leva lentement.

– Oublie ça. Si ma fille te dérange, tu n'as qu'à me le dire !

– Bon, ne prends pas le mors aux dents. Viens te rasseoir. On peut se parler. Dans deux semaines, tu me ramèneras la petite. Au fait, comment elle va ?

– Les Arseneau la bercent à cœur de jour. Elles en sont folles. La petite ne me tend même plus les bras.

– Elles doivent déverser leur trop-plein d'affection
sur elle. À son arrivée ici, il me faudra la remettre à
ma main. En fin de compte, c'est la petite qui écopera.
Avec deux bébés et l'ouvrage de maison, je n'aurai pas
le temps de les bercer.

Augustin ajouta, le ton sceptique:

– Et si je la leur laissais?

– C'est d'une famille normale dont cette petite a
besoin, de vivre parmi des enfants, pas seulement avec
deux vieilles dames. Ça peut aller pour quelques mois,
mais à long terme, elle vivrait en vase clos.

II

Trois ans s'écoulèrent.

Marie partageait sa jeune vie entre la maison des Dugas et celle de son père.

Ce jour-là, Augustin évidait une belle paire de sabots de bois à la dimension des pieds de Marie.

– Il me semble que tu viens tout juste de naître et déjà, tu cours partout.

Marie grandissait. Chaque saison amenait un changement. Augustin l'imaginait déjà revenant de l'école à la tombée du jour, la figure rieuse, les doigts tachés d'encre.

***

En entrant chez les Dugas, Marie déposa fièrement ses sabots neufs près de la porte tout contre ceux de ses cousins. Elle savait déjà voir la différence entre le neuf et le vieux. Osite l'observait, l'œil en coin. Elle saisit les sabots de ses enfants, les savonna et les brossa de son mieux pour leur redonner une nouvelle jeunesse.

– Pauvre Augustin, tu aurais pu t'exempter ce travail, je lui aurais refilé les sabots de mon Jacques.

– Trop tard ! C'est fait.

Le soir, au souper, alors que les grands s'installaient autour de la table dressée, Marie, légère comme un papillon, sautait sur les genoux de son père. Augustin mangeait du lard gras et des légumes. La fillette, à l'aide de sa fourchette, piquait des morceaux de porc dans son assiette.

Osite semonça Augustin.

– Les enfants ne doivent pas manger à la table avant leur première communion. Tu la gâtes trop, cette petite.

– Bof !

– Tu es trop mou avec ta fille. Qu'elle aille manger sur le coffre ou dans l'escalier avec les miens. C'est mauvais de faire des différences.

En entendant ces mots, Marie accrocha solidement ses bras au cou de son père. Ce dernier ajouta :

– Tu vois, la petite ne veut pas.

Osite pinça le bec.

– Tu devrais lui apprendre à plier devant l'autorité.

Sans perdre un instant, Osite lui retira l'enfant des bras et cria d'un ton emporté :

– Toi, obéis. Va manger avec tes cousins, sinon gare à tes fesses.

Dès qu'Augustin mettait un pied dans la maison, Marie n'en faisait qu'à sa tête. Et la petite était têtue comme un âne.

Le souper terminé, Augustin jucha sa fille sur ses épaules et reprit fidèlement le chemin de sa maison.

***

Marie avait une mine épanouie. Elle savait trouver son bonheur autant chez les Dugas que chez son père. Quand Augustin la comparait aux enfants de sa sœur, il ne voyait aucune différence. Comme eux, sa fille obéissait et rendait des petits services à sa tante. À trois ans, elle aidait déjà aux tâches ménagères sans montrer de dégoût, même les plus répugnantes, comme porter une couche souillée dans la chaudière ou encore épousseter l'escalier.

Avec le temps, Marie développait certaines aptitudes pour le travail manuel.

La grande cuisine n'était pas exempte de prises de bec, d'obstinations et de bousculades auxquelles Osite devait mettre le holà, mais ces différends ne faisaient-ils pas partie d'une vie de famille nombreuse ?

Mathurin mentait parfois et accusait Marie de choses injustes dans le seul but de la faire rugir, mais à tout coup, la fillette répondait à ses taquineries par une cascade de rires clairs qui emplissait toute la maison.

Marie s'assimilait bien à ses cousins. Elle sentait une chaleur humaine chez les Dugas. Elle y puisait toutes les richesses d'une famille nombreuse, comme le partage, l'émulation stimulante et une capacité de résistance et de réaction.

Chaque soir, Marie retournait à la maison, à califourchon sur le dos de son père.

Augustin était trop vieux pour la récréation et, chez elle, le fait de courir et de sauter seule n'était pas agréable. Causer avec sa poupée de son était bon pour tuer l'ennui. Donc pour Marie, la vraie vie se passait chez les Dugas. Sans cesse, elle désertait comme un malfaiteur. Son père n'avait pas à chercher bien loin ni bien longtemps : il la trouvait chaque fois chez sa sœur.

Marie s'attachait solidement à ses deux foyers et, telle une observatrice sensée, elle pesait chaque avantage et chaque inconvénient à la balance de son jeune raisonnement. Les moindres détails du quotidien, elle les enregistrait dans sa tête comme modèle.

Finalement, c'était chez les Dugas qu'elle supposait sa propre vie.

* * *

Marie boitait.

– Regardez, papa, mes orteils sont tout rouges.

– Tes chaussures sont trop serrées, ma belle. Une ampoule est en train d'apparaître : tu vois ?

– J'ai cinq ans, papa ! À ma dernière fête, je n'en ai pas eu de neuves.

– Celles-là, je ne veux plus que tu les portes. Tu les passeras à Magdeleine.

* * *

Ce même jour, Marie demanda à aller visiter sa mère au cimetière. Augustin était réticent. Il considérait l'endroit un peu lugubre pour une enfant de cinq ans. Et puis, il préférait se promener seul devant les pierres tombales. Il pouvait alors se recueillir dans le silence, en union d'esprit avec Dorothéa et vivre ses émotions sans témoin gênant. Il prit la petite main.

– Ta maman n'est plus là. Elle est au ciel avec le petit Jésus. Si plutôt on allait se promener ?

– J'ai trop mal à mes orteils, papa, et le sable du chemin est trop chaud pour marcher nu-pieds. J'aimerais mieux faire un tour de brouette.

– Seulement si tu me promets d'y rester bien assise. Va chercher la petite peau de mouton sur la chaise berçante. Tu seras plus confortable.

Augustin se rendit à la remise où, derrière la porte, se trouvait une brouette en bois brut. Le petit véhicule à une seule roue et à deux brancards rouges servait au jardinage. Il le vida de ses outils : un arrosoir, une bêche, des cisailles, une binette et une serpe. Il se débarrassa ensuite d'un résidu de terre en renversant brusquement la brouette sur le côté.

Sitôt en route, Marie bombarda son père de questions.

– Comment elle était maman ?

– Elle était très belle.

– Plus que tante Osite ?

Augustin sourit. Marie vouait à sa tante les mêmes sentiments que tout enfant porte à sa mère. Il ajouta :

– Elle était différente, et si bonne. Avec elle, jamais un mot plus haut que l'autre.

– Ma tante Osite crie pour rien, elle, mais je n'en ai pas peur parce qu'elle ne reste pas fâchée.

Augustin retint un sourire.

– Ta tante a beaucoup à faire avec sa besogne. Elle est fatiguée et parfois, quand une personne est à bout de force, elle perd ses moyens.

– Maman n'avait pas de défauts ?

– Si, un tout petit, elle était aussi entêtée que toi. Quand elle disait non une fois, elle restait figée pour de bon dans son idée.

– Pourquoi elle est morte ?

C'était la question qu'Augustin se posait depuis cinq ans, sans pouvoir obtenir de réponse. Il ne voulait pas attrister Marie. Elle était à l'âge où les enfants croient tout ce qu'ils entendent.

– Le petit Jésus la voulait avec lui dans son ciel.

Augustin souleva sa fille à bout de bras et la fit pirouetter. Marie éclata de rire. Son père la déposa de nouveau dans la brouette.

– Je t'amène chez le forgeron.

Le forgeron était un homme à forte encolure, au front plissé, au regard perçant et aux mains brunies par le feu de sa forge.

– Chez monsieur Blaise ? J'ai peur de lui, papa. Il a le visage tout barbouillé de noir.

– C'est qu'il travaille toujours devant le feu.

– Il a l'air mauvais.

– Je sais. Il a la manie de parler trop fort, mais il a très bon cœur. Il est mon ami. Tous les deux on joue aux dames. Là-bas, je veux que tu sois sage, que

tu ne touches à rien. Tout est si chaud dans la forge ;
tu risquerais de te brûler les mains.

– Promis !

La jante de roue crissait sur le sable. Au bruit
régulier, la fillette s'endormit pliée en deux dans la
brouette, la tête dodelinant sur son bras.

Dans l'odeur âcre de la forge, Blaise Amireault,
son tablier de cuir autour de la taille, venait d'enfoncer le dernier clou au sabot d'un cheval. Il suait à
grosses gouttes. La bête sortie, l'homme ferma la
forge et s'assit sur le pas de la porte, près d'Augustin
Labasque.

Tout en fumant la pipe, Blaise et Augustin,
l'esprit concentré sur leur jeu, poussaient les pions
sur les cases noires du damier. Augustin gardait un
œil distrait sur sa fille assoupie. Soudain, il entendit
Marie crier à s'époumoner. Un gamin de huit ans,
attelé aux mancherons, avait profité d'un moment
d'inattention des deux hommes pour pousser la
brouette sur le chemin. Les bras frêles du gamin
arrivaient mal à contrôler la petite charrette portée
à perdre l'équilibre sur son unique roue. Il risquait à
tout moment de renverser la fillette sur la chaussée.
Augustin courut à la rescousse de sa fille.

Derrière lui, Blaise criait :

– Nicolas Amireault, mon garnement ! Reviens ici
tout de suite.

Augustin ramena Marie dans ses bras. Derrière lui,
le gamin poussait la brouette vide.

Blaise le semonça :

– Blague à cochon ! Tu en as du toupet, mon garnement.

Augustin intervint :

– Ton garçon voulait seulement s'amuser. Ne le gronde pas. C'est rien qu'un enfant.

– Non, ce n'est pas un enfant, pleurnichait Marie, c'est un pas fin. Il voulait me faire tomber.

Augustin tentait d'excuser Nicolas, tout en serrant sa fille dans ses bras pour la consoler.

Le gamin dévisageait Marie avec une effronterie audacieuse qui la faisait pleurer davantage. Le forgeron s'en aperçut. Il attrapa Nicolas par son col de chemise.

– Toi, lui ordonna-t-il, file à la maison. Tu sortiras de là quand je te le dirai.

– Laisse-le, Blaise, tu ne vas pas le punir pour si peu. Tu sais comme ils s'entendent bien ces deux-là. Ton Nicolas n'a pas un grain de malice.

Augustin déposa sa fille au sol.

– Va dire bonjour à Nicolas et invite-le à la maison pour dimanche prochain.

Les enfants oublient vite les mésententes. Marie essuya ses yeux et courut à la cuisine, une pièce attenante à la forge. Elle frappa trois coups, passa la tête par la porte entrebâillée et s'écria :

– Nicolas, es-tu là ?

– Pas besoin de crier de même, répondit la voix enfantine de Nicolas, je ne suis pas sourd.

Le garçon ouvrit et Marie l'invita :

– Dimanche, si tu veux venir à la maison avec ton père, je te montrerai mes bébés chiens. Ils sont cachés dans la batterie dans un nid de paille. Il y en a cinq. Si tu veux, tu pourras les prendre dans tes bras.

Tout ce qui touchait la ferme et les animaux éveillait la curiosité de Nicolas, mais suite à la semonce toute fraîche de son père, le gamin gardait une attitude renfrognée. Il en voulait à Marie.

– Je m'en fous de tes chiens !

Marie allait ouvrir la porte pour s'enfuir quand Nicolas attrapa son bras.

– J'en veux un à moi.

– Pas tout de suite. Ils sont trop petits, mais dimanche, tu pourras en choisir un pour plus tard.

Le dimanche, après la messe, les colons se rendaient à la forge remplacer soit un fer à cheval perdu, soit un loquet de porte brisé quand ce n'était pas une pièce de fer que le forgeron devait couder en équerre ou encore une barre de métal qu'il devait transformer en fer à cheval.

Blaise Amireault détestait travailler le jour du Seigneur, mais il lui fallait bien accommoder ses clients qui demeuraient dans les rangs éloignés. L'après-midi, alors que le grand soufflet cessait de s'époumoner et que la forge surchauffée revenait au beau calme, le forgeron se rendait chez Augustin disputer une partie de dames. Nicolas l'accompagnait.

Nicolas et Marie coururent joyeusement aux bâtiments. La grange était haute et le bois de ses murs lisse comme la paume de la main. Les enfants ouvrirent péniblement deux lourdes portes, consolidées de croix en bois, assez grandes pour laisser passer les voiturées de foin. Dans la batterie, Marie s'agenouilla et glissa son bras dans la paille, mais cette fois, elle ne trouva rien. La portée de chiots avait disparu. Quand il s'agissait de protéger ses petits, la chienne savait repérer un lieu sûr à l'abri du danger. Les enfants eurent beau chercher dans le hangar, dans la remise, sous les sièges de voitures, prêter l'oreille, les chiots restaient introuvables. Ils renoncèrent.

À gauche, une échelle solide, appuyée au mur, menait au grenier à foin. Tels deux petits singes, les enfants s'agrippèrent des mains aux échelons. Arrivés au fenil, Marie donna une forte poussée à Nicolas qui tomba six pieds plus bas, sur une meule de foin. Elle laissa le temps au garçon de se relever et sauta à son tour. Et le jeu recommença maintes fois.

Assis sur le perron, Augustin et Blaise entendaient les enfants rire à gorge déployée.

Les gamins recommencèrent encore et encore leurs sauts avec élans, les bras écartés du corps, en guise d'ailes. Soudain, une hirondelle des granges vint planer au-dessus de leurs têtes en lâchant son cri. Marie s'accroupit pour lui céder le passage.

– Nicolas, regarde l'oiseau, il apporte quelque chose dans son bec.

Nicolas le suivit du regard. L'hirondelle aux ailes fines et longues frôla sa tête en dessinant un cercle pour ensuite aller s'abriter non loin d'eux.

Les petits curieux effarouchaient l'oiseau en frappant des mains.

– Attends que l'hirondelle s'en retourne et nous irons voir s'il y a des œufs dans son nid.

Marie s'étendit à plat ventre et fouilla chaque cellule entre les solives. Elle découvrit dans un nid de tendres oisillons et une herbe rare que l'hirondelle cueille dans les sous-bois et rapporte au nid pour soigner la vue de ses hirondeaux.

L'oiseau à queue fourchue revint et effraya les enfants en planant tout près de leur tête et en jetant des cris qui les terrifièrent.

Marie se releva. Elle vacilla, tomba à genoux et se remit debout sur la surface moelleuse. Arrivée au haut de l'échelle, elle cria :

– C'est celui qui arrivera à la maison le premier.

Le temps que perdit Marie à descendre les échelons, Nicolas fit un saut du grenier à foin au sol. Ils coururent à toutes jambes et s'arrêtèrent aux marches du perron. Nicolas, arrivé le premier, s'assit dans le petit escalier, tout essoufflé.

– Tu as vu comme l'hirondelle est méchante ? Ma sœur dit que les hirondelles apportent le bonheur.

– C'est quoi, le bonheur ?

– Pour les grandes filles, c'est peut-être un amoureux.

Sitôt dit, Nicolas posa la main devant sa bouche pour dissimuler un sourire gêné.

– Un amoureux, reprit Marie, c'est drôle.

– Oui, c'est drôle. Depuis que ma sœur a un amoureux, elle chante tout le temps, comme une hirondelle.

– J'aimerais bien avoir une sœur, mais papa dit que pour ça, il faudrait qu'il se remarie. Moi, je ne veux pas d'une autre mère.

* * *

Sauf quelques rares malentendus, Marie et Nicolas s'entendaient à merveille.

L'hiver quand la neige peignait le paysage en blanc, on les voyait tous deux, emmitouflés jusqu'aux oreilles, dévaler les collines arrondies, sur un traîneau léger. Arrivés au creux du vallon, ils remontaient les sommets neigeux aussi vite que leurs petites jambes le leur permettaient. À chaque pas, la neige cédait et on s'enfonçait parfois jusqu'aux genoux. Les remontées monotones les rendaient à bout de souffle. C'était à qui des deux gamins ne remonterait pas le traîneau. Marie, entêtée, faisait mine de l'oublier et la petite main gelée de Nicolas reprenait la corde et traitait son amie de paresseuse. À l'âge tendre, les enfants ne connaissent pas encore la galanterie. Marie et Nicolas s'en tenaient aux propos enfantins et aux émotions joyeuses. Après des heures de glissades sur les pentes enneigées, ils rentraient à la maison avec des cristaux aux cils, du rouge aux joues et du rire plein les yeux.

III

Penché sur la table de la cuisine, Augustin Labasque évidait un morceau de bois.

– Tu pousses trop vite, ma grande. Du vrai chiendent. Je n'arrête pas de te fabriquer des sabots.

Marie sourit.

– J'ai douze ans, papa.

La fillette prenait la réflexion de son père pour un compliment, et avec raison : elle dépassait Magdeleine de deux pouces et pourtant, celle-ci la devançait d'un an.

– Cette fois, ajouta Augustin, je vais les faire assez grands pour ne pas recommencer dans six mois.

Des coups frappés à la porte dérangèrent leur attention.

Albertine Arseneau se présentait avec un contenant dans les mains.

– Je ne vous dérangerai pas longtemps. Je vous apporte un pain au raisin et à la cannelle, un petit délice. C'est une recette de ma pauvre mère.

– Quelle gâterie ! s'exclama Augustin, ce n'était pas nécessaire de vous donner tant de peine. Mais Marie et moi allons le déguster à votre santé.

Marie, butée, regardait le sol. Elle leva les yeux. Son regard soupçonneux allait de son père à Albertine qui était tout sourire.

– Ça me fait plaisir, monsieur Augustin.

Augustin somma Marie de placer la galette dans la huche à pain et ajouta :

– Approche donc une chaise à mademoiselle Albertine.

La fillette abasourdie suivait son père des yeux. Il était là qui se jetait presque à genoux devant la vieille demoiselle, tout ça pour une simple galette. Peut-être était-elle venue pour autre chose ? Un débat se livrait dans son âme d'enfant. Marie, réticente, obéit lentement. Toutefois, Albertine repoussa la tentation de s'asseoir.

– J'en ai pour une seconde, une seconde, pas plus. Vous avez une bonne fille, bonne et belle.

– N'allez pas me la rendre orgueilleuse avec vos compliments.

– Dans quelques années, tous les garçons auront les yeux sur elle. Vous saurez me le dire.

– Marie n'est qu'une enfant.

– Bon, moi, j'y vais, reprit Albertine, je ne veux pas m'absenter trop longtemps, Bernadette m'attend pour aller au cimetière, prier sur la tombe de nos parents.

Albertine s'en retourna en prenant soin, volontairement, de laisser son contenant pour ainsi donner l'occasion à Augustin de passer chez elle.

La porte n'était pas fermée que déjà, Marie attaquait et répétait, le visage en grimace :

— « Ça me fait plaisir, monsieur Augustin ! » Depuis quand elle vient ici, elle ? Est-ce qu'elle venait du temps de maman ?

— Non. Mademoiselle Albertine a voulu nous faire plaisir. Je ne vois pas pourquoi tu en ferais tout un plat. Elle s'est donné de la peine pour nous. C'est bien aimable de sa part.

— Je n'en veux pas de son gâteau, dit-elle, le ton mordant, la bouche dédaigneuse.

— Ça en fera plus pour ton père.

— Je ne veux plus qu'on parle d'elle ni de sa galette.

— Eh bien, soit ! Mais dans ma maison la porte est ouverte à tout le monde et je tiens à ce que tu te conduises correctement avec les visiteurs, comme ta mère le faisait.

Marie respirait profondément, les yeux accrochés au plafond pour montrer son désintéressement.

Augustin l'observait. Tout en caressant sa barbe, il dissimulait un sourire derrière sa main. Sa fille saurait défendre ses droits.

Toutefois, il prit la petite scène pour un avertissement. Marie voulait son père pour elle seule. Il chatouilla sa nuque et la fillette retrouva aussitôt son air enjoué.

— Papa, avec des sabots neufs, il me faudra aussi une jupe en étamine pour le dimanche. Je la veux verte avec une bordure rouge. La mère de Bérénice pose des garnitures rouges à ses robes.

Le vert, le bleu et le noir étaient des teintures à la portée de tous, mais pour obtenir une couleur rouge, les Acadiennes devaient se procurer des étoffes anglaises qu'elles charpissaient en défesures. Elles devaient ensuite les carder, les filer et les retisser sur leurs métiers rustiques.

— Moi, je ne couds pas. Tu t'arrangeras avec ta tante.

— Je ne vous demande pas la mer à boire, papa. Si vous êtes capable de me fabriquer des sabots, vous êtes bien capable de me coudre une jupe. Tante Osite dit toujours que je n'en ai pas besoin, que c'est juste de l'orgueil. Mais moi, je pense que c'est à cause de Magdeleine qu'elle refuse, pour ne pas la laisser de côté. Ma tante voit bien que je porte des vêtements flambant neufs tandis que Magdeleine porte toujours les vêtements qu'on lui donne à user.

Augustin sembla réfléchir un moment.

Osite, avec sa trâlée d'enfants, ne prenait pas le temps de s'arrêter aux caprices de chacun. Il la voyait encore aller à petits pas pressés d'un bout à l'autre de la maison. Elle s'assoyait, les fesses sur le bout de la chaise pour manger, prête à bondir à la moindre demande des siens et, sitôt le souper terminé, elle reprenait le collier pour ne s'arrêter qu'au coucher.

— Je verrai ce que je peux faire, mais je ne te promets rien.

*** *

Augustin arrêta son attelage chez les Arseneau et passa les cordeaux aux mains de Marie.

– Attends-moi dans la voiture. Je vais aller porter le contenant que mademoiselle Albertine a oublié à la maison. J'en ai pour deux petites minutes.

– Non, s'opposait Marie, c'est moi qui vais y aller.

– Non, restes là et tiens les guides.

La fillette se renfrognait. « Encore chez les Arseneau. Comment son père pouvait-il aimer ces vieilles filles, une grande sèche et une grosse toutoune ? En tout cas, moi, je ne veux ni de l'une ni de l'autre dans notre maison. Je les déteste. »

La porte des Arseneau s'ouvrit toute grande devant son père, comme si en dedans quelqu'un la tirait, énergiquement, résolument. Marie, en attente dans la voiture, en restait hébétée. Au retour d'Augustin, elle s'informa de ce qui l'attirait tant chez les Arseneau.

– Vous n'allez pas fréquenter mademoiselle Bernadette ?

Augustin sourit.

– Non.

Marie, le regard amer, les lèvres pincées, s'emportait.

– Encore moins la grande Albertine ? Je ne veux ni de l'une ni de l'autre comme mère.

Marie se mit à raconter :

– Quand le père de Bérénice s'est remarié, c'est comme si le diable était rentré dans sa maison.

Madame est arrivée en maître chez les Doucet. Elle menait tout le monde par le bout du nez et passait le plus clair de son temps à crier après les jeunes. J'en sais bien long sur ce remariage. Bérénice m'a raconté des choses qui donnent la chair de poule.

Augustin la regarda mieux. Sa fille avait des expressions à la fois vieilles et enfantines.

– Cette Bérénice ne devrait pas te raconter ce genre d'histoires.

Puis Augustin lui apprit que les demoiselles Arseneau avaient pris soin d'elle alors qu'elle n'était qu'un bébé.

Mais Marie insistait.

– Si jamais vous avez l'idée de vous remarier, j'irai rester chez tante Osite pour toujours.

Augustin voulait garder le secret, mais face à l'animosité de sa fille, il crut bon de calmer ses inquiétudes.

– Toi et Magdeleine, vous passerez chez les demoiselles Arseneau, faire prendre vos mesures pour des robes. Surtout, pas un mot à ta tante Osite. Ce sera une surprise.

– Papa, avec une robe neuve, Magdeleine aimerait bien avoir des sabots comme les miens.

– Je vais y penser, mais je ne te promets rien. Avec les goélettes à réparer, on travaille du matin au soir, six jours par semaine. Je me demande où je trouverai du temps pour des sabots.

– Si vous n'avez pas le temps, je pourrai peut-être vous aider.

– Non, ce serait trop dur pour tes poignets.

Marie lui accorda un sourire reconnaissant. Elle savait que c'était marché conclu ; son père ne lui refusait rien. Elle se mit à raconter :

– Magdeleine et moi avons fait le serment de ne jamais nous quitter. Une fois mariées, nous habiterons des maisons voisines.

Augustin la laissait bavarder sans rien ajouter. C'était un beau rêve. Mais il se disait que la vie avait parfois ses caprices. Il savait par expérience que quelquefois des obstacles viennent contrecarrer les projets. Toutefois, Marie avait droit à ses illusions de fillette.

À douze ans, elle vivait encore la moitié de son temps chez les Dugas. Augustin la retournait à sa sœur le temps de la pêche, de la chasse et de ses travaux aux champs. Marie préférait vivre chez sa tante Osite, même si elle vouait une grande tendresse à son père. Là-bas, la maison était pleine de vie et de chansons. La jeunesse était un jeu que Marie apprenait à jouer avec les cousins et les cousines.

Les garçons avaient beau malmener Marie, lui tirer les cheveux, se moquer de ses bouderies, les chicanes ne duraient guère, et sa cousine Magdeleine était toujours là prête à prendre son parti. Marie et Magdeleine, à peu près du même âge, faisaient la paire. Sitôt seules, elles échangeaient des pensées, des points de vue qu'aucune autorité ne venait entraver. Elles se promettaient de ne jamais se perdre de vue en parlant de leurs rêves.

Chaque samedi, les filles dépendaient une cuve de bois accrochée au mur, au fond de la cuisine d'été, et elles la traînaient sous l'escalier, à l'abri des regards. Elles remplissaient ensuite le baquet d'une belle eau claire et chaude. Les bains se prenaient à tour de rôle, en débutant par les plus jeunes. Ce jour-là, leur tour arrivé, Marie et Magdeleine refusèrent de se tremper dans une eau sale et refroidie. Osite usa sans succès de son autorité pour finalement s'incliner devant ce qu'elle considérait comme un simple caprice. Elle changea l'eau usée pour une eau fraîche. Magdeleine se trempa jusqu'à mi-corps dans le baquet d'eau propre, mais son tour arrivé, Marie se dérobait de nouveau. Depuis quelques mois, une pilosité pubienne la préoccupait. La cuve était mal dissimulée et une pudeur toute récente la poussait à cacher sa nudité.

Osite insistait :

– Tu ne te corrigeras donc jamais de ton entêtement ?

– L'entêtement n'est pas un défaut. Papa dit que maman aussi tenait tête.

– C'est une mauvaise habitude que tu traînes. Espérons qu'avec le temps, tu t'en débarrasseras.

– Pourquoi j'irais à l'envers de mes idées ?

– Vois comme tu t'obstines encore !

– Papa dit qu'il faut toujours être deux pour s'obstiner.

– En plus, tu te permets de braver, c'est bien le comble ! Ah et puis laisse, je parle dans le vide.

Osite ajouta, le bec pincé :

– Si tu crois faire marcher les gens à quatre pattes devant toi de cette façon !

– Ce n'est pas mon intention. J'ai mes idées et ma façon de penser : j'y tiens, un point c'est tout.

Osite abandonna la partie. Elle leva les yeux au plafond et secoua les épaules :

– Tu te laveras chez toi.

Dernièrement, l'adolescente surprenait Osite par son esprit vif et ses raisonnements pleins de justesse et de profondeur.

Marie aurait aimé se retirer seule à la maison pour réfléchir en paix, mais il lui fallait aider sa tante. Osite s'affairait à la lessive, Juliette charriait l'eau à bouillir et frottait les taches des vêtements, Magdeleine cuisait le pain. Il ne restait qu'elle pour fricoter le repas. À douze ans, Marie savait déjà boulanger, tisser des draps de toile, piquer des courtepointes au métier. Osite lui avait tout enseigné, sauf ce qui avait trait à la sexualité. Au sujet des choses intimes, c'était bouche cousue.

Plus tôt, Marie avait posé à sa tante des questions touchant la puberté et Osite, bourrée de scrupules, avait esquivé adroitement ses propos gênants.

* * *

Augustin Labasque partait tôt le matin. Avec Cajétan, il allait réparer deux goélettes de fort tonnage qui servaient au commerce du bois, des denrées et des fourrures. Leur travail consistait à calfater la coque du bâtiment à deux mâts avec du brai à l'extérieur comme à l'intérieur pour la rendre étanche.

Augustin devait réveiller Marie plus tôt. Depuis quelque temps, c'était devenu un tour de force de tirer sa fille du lit.

– Marie, lève-toi. Saute vite dans tes chaussures et suis-moi chez Osite.

Contrairement à ses habitudes, Marie hésitait à ouvrir les paupières. Elle se sentait lente à fonctionner. Elle étirait ses membres lourds et cherchait à gagner du temps de sommeil. Elle aurait bien aimé paresser toute la journée, s'entortiller dans une couverture chaude et finir de se réveiller lentement dans la berçante au soleil du matin. Elle répondit, la voix pâteuse :

– Je reste ici aujourd'hui. À douze ans, je suis assez grande pour rester seule à la maison.

– Oh non. Oublie ça. Avec les Iroquois et les Anglais qui rôdent autour, s'il fallait qu'il t'arrive malheur, je ne me le pardonnerais pas. Et puis, rendue chez Osite, tu n'auras qu'à te recoucher.

– Me recoucher, grommelait Marie dans la maussaderie du réveil, comme si c'était possible de dormir avec le va-et-vient de la maisonnée.

L'adolescente se leva, revêche. Ce n'était pourtant pas sa nature, cette humeur bougonne.

Une tache de sang souillait son drap. Elle devait avoir inconsciemment gratté une piqûre d'insecte. Elle passa une débarbouillette sur sa figure et peigna ses cheveux. Le petit miroir lui renvoyait une face blême, des traits tirés. Marie se trouvait moche. Elle courut au cabinet derrière la maison. Sur le papier de toilette, encore du sang. Et pas de démangeaisons. «Je vais mourir», pensait-elle bouleversée.

Contre son gré, Marie se rendit chez les Dugas. Elle refusa de monter dans la charrette. Elle suivait l'attelage à pied, en bâillant à se décrocher les mâchoires. Un léger mal de ventre l'incommodait. Chez sa tante, elle demeura sur le seuil de la porte à regarder son père disparaître au tournant du chemin.

Durant toute la journée, la tête ailleurs, elle exécuta son travail à la diable. Elle se tenait au cabinet avec cette crainte de se vider de son sang qui ne cessait de s'échapper de son corps. Sa jupe tachée de sang, elle appréhendait d'être ridiculisée par ses cousins. Au milieu de l'après-midi, elle déserta la maison des Dugas et rentra chez elle, penaude.

À l'heure de soigner les bêtes, Marie reconnut l'attelage de son père dans le coude du chemin. Augustin lui interdisait formellement de rester seule à la maison. Peut-être l'accablerait-il de reproches ou peut-être la menacerait-il de se remarier? Elle courut à la grange et se cacha dans le fenil. Elle avait honte et peur à la fois. Bien calée sur son lit de foin, comme une petite chatte frileuse, elle s'abria d'herbes séchées. Elle pensait à sa mère qui, en ce moment, lui manquait énormément.

Paresseuse comme jamais, Marie ne tarda pas à s'endormir au chant de l'hirondelle nichée sous les combles du grenier à foin.

Augustin, les paupières à demi closes par la lourdeur du sommeil, menait son cheval au pas. La journée, commencée très tôt, n'en finissait plus. Sous le coup de la fatigue, il se promettait bien à l'avenir de refuser tout travail à l'extérieur. Traire ses vaches lui demandait une énorme dose d'énergie. Il s'assit un moment sur une marche du perron, essuya son front du revers de sa manche, puis il se dit en carrant les épaules : « Allons, un petit effort mon Augustin, les vaches t'attendent à la porte de l'étable. »

Il rangea ses outils dans un hangar attenant aux bâtiments. Il prit sa fourche et se rendit à la grange. L'odeur pénétrante des foins coupés s'exhalait dans le fenil. Si ce n'était de cette fatigue, Augustin aurait trouvé tout son bonheur à s'occuper de sa ferme et de ses animaux. Il regrettait d'avoir accepté cette réparation de goélettes, une tâche astreignante qui le tenait loin de chez lui.

Marie n'entendit pas son père traire les vaches et soigner les porcs.

Augustin s'approcha et piqua vivement sa fourche dans le foin quand il entendit un bêlement, comme une brebis qui ne sait rien faire d'autre pour exprimer sa douleur. L'homme pensa aussitôt à un Iroquois. Furieux, il écarta brusquement du pied les herbes séchées et aperçut sa fille qui, les yeux exorbités, grimaçait de douleur.

– Toi ! Mais qu'est-ce que tu fais là ?

D'un coup sec, sans se donner le temps de réfléchir, sans doute par nervosité, Augustin arracha la fourche de la jambe de sa fille. Il s'arracha le cœur avec.

Un seul des trois fourchons avait pénétré la jambe. Toutefois, le sang coulait à flot. L'homme sentit son cœur s'arrêter de battre. Il leva une main rassurante devant Marie.

–Attends! Ne bouge pas de là. Je reviens dans la minute.

Augustin, cet homme qui coupait ses phrases de silences, n'avait jamais agi et parlé aussi vite; il en bafouillait. La blessure devait être sérieuse: le sang jaillissait. Confus, Augustin revint sur ses pas. Il noua un mouchoir propre autour de la jambe blessée. Il souleva délicatement Marie et la transporta à la remise où il la déposa dans la charrette le temps d'atteler sa bête. Il arrivait difficilement à harnacher ses courroies tant ses mains tremblaient.

Il fit siffler le fouet au-dessus de la bête, sans toutefois la toucher, pour que celle-ci prenne le galop.

Arrivé chez la Chiasson, le cheval respirait à pleins naseaux.

Augustin priait pour que sa fille ne reste pas infirme ou boiteuse. Les larmes lui brûlaient les yeux.

«Si la fourche avait frappé Marie à la tête, elle l'aurait tuée», se dit-il, le cœur serré.

La soigneuse fit transporter la blessée sur un lit étroit.

Augustin lui rapporta les faits.

Françoise Chiasson remarqua une pâleur inquiétante sur le visage du père, aussi crut-elle plus prudent de garder l'homme à vue. Elle lui désigna une chaise.

– Assoyez-vous là, monsieur Labasque, ce sera plus rassurant pour votre fille de vous savoir à ses côtés. Maintenant, dites-moi ce que votre fille faisait cachée dans le foin.

– Je ne sais pas. Vous n'avez qu'à lui demander. À vous, elle le dira peut-être.

– Elle ne vous a rien dit?

– Quand ma fille ne veut pas parler, il n'y a rien pour lui dessouder les lèvres.

Marie, d'un entêtement incroyable, persistait dans son silence.

La soigneuse ne força rien.

Elle questionna le père.

– Est-ce que votre fourche était rouillée?

– Non, du moins, je ne le crois pas.

– Ça me rassure.

La Chiasson savonna ses mains, examina minutieusement la plaie et en tâta le contour.

Marie se raidit. Toutefois, elle n'échappa pas une plainte.

– Sens-tu une douleur où je mets une pression?

– Un peu!

Françoise Chiasson se tourna vers Augustin.

– Il ne semble pas y avoir d'infection, mais il faudra suivre ça de près. Je ne veux pas prendre de risque.

Je vais désinfecter. Et si vous constatez quelque changement, n'hésitez pas à revenir.

La soigneuse appliqua sur la plaie un onguent à base
de cire et entoura la jambe d'un long bandage.

– La blessure est profonde, un bon deux pouces. Le
coup a porté.

Augustin se tourna face au mur et prit sa tête à
pleines mains. Ce père doux et bon n'avait plus de
résistance. Ses nerfs lâchaient. Il se mit à sangloter. Il
interprétait les paroles de Françoise Chiasson comme
une accusation, une condamnation, et il lui donnait
entièrement raison. Il était plein de remords. Il adorait
sa fille.

Marie sentit à son tour des larmes lui monter aux
yeux. Elle avait le même cœur que son père. Elle
l'aimait aussi. Il était sa vie. S'il avait été plus près, elle
aurait embrassé sa tête blanche.

La soigneuse lui interdit de marcher ou de sauter
sur un pied, du moins pour quelques jours.

– Et comment je vais me déplacer ?

– Pour l'indispensable, tu te déplaceras avec le
genou sur une chaise.

Françoise Chiasson posa une main réconfortante
sur l'épaule d'Augustin, puis l'invita à attendre dans
la pièce adjacente. Une fois seule avec la fillette, la
soigneuse tenta de la faire parler.

– Maintenant, ma fille, je tiens à ce que tu me
racontes exactement ce qui s'est passé. Tantôt, j'ai vu

du sang séché sur ton genou. Et ne me fais pas croire que ça vient du coup de fourche.

Marie se sentait en confiance avec cette femme. Il lui était plus facile de confier ses craintes à une étrangère qu'à son propre père. Au début, elle ne se livra que par sous-entendus obscurs que seule celle qui a une connaissance de l'âme humaine peut percevoir avec discernement. Puis elle lui parla du sang sur son drap, de sa honte, de sa détresse et finalement de sa cachette dans le foin.

– Attends-moi ici un moment. Ne bouge pas de là.

Restée seule, Marie conçut le noble projet de soigner ses semblables comme le faisait madame Chiasson.

Cette dernière traversa à la pièce voisine retrouver le père.

– Qu'est-ce que ma fille vous a raconté?

– Vous demanderez à votre sœur de tout lui expliquer au sujet des menstruations.

– Déjà? Vous devez sûrement vous tromper.

– Non, vous ne semblez pas voir que votre fille change, qu'elle se transforme. Vous lui parlerez de tout ça.

– Je n'aime donc pas ça! Chez nous, entre frères et sœurs, nous ne parlions pas de ces choses.

– Allez, disparaissez. Vous reviendrez chercher votre fille dans une heure. Je vais tout lui expliquer.

Sur le chemin du retour, Augustin resta silencieux. Il remarqua comme Marie avait changé. La Chiasson avait raison. Maintenant, il se sentait un peu mal à l'aise de se trouver, du jour au lendemain, avec une adulte; il en perdait ses moyens. Il ne saurait plus causer avec elle comme hier, alors qu'elle n'était qu'une fillette. Déjà, il ne trouvait rien à lui dire. Il secoua les cordeaux sur la croupe de sa bête qui prit le trot.

Marie garda un silence absolu sur cette histoire de menstruations. Elle parla à son père de son désir de soigner.

– Par ici, rares sont les médecins diplômés. Je voudrais accompagner madame Chiasson auprès des malades. Si jamais elle veut bien me transmettre ses connaissances. Je veux apprendre à faire la saignée et les suées qui guérissent sur le champ bien des maladies.

– La saignée et les suées! Tu pourrais faire ça sans t'évanouir?

– Si madame Chiasson le fait, je peux le faire aussi.

– Après tout, si tu crois avoir la vocation.

Augustin regardait sa fille comme s'il la découvrait. Elle avait déjà des idées de jeune fille.

Cette journée fut pour Marie une dure initiation aux menstruations. Mais en conscience, l'adolescente savait que tout cela avait un bon côté. Depuis quelque temps, tout se passait autrement dans son corps et dans sa tête. Pour la première fois, elle aimait la cuisine aux murs de planches et les deux fenêtres à six carreaux qui donnaient une belle vue au bas des vertes collines. Marie s'arrêtait aux choses simples. Elle avait perdu le goût de courir, de sauter, de s'exciter avec ses cousins. Depuis quelque temps, coquette et rêveuse, elle s'intéressait et se mêlait aux causeries des adultes.

Augustin invita Marie aux champs avec une intention bien arrêtée de lui parler seul à seule, sans être dérangé par les occupations de sa fille. Habituellement, il lui demandait d'apporter un petit quelque chose à broder ou encore un tricot. Elle s'assoyait alors sous un arbre, jamais loin de lui ou alors, il la laissait sous la surveillance d'une voisine ou de sa sœur. Augustin surprotégeait sa fille, plus encore, il la couvait.

Ainsi, il en avait fait une soumise, une tendre qui ne connaissait ni la colère ni la méchanceté, mais cet entêtement des êtres doux qui possèdent un équilibre, une assurance solide.

Augustin prit deux pioches.

– Viens, Marie. Aujourd'hui, n'apporte pas d'ouvrage.

Marie le suivit au pas. Du rang voisin, elle surveillait son père et sentait que quelque chose le tracassait. Il était silencieux et il avait des yeux qui semblaient regarder au-delà du visible, un sur la forêt louche, l'autre sur le bassin des mines, toujours à l'affût des attaques possibles.

Augustin hésitait. Puis il se décida à parler.

– Si je refaisais ma vie avec une autre femme, ça te dérangerait de voir une étrangère rôder dans la maison ?

« C'était donc ça », pensait Marie déçue.

– C'est qui ?

– Personne encore.

Marie resta bouche bée. Comment un père pouvait-il demander ça à sa fille ? Ils étaient si bien, seuls tous les deux. Une tristesse voilait son regard.

– Vous savez ce que j'en pense, mais c'est vous qui décidez dans cette maison.

– Je sais, mais je veux ton idée avant de m'embarquer dans des fréquentations qui risqueraient de te déplaire. Je n'aime pas te laisser seule à la maison. Il y a les sauvages, les Anglais, les coureurs de bois, et les coureurs de jupons que je redoute. Si je me remariais, ce serait uniquement pour toi, pour ta sécurité et pour l'aide qu'une femme fournirait dans la maison.

Un silence lourd s'ensuivit. On n'entendait que les coups de pioches mordre la terre. Augustin observait sa fille du coin de l'œil. Aucune émotion ne se peignait sur son visage. Que pouvait-elle bien penser ?

Brusquement, celle-ci s'arrêta, le menton appuyé sur le manche de sa houe.

– Vous devez déjà avoir une idée de qui il s'agit, sinon vous ne m'en parleriez pas.

– Mais non.

Augustin aurait voulu l'attirer contre lui, la serrer dans ses bras pour la rassurer, mais depuis que le corps de sa fillette s'était transformé en celui d'une jeune fille, la décence lui demandait de freiner ses élans paternels, de laisser les effusions de tendresse à celui qui l'épouserait. Ils se remirent à la pioche.

Marie sentait un regard peser dans son dos. Elle se retourna vivement. Son père la regardait. Elle lui sourit, mais lui restait grave. Comme elle allait se remettre fiévreusement à la tâche, Augustin lui enleva sa houe.

– Viens. Assez travaillé. On rentre à la maison.

– On vient tout juste d'arriver.

– Viens. Tu vas abîmer tes mains à l'ouvrage.

IV

Installé à la table de la cuisine, Augustin découpait des pièces de cuir.

– Tu vois, Marie, à ta naissance, je n'aurais jamais pensé qu'une enfant arriverait à me faire autant plier à tous ses caprices.

– Des chaussures, vous appelez ça des caprices ?

Augustin marmonna, impatient :

– Quelle idée de vouloir porter de hautes bottines de cuir ? C'est bon pour les dames anglaises.

Marie n'argumenta pas. Son père ne comprenait pas cet engouement soudain pour la nouvelle mode britannique. Elle n'irait quand même pas jusqu'à dire à son père qu'il lui prenait une passion de plaire. Elle ne parlait de ces choses qu'avec sa cousine Magdeleine.

À seize ans, Marie voulait attirer les regards des garçons. Elle s'arrêtait sur un bout de ruban, de belles frisures, une boucle de cheveux plus haute, une autre plus basse, le choix d'un vêtement et mille autres petites frivolités de jeune fille. Plus tard, devenue femme, il serait encore temps de redevenir simple, de porter des vêtements plus sévères, des robes noires à longs plis, des robes commodes.

Assise les coudes sur la table, Marie surveillait les moindres coups de ciseaux.

– Je les veux hautes jusqu'aux mollets et avec des lacets.

– Des lacets ! Je me demande seulement si j'arriverai à les coudre, le cuir est si dur à percer.

– Vous pourrez toujours demander l'aide du cordonnier. S'il est capable de fabriquer des selles et des attelages, c'est qu'il peut aussi coudre des bottines de cuir. Pour le laçage, il n'aura qu'à fabriquer des œillets, comme il le fait pour les œils-de-pie.

Augustin leva un regard attentif sur sa fille.

– Toi, tu es en train de m'embarquer dans une drôle de galère.

Après un silence, il ajouta :

– Tout de même, ton idée n'est pas bête.

– Allez-vous pouvoir les finir pour dimanche ? Je voudrais les étrenner pour la messe.

– Je crois que non. Tu me connais, la vitesse et moi, on n'a jamais fait bon ménage.

* * *

Ce dimanche, après la messe, le père Félicien invita Marie à passer à son bureau où une rangée de chaises formaient un demi-cercle. Le prêtre avait invité quelques jeunes avec l'intention de former une chorale paroissiale.

Marie Labasque entra la première et prit un siège tout près de la porte. Elle laissa glisser son manteau sur le dossier de sa chaise et enfouit son béret dans sa manche. Sa jupe légèrement retroussée laissait voir une élégante bottine de cuir brun.

Marie était belle à voir avec ses seize ans et son œil brillant qui avait la luminosité du ciel. On voyait aussi briller sa grâce et sa candeur que rien n'égalait.

Le père Félicien avait beau être prêtre, il n'était pas pour autant insensible au charme de la jeune fille.

À l'église, le missionnaire voyait les garçons un peu volages, le livre de prières ouvert sur leurs genoux, poser sur Marie un œil intéressé. Le père Félicien se demandait bien lequel d'entre eux serait l'heureux élu.

Son ambition était de célébrer le plus grand nombre de mariages possible. Il permettait aux garçons d'aller voir les filles une bonne fois par semaine en prenant garde de ne pas prolonger leurs visites au-delà de dix heures, car pour les colons, c'était l'heure de se reposer. Il conseillait aux mères de se servir du fouet pour ceux qui se montreraient insoumis.

Ainsi, le prêtre encourageait les fréquentations prudentes et chrétiennes qui conduisent à des mariages heureux.

– Vous pensez à votre avenir quelquefois, mademoiselle Labasque, à rencontrer un bon garçon?

– Oui, père Félicien. Je prie le bon Dieu de me guider dans mon choix.

– Avez-vous quelqu'un en vue, ma fille ? Votre cœur est-il déjà pris ?

Marie haussa les épaules.

Son directeur de conscience la mit en garde.

– Ne faites jamais l'irréparable folie d'accorder votre main à un ivrogne ou à un paresseux. Ce serait risquer de mener une vie d'enfer. Il y a Jules, le fils du notaire Le Blanc qui vous ferait un bon parti. Il est déjà clerc de notaire. On éprouve toujours un certain respect pour le jeune homme qui porte un complet de drap fin. Je sais que le garçon a des vues sur vous. Son père m'a fait des confidences à ce sujet que je me garderai de vous dévoiler. Le garçon n'attend que l'occasion de se déclarer. Continuez de prier ma fille. Dieu exaucera vos prières.

Marie écoutait le prêtre avec un calme qui tenait de l'indifférence.

– Les autres ne sont pas encore là ?

– Ils doivent s'attarder sur le perron de l'église. En attendant, pratiquez vos vocalises.

– Nous serons combien ?

– Une douzaine de jeunes parmi lesquels je retiendrai les plus belles voix. Pratiquez vos vocalises.

– Seulement des filles ?

Le prêtre la fixa un moment et insista :

– J'aimerais entendre vos vocalises.

Marie s'exécuta. Sa voix descendait, faible, jusqu'au fa. Aux premiers sons, le père Félicien l'arrêta d'un signe de la main.

– Reprenez plus haut et plus fort cette fois.

Marie monta le ton facilement jusqu'à l'ut dièse. Mais sa voix venait du nez, comme le bêlement d'un agneau qu'on égorge.

– Allez plutôt chercher vos sons dans les poumons en appuyant davantage sur le diaphragme.

« Comment faire ça », se demandait Marie.

Comme elle recommençait ses vocalises, Nicolas Amireault entra. Marie se tut. Elle observait le garçon de profil.

Il était vêtu d'une chemise de couleur crème et d'un débardeur brun qui tombait lâchement sur la cuisse. Un pantalon de toile touchait ses mocassins.

Nicolas était un grand jeune homme noble au menton volontaire, un peu hasardeux et toujours en train de courir après quelque chose, comme chasser. À dix-neuf ans, il avait déjà la réputation d'être un chasseur fameux.

Toutes les filles le recherchaient, mais Nicolas ne s'intéressait à aucune.

À Grand-Pré, la majorité des garçons avaient la réputation d'être un peu grossiers, mais Nicolas se différenciait d'eux par son tempérament réservé.

Marie et Nicolas avaient été des amis d'enfance, mais depuis leur adolescence, une gêne s'était installée entre eux, qui, avec le temps, était devenue un désintérêt.

Le garçon donna une poignée de main au prêtre et réserva une petite inclination de tête à Marie. Celle-ci répondit discrètement à son salut.

Le missionnaire désigna un siège au garçon.

– Écoutons d'abord mademoiselle, ensuite, ce sera votre tour.

Nicolas se tourna vers Marie et aussitôt l'expression de ses yeux changea. Quel charme ! Quelle candeur ! Cette fille était jolie à en couper le souffle. Comment avait-il pu ne pas l'avoir remarquée plus tôt. Sans doute ses yeux d'enfant ne savaient pas regarder avec les yeux du cœur et des sens.

– Allez, Marie, reprenez, lui intima le pasteur.

Marie obéit, mais aussitôt le prêtre l'arrêta d'un signe de la main.

– Ça suffit ! Ce n'est pas que votre voix soit belle, mais comme vous chantez très haut, ça ira. Prenez place à ma droite, du côté des sopranos.

Marie, étonnée, redressa la tête. On lui avait pourtant toujours dit que sa voix était chantante. Elle se leva.

– Ma voix n'est pas belle ? Si c'est comme ça, je refuse de chanter.

– La voix de Nicolas enterrera la vôtre. Ce garçon jouit d'une voix chaude et grave.

– Non. Je ne chanterai pas, rétorqua Marie d'un petit ton sec et égal qu'elle seule pouvait employer sans paraître prétentieuse.

Le prêtre la traita avec plus de ménagements.

– Ne le prenez pas sur ce ton. Si tous les jeunes s'entêtent comme vous, nous n'aurons pas de chorale de paroisse.

Marie restait sourde à l'appel du prêtre.

Nicolas se demandait comment les choses tourneraient. Jusqu'à ce jour, il n'avait jamais vu personne tenir tête à un prêtre.

Le père Félicien baissa les bras.

– Il n'y a rien à attendre d'elle, dit-il, nous allons poursuivre avant qu'il y ait affluence.

Le père Félicien connaissait bien Marie Labasque. Depuis bien avant la naissance de la jeune fille, il était maître d'école et prêtre. C'était lui qui avait appris à lire aux enfants de Grand-Pré.

Nicolas avait une envie de rire et il pinçait les narines pour ne pas le laisser paraître. Ça l'amusait de voir Marie tenir tête au père Félicien, celui devant qui tous les paroissiens s'inclinaient. Marie était restée la même que dans son enfance, simple et entêtée. Il aurait juré qu'elle ne changerait pas d'idée, que les supplications du prêtre ne la feraient pas flancher. Cette fille était impressionnante avec ses airs de grande duchesse. Elle avait tout au plus seize ans et déjà son caractère était bien marqué.

Une dizaine de jeunes, dont Jules Le Blanc, entrèrent à leur tour. Ils regardaient Marie enfiler son manteau et enfoncer machinalement sa coiffure sur sa tête. Elle s'en allait doucettement, le béret de travers, comme inconsciente qu'elle venait de défier un prêtre. Celui-ci la rappela une dernière fois.

– Mademoiselle Labasque, revenez ici, voyons.

Marie répondit sans se retourner que rien ne la ferait changer d'avis.

Nicolas était déçu de son départ. Il considérait Marie avec admiration. Elle avait un petit quelque chose, un mélange de sensuel et de vertueux, dont l'attrait était irrésistible. Maintenant la chorale, sans elle, devenait insignifiante. Nicolas se laissa aller à des souvenirs vagues. Il y avait eu l'abandon de leurs jeux d'enfants, puis Marie avait cessé de suivre son père chez le forgeron. Nicolas l'avait crue fâchée, tellement qu'il n'osait plus lui parler. Le garçon s'était senti évincé, puis peu de temps avait suffi à l'un comme à l'autre pour se désintéresser et devenir des étrangers. Pourquoi les choses avaient-elles stupidement changé entre eux? Et pourquoi, aujourd'hui, ce nouvel attrait pour elle? Serait-ce que l'éloignement rapproche? Nicolas aurait aimé renouer les liens serrés, comme dans leur enfance, et connaître mieux la jeune fille qu'était devenue Marie. Qui sait s'il ne restait pas des nœuds secrets, des sympathies entre eux?

Sur le chemin du retour, Nicolas revécut la scène du presbytère, puis il chassa cette sensation qui ressemblait à des sentiments tendres.

* * *

Après une bonne nuit de sommeil, Augustin déjeunait, le nez dans son assiette. Lui et son beau-frère, Cajétan Dugas, devaient conduire leur troupeau à la baie de Beaubassin où il y avait une si grande quantité de prairies qu'on pourrait y nourrir cent mille bêtes à cornes. Dans cette baie poussait la misette, une herbe riche, propre à engraisser toutes sortes d'animaux.

Augustin déposa sa cuillère sur le bois de la table et avala d'un trait le reste de ses céréales d'avoine. Il tendit son bol vide à Marie et alluma sa pipe.

Des cercles de fumée s'échappaient de sa bouche et formaient des ronds, comme des anneaux qui flottaient dans la pièce. À chaque volute, la jeune fille formulait un vœu, toujours le même, un bel amoureux.

Augustin tourna le regard vers la fenêtre. Quelqu'un venait sur le chemin croche. Plus près, il reconnut le fils de son ami Blaise, le forgeron de la place.

– Tiens, le jeune Amireault doit s'en aller courir les bois avec les Micmacs.

Deux minutes plus tard, une tête apparaissait au carreau. Nicolas se tenait dans l'encadrement. D'un poing discret, il frappa trois petits coups à la vitre.

– Entre donc, mon garçon ! Pas besoin de frapper, fais comme chez toi.

– Je passais comme ça et je me suis dit : arrête donc saluer les Labasque.

– Tire-toi une chaise, le café est en train de refroi-
dir sur le bout du poêle. Marie, pousse la cafetière sur
le feu.

– J'en ai pour une minute seulement, dit le jeune
homme, je dois monter au bois.

– Prends donc le temps de t'asseoir un peu et dis-
moi quel bon vent t'amène de si bon matin.

Debout devant la table, Marie essuyait ses doigts
sur son tablier de lin. Elle versa de l'eau chaude dans
la bassine et aussitôt une vapeur lui monta au visage.
Elle recula d'un pas. Nicolas la remarqua mieux. Elle
lui semblait plus grande, peut-être à cause de son
tablier qui enserrait ses hanches étroites. Il s'arrêta
davantage à son visage, son teint clair, ses pommettes
hautes, son nez fin, sa bouche bien dessinée. Marie
était assurément la plus belle fille de la paroisse, une
beauté à en couper le souffle. Nicolas, sans hésitation,
alla droit au but.

– Je viens demander à votre fille si, avec votre permission, elle veut bien m'accompagner au mariage de
Céline Bugeau et de Salomon à Pierriche.

Augustin, obstinément, se taisait.

Marie leva les yeux et son regard croisa celui de
Nicolas. Quelque chose en elle chavira. Elle rougit
puis regarda le garçon avec des yeux étonnés. Nicolas
Amireault était venu spécialement pour elle.

– Vous me le permettez, papa ?

La question resta en suspens un bon moment.
Augustin Labasque, la tête appuyée sur sa main,

réfléchissait dans un silence farouche. Sa fille n'avait que seize ans et il n'avait qu'elle. Lui permettre de fréquenter un garçon, c'était un peu la laisser se détacher de lui. Et si progressivement la camaraderie évoluait en sentiments tendres, si Marie s'attachait sérieusement au jeune Amireault, ce serait pour lui l'abandon, la solitude, l'ennui, ce qui signifiait une mort lente. Comment arriverait-il à vivre sans sa fille, sans personne ?

Sous ses cheveux blancs, un pli maussade barrait son front. Après un silence qui sembla à Marie une éternité, il répondit lentement :

– Je me demande ce que ta mère dirait de ça. C'est pour quand ?

– Dans deux mois, jour pour jour.

– La construction de leur maison va bon train, ajouta Augustin, histoire de dévier le sujet des noces. La semaine dernière, je suis passé voir les travaux. Ils n'étaient pas moins de dix hommes à y travailler. Le toit était déjà en place.

* * *

À Grand-Pré, on ne se contentait pas d'accumuler de l'argent dans les coffres. À chaque mariage célébré, tout le village s'employait à établir les nouveaux mariés. On leur défrichait un morceau de terre, construisait une maison et fournissait des animaux et des volailles en quantité suffisante pour faire vivre une famille.

Les femmes préparaient un trousseau pour la maison, et tout ça gratuitement. Les jeunes couples commençaient leur vie à deux, sans dette. Ainsi, le jeune ménage n'aurait pas à ménager le sel de sa soupe pour s'acheter un attelage. Sitôt installé chez lui, soutenu par sa propre industrie, le garçon nouvellement établi était prêt à son tour à donner au suivant.

* * *

– Les Hébert vont trouver leur maison grande, reprit Augustin, Salomon est leur dernier.

Il restait encore une fille aux Hébert, mais Nicolas ne le contredit pas. Il regardait Augustin, impatient que celui-ci donne suite à sa demande. Le père de Marie réfléchissait. Le faisait-il exprès? Nicolas s'impatientait.

– Est-ce que je peux espérer?

– Tu repasseras dimanche et je te donnerai une réponse. Tâche de ne pas te faire trop d'idée, comme ça, tu risqueras moins d'être déçu.

Sur le pas de la porte, Nicolas ajouta à l'intention de Marie :

– Je viendrai dimanche soir, si naturellement, vous acceptez de me recevoir au salon.

Marie lui adressa un sourire entendu.

Augustin mâchouillait sa pipe. Il avait encore quatre jours devant lui.

Nicolas n'avait pas fermé la porte que déjà, la figure de Marie se transformait. Juste à penser à Nicolas, la cuisine s'égayait. Marie supplia son père.

– Dites donc oui, papa.

– Ne sois pas si pressée. Avec toi, sitôt dit, sitôt fait. Avant de prendre une décision, je veux en parler à Osite.

– Ah non! Surtout pas à elle! Ça ne la regarde pas ce qui se passe dans notre maison.

Marie ajouta, la voix mordante:

– Ma tante vous a toujours mené par le bout du nez. Vous n'êtes même plus capable de penser par vous-même.

– Osite a des filles; elle sait mieux que moi comment envisager ces situations.

– Maman aurait dit oui, elle.

– Moi, je crois plutôt que ta mère aurait vu cette sortie d'un mauvais œil. Elle ne t'aurait jamais laissée partir seule avec un garçon.

– Je pense tout le contraire, mais comme maman n'est plus là, c'est à moi de décider de ce qui me convient.

– Je veux seulement te protéger.

– Bien sûr, mais je peux le faire seule.

Marie redressa la tête, l'air triomphant. Déjà, elle était plus femme qu'adolescente. Elle se disait qu'elle avait le droit d'être heureuse.

– Vous n'avez pas l'idée de m'enfermer? Je suis en vie, moi!

Pour la première fois, Marie bravait son père. Celui-ci n'ajouta rien, pas même une semonce.

«Ou bien il est sourd ou bien il est muet», pensait Marie. Elle ne voyait pas qu'il avait mal dans son vieux cœur de père.

Augustin se remémorait sa dernière rencontre avec le curé. Ce dernier lui avait remis une enveloppe blanche destinée à Marie. Il avait accompagné son geste de quelques mots en insistant sur l'intérêt que le fils du notaire Le Blanc vouait à sa fille. Augustin s'était dit intérieurement que le garçon n'avait qu'à courir et il avait laissé la missive dans la poche de son gilet. Il repoussait tout ce qui pouvait le distancer de sa fille. Marie n'était encore qu'une enfant à ses yeux. Mais, bon Dieu, que se passait-il? C'était à croire que tous les garçons de la place s'étaient donné le mot pour lui enlever sa fille. Il se dirigea lentement vers la penderie et revint avec la lettre qu'il tendit à Marie.

– Le curé m'a remis ça pour toi.

Marie, assurée que la lettre venait de Nicolas, monta en flèche à sa chambre. Surexcitée, le souffle court, elle décacheta l'enveloppe et leva la petite feuille noircie à la clarté de la fenêtre.

Jules Le Blanc, désireux de plaire, laissait son âme s'épancher. Il avait composé pour Marie des vers passionnés que la jeune fille jugeait comme une bizarrerie de l'imagination.

Plus Marie lisait, plus elle se décevait.

Au bas de la page, le garçon avait ajouté:

Si vous me le permettez, je me ferai une joie d'aller en personne vous réciter mes poèmes.

Affectueusement, Jules Le Blanc.

Marie, qui s'attendait à des mots tendres de Nicolas, en voulait à Jules pour cette fausse joie. Pleine de ressentiment, elle broya la feuille dans sa main avec l'intention bien arrêtée de la jeter au feu.

Elle se roula sur son lit, en proie à une grande déception. Si Jules Le Blanc croyait la surprendre et l'émerveiller avec ses mots pleins de séduction, il se trompait. Il la laissait froide. Sa lettre était aussi plate que la page sur laquelle il avait laissé courir sa plume.

V

C'était un de ces grands soirs d'orage. Le temps était tellement sombre qu'on dut allumer la lampe plus tôt. La foudre traçait dans le ciel des signes alarmants et, à chaque coup de tonnerre la maison des Arseneau, comme ses occupants, tremblait et les vitres menaçaient d'éclater.

Albertine redoutait les orages. En fait, depuis son enfance, Albertine se nourrissait d'inquiétudes répétées. Elle allait et venait, d'un bout à l'autre de la maison, un chapelet entre les doigts. À chaque décharge électrique, elle fermait les yeux et plaquait les mains sur ses oreilles. Les brusques coups de tonnerre lui déchiraient les tympans.

Craintive, elle se tenait en retrait de la fenêtre pour ne pas être frappée par la foudre et, curieuse, elle étirait le cou pour ne rien manquer.

— Si ma vue est bonne, je vois quelqu'un sur le chemin croche, dit-elle, la voix assourdie par la peur. Je me demande bien qui peut s'aventurer à sortir par un temps pareil.

— Personne, rétorqua Bernadette. Avec tes peurs morbides, tu commences à avoir des visions.

– Approche, regarde toi-même. L'homme a la tête couverte. Ça n'augure rien de bon. Tu ferais mieux de sortir le fusil.

– Si je t'écoutais, je tuerais tout le monde qui passe sur le chemin.

– De toute façon, ce serait pour rien; l'homme est passé tout droit. Il s'en va du côté des Labasque.

– Ma foi, oui. C'est un cinglé ou encore un amoureux. La petite a peut-être un ami de cœur.

Depuis que les vieilles filles avaient gardé Marie alors qu'elle n'était qu'un bébé, elles la nommaient «la petite».

– C'est impossible, reprit Albertine, elle est trop jeune. Et puis la veuve Hugon m'en aurait parlé. Elle est au courant de tout ce qui se passe dans la place. Je me demande bien qui c'est.

– C'est peut-être le fils du notaire Le Blanc. Je me suis laissée dire que Jules s'intéressait à la petite. Ce garçon lui ferait le meilleur des maris.

– Si c'est lui, je ne tarderai pas à le savoir. Je vais m'informer à droite et à gauche. Je ne dois pas être la seule personne du rang à l'avoir vu.

Le vent courait entre les collines et faisait plier les arbres au sol.

– Une vraie tornade! On ne voit plus la maison des Labasque.

Soudain, un craquement sinistre, comme le bruit d'une chose qui se rompt, qui éclate, fit reculer promptement Albertine jusqu'à la table.

Attirée par le fracas, Bernadette courut à la fenêtre.

– Bonté divine! On dirait la fin du monde. Le gros érable des Dugas vient de se briser en deux. Il barre le chemin. Si ça continue de même, notre maison va être emportée par le vent. On ferait mieux de descendre à la cave.

À la maison voisine, Marie se morfondait à attendre Nicolas. Elle ne semblait pas tenir compte du tonnerre qui grondait et des éclairs qui cinglaient le ciel.

Assis au fond de la cuisine, Augustin Labasque berçait tout doucement ses inquiétudes, en gardant un œil discret sur sa fille. L'homme craignait les gros temps, surtout quand le vent venait du large. Cependant, Augustin se gardait bien de transmettre ses craintes à sa fille. Il la regardait aller de la porte à la fenêtre et vice-versa. Marie devait attendre la venue du jeune Amireault. C'était bien inutile d'espérer un visiteur, avec cette pluie torrentielle, on ne voyait ni ciel ni terre.

Augustin sentait Marie fébrile. Sa fille entretenait-elle des sentiments amoureux pour le fils du forgeron, ou n'était-ce tout au plus qu'une amitié retrouvée? Ou encore seulement le plaisir de plaire? Elle n'avait que seize ans. À cet âge, est-ce qu'on peut ressentir des sentiments durables? Dire qu'hier encore, il portait son bébé dans ses bras jusque chez Osite, sans se soucier qu'un garçon prendrait bientôt sa place dans son cœur. Une tristesse mêlée de rancœur le gagnait.

Marie s'impatientait.

– Quand est-ce que l'orage va finir ?

Augustin en avait vu d'autres. Il savait que l'orage était arrivé trop brusquement pour s'éterniser.

– Qu'est-ce que c'est que cette impatience ? Tu n'as pas toute la vie devant toi ?

– Nicolas ne viendra peut-être pas, dit-elle avec une incertitude inquiétante. C'est assez laid dehors.

Augustin pensait autrement. Après un silence qui lui était familier, il ajouta :

– Quand un garçon veut voir sa blonde, il n'y a rien ni personne qui puisse l'en empêcher, mais la veillée terminée, pour s'en retourner chez lui, là, c'est une autre histoire.

Marie ignora la remarque qui ressemblait à un avertissement.

Avec les violents coups de tonnerre et la pluie diluvienne qui fouettait les vitres, elle n'entendit pas les coups frappés au carreau.

La porte s'ouvrit avec fracas et une rafale projeta Nicolas dans la cuisine. Le garçon enleva son coupe-vent remonté sur sa tête en guise de parapluie.

– Il fait un vent à écorner les bœufs. Le vent tord les arbres. Il y a le gros érable des Dugas qui s'est brisé juste derrière moi. Il bloque le chemin. Ce n'est pas un temps pour sortir. Si je n'avais pas promis, je ne serais pas venu.

– Marie aurait été bien déçue, ajouta Augustin avec un sourire en coin. Si tu l'avais vue courir d'une fenêtre à l'autre, l'âme en peine.

Marie, blessée dans son amour propre, roula de gros yeux à son père.

– Je ne courais pas, reprit-elle, le ton amer.

Dans la grande cuisine, Nicolas, à l'abri des intempéries, reprenait son souffle. Son regard brillait sous l'abat-jour de cuivre.

Au fond de la cuisine, une vulgaire lampe à l'huile s'ennuyait sur une corniche en bois. Marie l'avait toujours vue là, inutile, oubliée. Ce soir-là, la jeune fille la tira de sa léthargie. Qui aurait cru que cette vieillerie pourrait un jour avoir une quelconque utilité quand la lampe de cuisine leur suffisait ? La lanterne était à sec. Marie y versa une mesure d'huile. Après avoir fait briller le globe de verre, elle moucha la mèche à l'aide de ciseaux bien aiguisés et alluma. La petite flamme se mit à vaciller sur la table.

La jeune fille invita Nicolas à la suivre au salon. Elle contourna l'escalier de bois qui conduisait à l'étage et entra dans une pièce basse où se languissaient deux berçantes à hauts dossiers agrémentées de coussins. Marie déposa la lampe sur l'appui de la fenêtre et écarta les rideaux. Les vitres crépitaient sous la grêle et la charpente faisait entendre des craquements sinistres.

Nicolas rapprocha les chaises l'une contre l'autre, d'un geste familier.

– Votre père ne m'a pas encore donné son consentement pour les noces de Salomon à Pierriche.

– Avec papa, il faut avoir de la patience. Nous aurons le temps d'aller et revenir de la noce avant d'obtenir une réponse. Mais c'est oui, avança résolument Marie.

Nicolas la vouvoyait. Cherchait-il à lui faire comprendre qu'avec le temps, elle était devenue une étrangère pour lui ou était-ce par respect pour la jeune fille qu'elle était devenue ?

– On m'a dit que vous alliez souvent dans les bois, dit-elle, qu'est-ce qui vous attire là-bas ?

– La chasse et parfois, je vais jaser avec les Micmacs. Je les aide à construire des cabanes en écorces. Des cabanes plus petites que les chaumières. Elles ressemblent à des buttes encombrées de souches, de sciures, souvent chargées de mousse ou de vignes rampantes, de copeaux et d'écorces. Les portes bien dissimulées sont difficiles à trouver. Si nos colons sont attaqués, chaque famille aura la sienne et elles sont si bien camouflées qu'aucun ennemi n'arrivera à les découvrir. Un jour, je vous y amènerai.

Aller au bois avec Nicolas. Elle et lui, seuls tous les deux dans une cabane introuvable. Marie était troublée et heureuse à la fois.

– Je pourrais rapporter un remède merveilleux qu'on trouve sous l'écorce des épinettes. C'est une térébenthine plus fine que celle qui vient de Venise.

– Vous connaissez les remèdes ?

– Un peu, pas mal. Je sais appliquer et changer des pansements convenables, remettre au niveau les os brisés. Je sais aussi fabriquer des éclisses et faire des saignées.

Nicolas sourit :

– L'élu de votre cœur sera bien soigné.

Il ajouta :

– D'ici à la noce, il serait de mise que vous m'accompagniez à la messe du dimanche.

Marie comprit que Nicolas avait des intentions sérieuses, qu'il désirait des fréquentations assidues, ce qui était loin de lui déplaire.

– Dans le banc des Amireault ? Je serais plutôt gênée.

– Il faut bien se montrer ensemble avant les noces de Salomon et Céline.

– Alors, je vous invite dans notre banc de famille.

– Comme vous voulez. Si, naturellement, votre père accepte.

– Mon père pense comme moi.

Nicolas comprit que la belle Marie décidait tout par elle-même. Il n'avait qu'à se rappeler l'histoire de la chorale et ses entêtements de fillette.

Le vent violent battait les volets contre la maison, ce qui provoquait des « boums » sur le mur du salon. Marie tressautait et à chaque sursaut, Nicolas posait une main apaisante sur la sienne.

Les heures passèrent à se remémorer les souvenirs d'enfance, comme pour combler le vide des années d'éloignement et assurer une continuité entre eux.

Nicolas rapprocha sa berçante que chaque élan éloignait un peu de Marie.

– Vous vous souvenez quand nous nous roulions dans la neige et que nous riions comme des fous? Et dans le grenier à foin, quand nous nous jetions à plat ventre sous les combles à la recherche de nids d'hirondelles?

Marie ajouta :

– Et cette fois où notre traîneau a glissé la colline tout de travers et que nous sommes rentrés dans le troupeau de moutons. Une brebis a mis bas dans la côte. Le lendemain, papa a découvert les petits agneaux morts.

– Votre père devait être très mécontent.

– Il n'a rien dit. C'était lui le coupable. Il avait laissé par mégarde la porte de la bergerie ouverte.

– Dans le temps, vous étiez une gentille petite fille, aujourd'hui, vous m'intimidez.

Puis Nicolas se tut net. Était-ce le rappel de ces gestes enfantins, si anodins dans le temps, qui allumait ses désirs? Il caressait de la main la figure de Marie et, comme une adoration, son regard profond, chargé de tendresse, s'attardait au sien.

Ils étaient tellement troublés qu'ils n'entendirent pas la girouette crier du haut du toit que la pluie avait cessé et fait place à un temps frais et délicieux.

– Je pensais que vous m'aviez oubliée.

– Avec raison. Vous avez tout fait pour m'éloigner de vous, dit-il.

– Vous avez tout fait pour vous éloigner de moi, dit-elle.

Au lieu d'égayer les tourtereaux, la réplique leur attirait les larmes aux yeux. Quelle était cette douce mélancolie qui les gagnait soudainement? Un silence s'installa, un silence émouvant où les âmes n'ont pas besoin de mots pour exprimer les sentiments.

Marie priait pour que jamais la soirée ne se termine.

Nicolas sortit un objet de la poche de son gilet et le tendit à Marie.

– Ça vient des vieux pays.

L'étui contenait une houppette et un poudrier que Marie ouvrit délicatement. Sous le couvercle, elle mira ses beaux yeux bleus et éprouva un embarras.

– Vous n'avez pas à être gênée.

Émue, Marie sourit à demi.

De la cuisine, Augustin était témoin de leur entretien, de leurs rires, de leurs silences.

* * *

Le dimanche suivant, les Dugas s'en allaient gaiement dans leur petite voiture de famille. Devant eux, des bêtes traversaient le chemin. L'attelage dut s'arrêter jusqu'à ce que fût passé le troupeau au complet. Dans le dos des Dugas, de pleines voiturées de fidèles s'ajoutaient et allongeaient la file.

Les paroissiens pouvaient voir Marie se rendre à pied à l'église, une main dans celle de Nicolas et dans l'autre, son chapelet de cristal. Elle était belle à voir dans sa jupe verte du dimanche. Sous son bonnet à bavolet de dentelle s'échappaient des boucles folles. Elle avait des yeux limpides comme des pierres précieuses, une bouche dessinée pour le sourire, un cou long, des doigts fins et un galbe parfait.

Les jeunes se retournaient, les saluaient du geste et criaient joyeusement leur nom. Puis les voitures disparaissaient tour à tour derrière la colline.

* * *

Marie et Nicolas entrèrent dans le saint lieu. Marie avançait toujours sans bruit, que l'église soit pleine ou vide de fidèles.

Sa cousine Magdeleine n'était jamais bien loin. Magdeleine avait de grands yeux vert émeraude, très mobiles, à l'expression sauvage, des joues pleines, un cou gracieux et, ajouté à ses traits plaisants, un sourire tranquille.

Magdeleine Dugas surveillait l'arrivée de Joseph Le Blanc, le fils du notaire. Un beau grand garçon aux yeux bleus qui portait une petite barbiche au menton. Magdeleine l'aimait en silence et attendait de lui un regard ou encore un mot qui ne venait jamais. Comme elle partait dans ses rêvasseries, elle reconnut son pas. Le garçon montait la grande allée jusqu'au deuxième banc, le premier étant celui des marguilliers. À sa vue, le cœur de Magdeleine s'emballa de nouveau et les distractions l'emportèrent sur les prières.

Avec la présence de Joseph dans l'église, les messes étaient toujours trop brèves.

Au sortir de l'office, il passa devant elle, sans même un regard à son intention. Dépitée, mais jamais vaincue, Magdeleine s'accrocha à l'espoir de revoir le beau Joseph aux noces de Salomon.

VI

Le jour des noces de Salomon et Céline, jeunes et vieux descendaient au vallon chez les Bugeau, les parents de la mariée.

Marie et Nicolas entreprirent à pied le trajet de l'église à la maison. L'été, la campagne était belle et riante, le vert plus vert qu'au printemps. Là-bas, la fête était déjà commencée. De loin leur parvenaient les crincrins des ménétriers qui accordaient leurs violons.

Marie entrait pour la première fois chez les Bugeau. Près de la porte, les mariés, resplendissants de bonheur, accueillaient les invités et recevaient les félicitations.

Autour du poêle, les femmes sortaient du four un pâté de lapin doré au jaune d'œuf. Déjà, les tables ployaient sous l'abondance des plats.

On refoula les jeunes au fond de la cuisine où était installée une table d'occasion, faite à partir de trois madriers montés sur des tréteaux. Une dizaine de tourtereaux s'y installèrent coude à coude.

– Régalez-vous, lança le père Bugeau. Après, vous pourrez boire tout votre saoul.

De sa place, par le bâillement d'une porte, Marie avait vue sur une triste scène : deux jeunes enfants retardés étaient prisonniers dans des lits d'enfants.

Le garçon secouait continuellement les barreaux de ses mains et la petite fille, les yeux hagards, balançait son corps de l'avant à l'arrière, comme si elle était née en se berçant. Marie n'avait jamais fait face à cette réalité inimaginable. Elle n'arrivait pas à détacher son regard de ces petits malheureux qui n'avaient pas plus de trois et quatre ans. Confuse, elle pencha la tête vers Nicolas et lui chuchota à l'oreille :

– Est-ce que vous saviez que les Bugeau gardaient deux enfants étranges dans leur maison ?

– Non.

– Mine de rien, regardez dans la chambre. Je me demande bien de quoi souffrent ces enfants.

– Habituellement, on cache l'existence de ces anormaux. Certains disent que c'est une affliction que le ciel envoie aux parents en réparation de leurs fautes. Les familles en ont honte.

– Vous croyez vraiment que les enfants doivent payer pour les péchés de leurs parents ?

Nicolas chuchota pour ne pas être entendu :

– Si on se fie aux bruits qui courent dans la place, madame Bugeau fermerait les yeux sur les infidélités de son homme.

Des jeunes de leur âge s'approchaient. Magdeleine prit place en face de Joseph Le Blanc, mais ni l'un ni l'autre ne brisait la glace.

Marie fut distraite tout le temps du repas. Chez elle, certaines choses s'assimilaient plus difficilement que les aliments, comme le fait que les enfants différents puissent être une punition du ciel et que monsieur Bugeau pouvait tromper sa femme. Marie s'étonnait de ce qu'elle venait d'apprendre.

Le repas terminé, les femmes enlevèrent les nappes et jetèrent aux poules les restes du festin. Les hommes, les cols de chemises déboutonnés et les manches retroussées, ramassèrent les bouteilles vides et démontèrent les tables. Osite versa l'eau de la bouilloire dans la bassine à vaisselle.

Juliette s'avança et s'écria :

– Tenez, les filles, rendez-vous utiles. Et que commence la danse aux torchons.

En même temps elle lançait des essuie-verres en toile de lin à gauche et à droite.

Marie s'avança. En un tournemain, elle redonna toute sa brillance au cristal.

Elle chuchota à l'oreille de Magdeleine :

– Tu as parlé à Joseph ?

– Non.

– Pourtant, à la table, vous étiez nez à nez. Tu aurais dû profiter de l'occasion.

– Je n'osais pas. Je craignais trop d'être repoussée devant toute la tablée. Et puis, ça revient au garçon de faire des avances.

Magdeleine sentait le regard lourd de Juliette peser sur elle. Qu'est-ce que sa sœur avait encore à lui reprocher ? Elle ne manquait jamais sa chance de s'ingérer dans la vie des autres.

– Vous deux, cessez vos cachotteries.

Marie l'ignora et ajouta, le ton encore plus bas :

– Tantôt, tu l'inviteras à danser.

Magdeleine, gênée, riait à demi et faisait signe que non. Marie insistait.

– Je peux demander à Nicolas d'intervenir.

– Non, non et non !

Juliette, l'échine courbée sur la cuvette d'eau chaude, jeta un regard chargé du côté des filles.

– Qu'est-ce que c'est que ces secrets devant le monde ? Quel manque de savoir-vivre !

– Toi, reprit Marie, joyeuse, occupe-toi de laver ta vaisselle, tu n'arrives pas à fournir les essuyeuses.

Magdeleine riait, la bouche grande ouverte. L'occasion était belle : Juliette tordit sa lavette et la lui rentra dans la bouche.

– Pouah ! s'exclama Magdeleine qui se vengea aussitôt.

Les rires clairs des filles emplissaient la cuisine.

Magdeleine, de son linge à essuyer, se mit à flageller Juliette en pleine figure. Tout le groupe vint à sa rescousse et les torchons en guerre se mirent à voleter et à torpiller les visages. Malheureusement, un verre brisé mit fin à l'excitation générale. Magdeleine avoua sa faute et s'excusa auprès de madame Bugeau.

– Je suis désolée.

– Il fallait vous y attendre, bande de tannantes ! Les excitations finissent toujours comme ça, soit que vous vous blessiez ou encore que vous brisiez quelque chose.

– Magdeleine mérite une pénitence, crièrent haut les filles.

– Une pénitence, une pénitence, reprirent en chœur les essuyeuses.

Magdeleine se défendait.

– C'est Juliette qui a commencé.

Marie s'en prit à Juliette et mentit dans le but de la taquiner.

– C'est la faute à Juliette. Elle a trop bu de vin de gadelle.

– Ce n'est pas vrai, ça ! J'ai bu rien qu'une coupe et, à vrai dire, une demie plutôt qu'une.

Les filles se rangeaient dans le clan de Marie.

– Oui, oui, Juliette, nous sommes toutes témoins. Tu remplissais ta coupe avant qu'elle ne soit vide, de sorte qu'on ne pouvait compter les coups de trop.

Madame Bugeau riait de les entendre. Juliette prit le parti d'en rire aussi.

Les filles terminèrent la besogne en entonnant une vieille chanson de France.

Au fond de la cuisine, le menton appuyé sur le coude de leur cane, les vieillards jasaient des champs, des troupeaux, du blé et du foin qui gonflait les granges. Ces vieux, sur le point de partir pour l'au-delà, se couvraient de gloire du fait de céder à leurs fils des fermes prospères en plus de l'argent accumulé depuis cinq générations.

Devant le miroir juché au-dessus du réchaud du poêle, Marie replaçait ses cheveux ébouriffés par la guerre aux torchons. Elle releva sa tignasse, la tordit à la diable et la fixa en chignon. Elle sortit retrouver Nicolas au salon où les grands garçons tassaient les meubles. Quelques couples dansaient au son des violons, sous les yeux vigilants des parents. Nicolas poussa un fauteuil dans un angle afin de libérer plus d'espace pour les danseurs.

Marie saisit la main de Magdeleine et, d'un petit signe de tête, elle invita Joseph Le Blanc à s'approcher. Elle lui poussa Magdeleine dans les bras et abandonna le couple sur le plancher de danse.

Joseph rougit jusqu'aux oreilles, mais pour peu de temps, Magdeleine se mit aussitôt à bavarder gaiement et Joseph retrouva son aise.

Marie et Nicolas brisèrent le cercle et entrèrent dans la même ronde.

Les couples tournoyaient, les jupes virevoltaient, la pièce tournait. Une chaise renversée gisait par terre près des danseurs. Nicolas l'éloigna d'un coup de pied.

Un vent de folie charriait les danseurs. Magdeleine et Joseph, ainsi que Nicolas et Marie étaient de toutes les danses. Quoi de plus enivrant que l'odeur des filles de Grand-Pré, les soirs de danses sautillantes et tapageuses !

Comme les ménétriers déposaient les archets pour une pause, Bérénice organisa une partie de colin-maillard.

Elle attacha un bâillon sur les yeux de Jacques. Mais les parents mirent aussitôt fin à ce jeu de touche-touche qu'ils jugeaient inconvenant.

Entre chien et loup, Nicolas entraîna Marie dans le verger.

– Ici, l'endroit sera plus propice pour discuter.

– Discuter ? Mais de quoi donc ?

– De nous deux.

Une pensée poursuivait Nicolas depuis le matin. Dans le soir mélodieux et charnel de mai, le garçon s'arrêta sous un pommier et invita sa belle à s'asseoir sur l'herbe. De son bras, il entoura la taille de Marie et la serra affectueusement. Le nez enfoui dans ses cheveux propres, il humait une odeur de lavande, ces fleurs séchées que les jeunes filles mettent en sachet, ici et là, dans leurs tiroirs, sous leurs piles de vêtements. Sa joue caressait amoureusement celle de Marie. Il lui murmura dans le creux de l'oreille : « Je vous aime. »

À ces mots d'amour, les pommiers en fleurs frissonnèrent. Les amoureux se serraient l'un contre l'autre. Marie ne savait plus si elle était dans le verger ou au paradis. Elle ferma les yeux, cambra légèrement les reins et offrit sa bouche charnue. Le baiser s'étira longuement, comme si le monde allait finir avec. Nicolas savourait chaque moment de tendresse. Après toutes ces nuits à rêver de serrer Marie dans ses bras, elle était enfin là, à s'abandonner au creux de son épaule. Déjà, il la sentait un peu à lui. Après un silence total où ils n'entendaient que leur propre respiration, Nicolas glissa à l'oreille de sa bien-aimée la demande qui, depuis quelque temps, lui brûlait les lèvres.

– Marie, je pense à m'installer et à vous donner mon nom. Acceptez-vous de passer votre vie avec moi ?

Marie le regarda, les joues en feu, l'œil humide, la voix tremblante.

– Tout est si nouveau. Vous êtes certain de vos sentiments ?

– Je suis certain.

– Alors c'est oui !

Nicolas lui accorda un regard empreint de tendresse. Il l'embrassa de nouveau, si passionnément qu'il ne s'aperçut pas qu'il la soulevait de terre.

– Jurez que vous m'aimerez toute la vie.

– Je le jure. Et vous ?

– Je le jure aussi.

Les amoureux étaient maintenant en totale confiance. Leurs cœurs s'appartenaient.

La lune discrète avait pris le large. Nicolas renversa doucement Marie sur l'herbe tendre et la couvrit de caresses. Marie ferma les yeux sous les cajoleries. Soudain, des oiseaux, éparpillés dans le pommier, prirent leur envol dans un bruissement d'ailes, brisant l'enchantement de la nuit. Les amoureux sursautèrent. Aussitôt, Marie sentit un poids sur sa conscience et, contre son gré, elle mit fin au doux contact.

– Arrêtez, Nicolas. Vous savez bien que ces choses ne sont pas permises.

Marie pensait aux conséquences futures qui pouvaient découler de leur comportement. Elle craignait d'avoir à son tour des enfants retardés comme ceux des Bugeau.

– Allons retrouver les autres avant qu'ils ne remarquent notre absence. Ça ferait jaser.

Nicolas, sourd à sa demande, l'embrassait passionnément et le corps de sa belle ployait de nouveau sous ses baisers.

Soudain, une voix tonna près d'eux :

– Marie Labasque ! Je vous ai vus vous embrasser. Je vais le dire à maman.

Là-dessus, Juliette s'éclipsa. Depuis un bon moment, elle surveillait étroitement les amoureux.

Encore à l'âge de rougir, Marie, troublée, rajusta sa coiffe d'où s'échappait une mèche de cheveux folâtre. Elle leva la tête vers Nicolas :

– C'est ma cousine Juliette. Elle se prend pour ma mère. Parce qu'elle est l'aînée de la famille Dugas, Juliette essaie de mener tout le monde par le bout du nez.

Nicolas sourit.

– Il faudrait lui présenter un garçon.

– À vingt-six ans, Juliette a passé l'âge des amours. Dans le temps, elle a bien eu deux ou trois prétendants, mais elle les a tous perdus. Allez savoir pourquoi !

Juliette ne sait ni rire ni s'amuser. Elle est le genre de fille à vouloir mener un homme par le bout du nez.

– Je vais y penser. Il doit bien exister quelque part un garçon qui lui conviendra et qui acceptera de vivre avec.

– Qui voudrait d'une fille malheureuse comme Juliette?

Nicolas détacha une chaîne pendue à son cou et la glissa autour de la tête de Marie, comme gage de son amour. Ce geste signifiait qu'il s'enchaînait à elle. Il se pencha et embrassa son front.

Derrière eux, les violons terminaient une gigue et reprenaient une complainte. Marie prit la main de Nicolas et l'entraîna vers les invités.

La lune, revenue de son escapade, éclairait la devanture de la maison où des enfants s'ébattaient joyeusement.

Les amoureux ne prenaient plus autant de plaisir à la noce. Leurs rêves leur suffisaient, les habitaient tout entier: un bonheur simple et tranquille, l'amour, une maison, des enfants. Ils étaient beaux et jeunes. L'avenir s'ouvrait devant eux.

La danse dura toute la nuit.

Aux premiers feux de l'aurore, Nicolas et Marie rentrèrent à pied à la maison. Magdeleine, la mine resplendissante, accompagnait les amoureux.

Marie brûlait d'en savoir plus long au sujet de sa rencontre avec Joseph Le Blanc.

– Ce Joseph, ton chevalier servant, est-il aussi charmant que tu le supposais?

– Il est gentil comme tout. Merci pour ton coup de pouce; tu es bien fine. Sans ton aide, j'en serais encore au même point, à chercher par tous les moyens à me faire remarquer de lui.

– Tu penses le revoir?

– Dimanche, il va passer me prendre pour la grand-messe. J'ai l'intention de l'inviter à dîner à la maison. Joseph est un timide. Tu sais ce qu'il m'a dit? Qu'il me pensait comme toi, vertueuse, intouchable et qu'il hésitait à m'approcher.

– Joseph a dit ça de moi?

– Oui, et je lui ai répondu que j'étais tout ça.

Les filles pouffaient de rire.

– Je veux lui présenter ma famille.

– Oh! C'est déjà si sérieux?

– Pour moi, oui. Mais pour lui, tout est si nouveau. Il va peut-être refuser mon invitation.

– Si Joseph accepte, reprit Marie, ce sera la preuve qu'il te trouve à son goût.

– Et s'il refuse, je meurs.

Nicolas serra davantage la main de Marie.

– J'imagine mal Joseph chez les Dugas, lui, si gêné. Il va bien fondre devant tant d'étrangers.

– Pourtant chez lui, ils sont vingt-deux autour de la table. Allez comprendre!

La maison des Dugas semblait endormie. Comme Magdeleine allait se retirer, Marie la rattrapa par un bras.

– Viens coucher à la maison. Ça nous permettra de jaser.

Magdeleine ne se fit pas prier. Elle en avait long à raconter sur cette superbe journée, sur ses sentiments et, chez ses parents, pas un coin n'était à l'abri des petites oreilles indiscrètes.

Le trio s'arrêta deux maisons plus loin.

Augustin, assis à la fenêtre, attendait le retour des tourtereaux. Devant la porte, il vit Nicolas donner un chaste baiser à Marie et s'en retourner aussitôt chez lui. Il se retira dans sa chambre, sans se faire voir.

Après une nuit à danser, à manger et à replacer la cuisine, les filles bâillaient à se décrocher les mâchoires.

– Viens, monte, insistait Marie.

– Je crains d'être effrontée en rentrant chez vous en pleine nuit. Je dois d'abord demander la permission à ton père.

– Laisse ! Mon père serait mal placé pour te refuser un coucher après avoir laissé sa propre fille chez vous pendant des années. Arrive, monte, nous jaserons au lit.

En haut, Marie sortit un oreiller de l'armoire et le lança dans les bras de Magdeleine qui, surprise, tomba assise par terre. Avec la fatigue de la fête, les filles perdaient leur contrôle au point de se pâmer de rire pour rien. Magdeleine reprit ses esprits la première.

– Pas si fort, ton père va nous avertir de rester tranquilles.

– Après avoir passé la nuit à m'attendre, papa dort comme une bûche.

* * *

Le jour où Nicolas fit la grande demande, Augustin parut surpris. Toutefois, il fit bonne figure devant son futur gendre.

– Sais-tu au moins fabriquer une paire de roues? Ce savoir-faire est indispensable sur une ferme.

– Je sais chasser le gibier et faire le commerce des peaux.

– On n'encourage les jeunes à se marier que si le garçon peut fabriquer une paire de roues et la fille tisser une paire de draps.

– Je n'ai pas mon pareil pour piéger les renards et les taupes qui détruisent les jardins. Je prends aussi les poissons à cru dans le bassin des Mines. Laissez-moi un peu de temps et je viendrai vous montrer de quoi je suis capable.

Augustin ne s'arrêtait pas à écouter les paroles du garçon qu'il considérait vides de sens. Pour lui, fermier était le seul métier honorable et un vrai agriculteur se formait à partir de sa jeunesse. Toutefois, Nicolas Amireault était un bon travailleur. S'il acceptait son offre, Augustin se ferait un plaisir de l'initier aux secrets de la terre.

– Il n'y a pas d'affaire conclue tant que les deux parties n'ont pas trinqué.

Les hommes entrechoquèrent leur verre.

– Il faut d'abord que je m'installe, expliquait Nicolas. Il nous faut une ferme, des animaux, un toit. J'ai un peu d'argent de côté, mais pas suffisamment pour m'établir.

– J'ai tout ça, moi, des terres et des terres. Après ma mort, elles ne me seront plus utiles. Vu que je prends de l'âge et que je n'ai qu'une héritière, mes biens iront à Marie. Mais ça prend un homme pour cultiver la terre, bûcher l'hiver, veiller sur ma fille et sur les petits Amireault qui se pointeront le nez. Vous pourriez même demeurer dans ma maison si ça vous va.

– C'est vrai ça ? Vous seriez prêt à nous...

– Oui, mais je ne veux pas que vous disparaissiez en laissant ma fille seule pendant des jours pour aller courir les bois.

– Une pareille offre ne se refuse pas, monsieur Labasque. C'est tout un cadeau. Je vous trouve bien bon. Et n'ayez crainte que je coure les bois ; je serai trop occupé aux travaux de la ferme.

Augustin étendit les bras.

– Ici, tu auras tout, une bonne maison, un bon lit et du bon vin. Nous serons comme père et fils. Marie est sage et douce ; elle saura te rendre heureux.

Posant les yeux sur sa fille, Augustin ajouta :

– Nicolas est un bon parti, honnête et laborieux, de ton côté, songe à faire son bonheur. Demain, nous ferons venir le notaire Le Blanc pour le contrat de mariage.

L'annonce des fiançailles de Marie et Nicolas causait tout un émoi dans la maison des Labasque. Tout se précipitait à un rythme fou pour Augustin qui se sentait bousculé par les événements.

VII

Ce matin-là, chez les Labasque, c'était jour de lessive. La longue table était encombrée de linge frais lavé.

Augustin se berçait paisiblement quand Nicolas entra en trombe dans la cuisine.

– Je passais comme ça et j'ai cru bon de vous avertir que, depuis des jours, des navires anglais sont ancrés près des côtes. C'est mauvais signe. Je me demande ce qu'ils viennent faire par ici.

– Tu n'as pas à t'en faire. Depuis que nous sommes sous leur domination, les Anglais nous ont toujours laissés vivre en paix.

– En paix ? Depuis des années, c'est une éternelle guerre entre Anglais et Français pour accaparer l'Acadie.

Tout en parlant, Nicolas suivait Marie des yeux.

Debout devant la cuve la jeune fille frottait un col de chemise dans l'eau de lessive. Elle prêtait une oreille attentive au dialogue des deux hommes.

La présence de la flotte anglaise dans le bassin des Mines obsédait sérieusement Nicolas. Il ne s'expliquait pas l'indifférence d'Augustin. Cet homme s'entêtait sans tenir compte des circonstances inquiétantes.

– Je trouve que vous avez une bien bonne vision des choses, monsieur Labasque, mais moi, je ne suis pas de votre avis. Si vous entendiez parler les coureurs de bois, les cheveux vous dresseraient sur la tête. Ils disent que les Anglais vont nous déporter dans le sud où la chaleur tue. Ça va prendre quoi de plus pour réveiller les gens ?

– Ne te laisse pas contrarier par ces ragots.

Nicolas n'avait jamais vu un homme aussi entêté dans ses idées.

Augustin n'exprimait pas le fond de sa pensée. Il tentait d'épargner des inquiétudes à sa fille. Jusqu'à ce jour, les pires ennemis de Marie étaient les loups imaginaires.

Chez Augustin, aucun souci ne paraissait. Il était là, droit comme un chêne avec une démarche ferme pour ses soixante-dix ans. Il semblait accorder une confiance aveugle à tout le monde. Il ne verrouillait jamais ses portes, mais il avait le sommeil inquiet des vieilles gens pour garder sa fille à l'abri de toute attaque éventuelle.

Aujourd'hui, il haussait les épaules pour feindre son indifférence.

Outré d'un tel aveuglement, Nicolas ajouta :

– Personne n'appuie mes propos. Si les Acadiens refusent de bouger maintenant, après ce sera trop tard.

– Les Anglais tentent par tous les moyens de nous empêcher de nous ranger dans le camp des Français et ainsi de combattre contre eux. Mais de là à nous déporter, il y a une marge. Tout un peuple, ça ne se déplace pas aussi facilement.

— Moi, je ne suis pas aussi confiant que vous, monsieur Labasque. Ça m'inquiète tous ces navires qui ne bougent pas depuis des jours le long des côtes. S'ils étaient accostés là pour le commerce, il y a belle lurette qu'ils auraient repris le large.

Nicolas avait raison. La population acadienne vivait dans l'aisance. L'Acadie était prospère ; les Anglais n'avaient qu'à regarder les arbres plier sous la charge de leurs fruits et les nombreux troupeaux dans les vastes prairies qui se gavaient de foin salé, de misette et de gras pâturages. Sans compter les entrepôts, les moulins à scie et les goélettes de fort tonnage qui servaient à l'importation du sucre, de la mélasse et de plusieurs autres marchandises venues directement des Antilles, une fortune de quatre-vingt mille livres, de quoi rendre les Anglais jaloux.

— J'aimerais bien les voir s'en retourner chez eux, reprit Nicolas.

— Voyons donc ! Depuis des années, les Anglais sont à nos portes et il ne s'est encore rien passé d'inquiétant.

— Chacun a droit à sa petite idée là-dessus, mais moi, je pense autrement. Les Anglais doivent être en train de nous préparer sournoisement une déportation. Je crains fort ce qui va suivre. Il vaudrait mieux nous préparer, cacher nos biens précieux et aussi notre argent, sinon nous risquons de nous faire vider les poches par les Anglais. Nous pouvons nous attendre au pire, venant d'eux.

Nicolas se tourna vers Marie qui déposait sa lessive propre dans un panier.

– Vous, mademoiselle Marie, êtes-vous aussi confiante que votre père ?

– Vous savez, mon opinion compte bien peu. Mais moi, j'aime mieux penser comme mon père et dormir tranquille. Ça changerait quoi de tant s'en faire, sinon de nous rendre malheureux ?

D'un signe de tête discret, Marie invita Nicolas à la suivre.

– Venez avec moi. Nous ne serons pas trop de deux pour étendre les draps.

Nicolas lui prit le panier des mains.

– Votre père ne veut rien entendre, mais vous, vous devriez prendre les choses au sérieux. Allez voir au bout du chemin croche ; c'est plutôt bizarre, tous ces navires. On dirait une flotte de guerre. Il faudrait cacher vos biens les plus chers, les enterrer.

– Ici, on a presque rien de dispendieux, un peu de porcelaine et de cristal.

– Et beaucoup d'argent ?

– En effet.

Derrière le hangar, une corde à linge allait se perdre dans le champ de lin. À chaque poussée, le fil de fer grinçait sur la poulie rouillée et donnait la chair de poule. Nicolas plaqua ses mains sur ses oreilles.

– Je peux vous aider ?

– Non, je vous demandais de l'aide comme ça ; juste un truc pour parler à l'écart de papa. Il est trop vieux pour ces soucis.

Marie laissa les vêtements s'ébrouer au vent et s'appuya dos au hangar.

– Croire à la guerre, n'est-ce pas la provoquer ?

– Je ne parle pas de guerre, mais de déportation. Si vous voulez, je vais tout vous raconter. Ou bien votre père fait le sourd, ou bien il ne veut pas vous inquiéter, mais à votre âge, vous êtes en mesure de juger par vous-même et de vous préparer à toute éventualité. Si les navires s'éternisent dans la baie, ce n'est certainement pas pour s'amuser ; c'est qu'ils ont une raison majeure.

– Les Anglais ne peuvent-ils pas nous laisser vivre en paix ?

– Ils cherchent par tous les moyens à accaparer nos fermes et à les donner aux leurs. Toutefois, ils craignent que les Acadiens brisent les digues, ce qui provoquerait une inondation qui engloutirait les terres. Ils redoutent aussi une révolte des Micmacs qui sont nos amis et, par le fait même, leurs ennemis.

– Pourquoi toutes ces inquiétudes alors que notre bonheur serait total ?

Nicolas lui donna raison. Ces derniers temps ses craintes l'emportaient sur ses sentiments.

À l'abri des regards, derrière un grand drap qui frôlait le sol, le fiancé caressa doucement les cheveux, la joue, le contour des lèvres de sa belle.

Marie ferma les yeux et d'un geste mignon, elle rejeta la tête en arrière avec abandon. Nicolas embrassa son cou délicat, puis le regard chargé de tendresse, il étreignit Marie sur son cœur.

VIII

L'été s'éteignait doucement. Les champs étaient rasés, le blé engrangé. Toutefois, près des maisons, les jardins regorgeaient encore de tomates, de choux et de carottes.

Les femmes coupaient des fleurs sur leur devant de porte pour les mettre en vase avant que le gel ne les brûle.

Marie et sa cousine Magdeleine devisaient agréablement en déambulant sur le chemin croche quand une troupe de soldats les croisa. Les militaires frappaient à toutes les portes. Un peu préoccupées par cette intrusion en masse, les filles allongèrent le pas.

Elles coupèrent à travers le champ de lin et, à l'endroit où la clôture était basse, elles enjambèrent les perches de cèdre. Elles marchaient vite ; elles couraient presque afin de devancer les Anglais. Puis chacune rentra chez elle.

Marie poussa la porte. Dans la cuisine, deux officiers anglais étaient déjà là. La jeune fille enleva son manteau et le jeta sur une chaise. Elle lambinait, curieuse de connaître la raison de cette visite.

Les soldats discutaient avec son père. Ils communiquaient davantage du geste que de la parole. La jeune fille ne comprenait rien à leur langue brusque et cassée. Les Anglais demandaient le gîte sous prétexte de pêche. Augustin accepta de mettre gracieusement une chambre à leur disposition.

Après leur départ, Marie rapporta à son père que les habits rouges étaient venus en grand nombre et qu'ils frappaient à toutes les portes de Grand-Pré.

– À toutes les portes ?

– Oui, ils sont venus par centaines. Ils vont bien vider le bassin des Mines de tous ses poissons.

Augustin, intrigué, fronça les sourcils. Cette visite en bloc sentait la combine. Il ne laissa pas voir ses inquiétudes à Marie, mais il redoublerait de vigilance. Dans la pièce adjacente à la sienne, Augustin veillerait mieux sur sa fille.

– Cette nuit, tu coucheras en bas, dans la chambre à visite.

– Mais pourquoi ?

– Pour laisser ta chambre aux Anglais.

– Yark ! Pas des Anglais dans mon lit ?

– Après leur départ, tu retourneras ta paillasse à l'envers.

Avant le retour de ses hôtes, Augustin se pressa de poser un verrou à la porte de la chambre d'invités.

Le soir, barricadée dans sa chambre, Marie poussa son lit contre la cloison et, l'oreille collée à la paroi légère, elle prêtait attention à tout ce qui se passait dans la cuisine.

Les deux soldats se disputaient des parties de cartes qu'ils étirèrent jusqu'aux petites heures de la nuit. À tout moment, au cours de la soirée, ils quémandaient soit un thé, soit un goûter, dans le seul but de retarder le coucher d'Augustin. Toute cette mise en scène était une ruse des Anglais : ainsi leur bienfaiteur, alors assommé d'un profond sommeil, relâcherait malgré lui sa vigilance. Le lendemain, au lever, Augustin constata à son grand étonnement que les visiteurs avaient disparu en emportant avec eux ses armes et tous ses autres objets de fer. Son canot aussi avait disparu.

Augustin apprit le jour même que tous les Acadiens, un peuple hospitalier, avaient comme lui ouvert leur porte aux présumés pêcheurs, sauf quelques familles qui s'étaient réfugiées dans les bois, dans les cabanes d'écorce. Maintenant, sans canot à leur disposition, les colons n'avaient plus aucun moyen de fuite.

Les Acadiens n'opposèrent aucune résistance à cette razzia pourtant inquiétante pour l'avenir.

* * *

Le 8 août 1755, soit trois jours après le pillage de nuit, Nicolas entra en trombe chez Augustin Labasque et, sans prendre le temps de saluer, il annonça précipitamment :

– Le gouverneur Lawrence a ordonné l'arrestation des trois derniers prêtres en Acadie. Les coureurs de bois disent que les Anglais viennent de voter une loi qui interdit à tout prêtre catholique de franchir les frontières sous peine de mort.

Marie sentit le sol se dérober sous ses pieds.

– Plus de prêtre ! Et notre mariage ?

Sans pasteur, son mariage serait remis à plus tard. À quand ? À jamais ? Sa bouche tremblait. Nicolas pouvait lire la douleur et le découragement sur son visage.

Augustin blêmit.

– Ça y est ! Maintenant, les Anglais vont nous imposer leur religion.

Augustin ne tenait plus tête. Il baissa les yeux et se laissa emporter par la nostalgie des dimanches quand il voyait déboucher de tous les replis de sa charmante vallée de longues files de Micmacs, la plupart à dos de cheval, couverts d'ornements multicolores et maquillés de peintures aux couleurs voyantes. Ils se rassemblaient autour de l'église sur des grands terrains aménagés, appelés les champs communs. Ils attachaient leurs montures et déposaient leurs pelleteries qu'ils donneraient aux femmes des colons en échange de quelques petites nécessités. Au sortir de l'église, les Micmacs se mêlaient à leurs amis français. Ils s'attardaient sur le parvis et devisaient avec eux des petits faits de la vie quotidienne. Ensuite, comme une tradition, transmise par les générations précédentes, les colons colportaient les nouvelles.

Avec le départ des prêtres sonnait la fin de ces agréables rencontres.

Augustin laissa tomber sa tête dans ses mains. Il s'en voulait de n'avoir rien vu venir.

– Maintenant, que nous réserve l'avenir?

Nicolas hésitait à rapporter les derniers faits à Augustin, mais comme l'homme apprendrait la suite des tristes événements tôt ou tard, le garçon raconta tout dans les moindres détails:

– On dit que le curé de Rivière-aux-Canards s'est rendu à diverses églises pour consommer les Saintes Espèces. Il s'est ensuite livré volontairement aux Anglais, au fort Pisiquit. Le curé Daudin a été arrêté pendant la célébration de la messe qu'on lui a toutefois laissé terminer. Avant son départ, le père Félicien a donné ordre de dépouiller les autels, de tendre un drap mortuaire sur la chaire et de déposer dessus un crucifix. Puis, comme par enchantement, ne me demandez pas comment, le prêtre, secouru par les Micmacs, s'est évaporé dans le paysage.

– Ça au moins, c'est une bonne nouvelle.

– Pas si bonne que vous le pensez! Des Indiens ont rapporté que le missionnaire a été décapité.

* * *

Sur le bord de la baie, un Micmac avait levé une écorce de bouleau et, à l'aide d'un charbon, il avait dessiné un prêtre et à côté un Anglais qui lui coupait la tête. Telle était l'écriture des sauvages. Il avait ensuite enroulé son dessin autour d'un bâton et l'avait planté au bord de la baie pour montrer aux passants ce qui était arrivé au prêtre. Des Micmacs qui passaient par là en canot aperçurent le message. Ils s'assirent en cercle autour du bâton, sans un mot, dans la plus grande affliction.

* * *

Nicolas poursuivit :

– Ce matin, un drapeau anglais est hissé sur l'église transformée en caserne pour les habits rouges. Les colons ont reçu l'ordre de se réunir demain, au fort Cumberland, pour la lecture des ordres du gouverneur. Le colonel insiste pour que tous soient présents. Le but de la convocation est la conservation de nos terres.

Marie s'approcha de Nicolas.

– Promettez-moi de ne pas vous y rendre, Nicolas. Je flaire un danger.

– J'irai, moi, coupa Augustin.

Nicolas s'interposa :

– N'y allez pas, monsieur Labasque. Vous êtes trop âgé pour ces émotions. Restez plutôt ici avec Marie. Je vous tiendrai au courant des développements.

Nicolas prit aussitôt le contrôle des biens des Labasque, devenus siens. Qui d'autre que lui pourrait mieux s'en occuper ?

– Marie, dit-il, je vais scier les pattes de la huche à pain pour en faire un coffre. Apportez deux vieilles assiettes de poterie et suivez-moi.

La jeune fille suivit son promis au bout de la grange. Nicolas compta cent pas vers l'ouest et se mit à creuser énergiquement. Lentement, le trou s'agrandissait, le tas de terre grossissait, Nicolas suait et, sa chemise mouillée, il creusait encore.

Marie lui apporta une carafe d'eau. Nicolas s'assit sur le monticule de terre, le temps de se désaltérer. Il observait sa fiancée. Marie n'était que candeur. Elle était fraîche comme un matin d'été et il y avait de la rosée dans ses yeux. Jamais il ne l'avait autant désirée. Il se remit à pelleter avant que ses sens ne lui enlèvent son contrôle. Quand la profondeur du trou lui sembla suffisante, il traîna la huche près de la fosse.

– Marie, allez chercher vos objets les plus précieux, je vais les enterrer. Si jamais nous sommes déportés, à notre retour en Acadie, nous les retrouverons ici.

Marie revint avec des vases et des pièces de cristal et d'argenterie de grande valeur, comme une carafe à vin ramené d'Extrême-Orient par un navire de commerce, objet qui témoignait de la fortune familiale.

– J'ai peine à laisser toutes les pièces tissées par ma mère et sa belle nappe de toile brodée au point de feston. C'est comme si maman y avait laissé l'empreinte de ses doigts. Quand il m'arrive de coller la broderie contre ma joue, je sens la caresse de sa main.

– Allez chercher toutes ces choses. Nous les enfermerons dans la huche.

– Vous croyez qu'elles pourront se conserver ?

– Vous ne perdez rien à essayer. À moins que vous préfériez les laisser aux Anglais.

– Bien sûr que non !

Nicolas déposa les biens dans le coffre qu'il fit disparaître trois pieds sous terre. Il brisa ensuite les deux assiettes en les frappant l'une contre l'autre, déposa les tessons sur la fosse et les recouvrit d'une couche de terre.

– Comme ça, au retour, nous les repérerons plus facilement. Maintenant, il faut cacher l'argent. Si on l'apporte sur les navires, les Anglais vont nous le voler. Allez le chercher et venez me rejoindre au puits.

– Vous croyez vraiment les rumeurs qui courent ?

– Malheureusement, oui. Les Anglais sont sur le point de nous exiler et Dieu sait où ils vont nous conduire.

– Je ne veux pas partir, Nicolas. Je crains tellement d'être séparée de vous.

– Le temps presse, Marie, allez vite chercher l'argent. Nous reviendrons et nous nous marierons.

Marie doutait. Une fois les prêtres aux arrêts et avec les bruits qui couraient sur une déportation, elle et Nicolas n'auraient peut-être pas la chance d'aller au bout de leur passion.

Ils étaient seuls tous les deux et la jeune fille laissait l'amour envahir ses sens. Elle s'attendait à une étreinte de son amoureux ou à quelques privautés, mais non, rien. Nicolas, fort affairé, remettait les sentiments à plus tard. Quand trouverait-il l'occasion de la serrer dans ses bras, de lui chuchoter des mots doux? Il était là, dans toute sa fierté, à mener les affaires de la maison d'une main de maître, mais aussi à provoquer son désir.

Plus Marie patientait, plus la tentation grandissait. Ils étaient si rarement laissés à eux-mêmes. Ce jour-là, l'occasion était belle. Dans la bousculade des événements tragiques, personne ne leur portait attention. Augustin dormait son somme de l'après-midi.

Marie, plus langoureuse que jamais, était tentée de s'allonger avec son bien-aimé à l'abri des regards, là, sur l'herbe jaunie. Elle était prête à commettre une douce bêtise avec son Nicolas. Elle en oubliait sa conscience et les conséquences qui pourraient s'ensuivre. Mais bousculé par le manque de temps et les nouveaux développements, Nicolas gardait la tête froide. Il semblait avoir perdu toute émotion. Son amoureux n'avait plus de moments tendres à lui accorder. Il était comme un homme qui perd sa jeunesse.

Marie se rendit à la maison et en rapporta l'argent économisé par les cinq générations précédentes. Une richesse.

Elle rejoignit Nicolas derrière le hangar où se trouvait le puits. Assis sur ses talons, le garçon s'occupait à former des nœuds tout le long d'un câble pour faciliter le repêchage du trésor au moment opportun.

Il déposa l'argent dans une jarre en terre cuite et à l'aide d'un bâton enduit de glu, il scella le couvercle. Il enroula ensuite le cordage autour du col ourlé du contenant et l'attacha à une grosse roche pour l'empêcher de flotter. Il descendit doucement la jarre au fond du puits et lâcha le câble.

Marie s'approcha et prit les mains de Nicolas entre les siennes.

– Au nom du ciel, promettez-moi que vous n'irez pas au fort Cumberland, Nicolas. Je vous en supplie.

Nicolas céda plus volontiers aux impulsions du cœur qu'aux ordres des Anglais. Comment résister à sa douce fiancée aux yeux de gazelle ?

– Vous avez gagné. Maintenant, allez dire à votre père de se reposer ; je me débrouillerai avec le train.

Marie sourit et disparut, légère, joyeuse.

En quelques enjambées, Nicolas, suivi du chien de la ferme, se rendit aux bâtiments.

L'étable était pleine de vie, comme les maisonnées à l'heure de la soupe. Les pourceaux frappaient la porte de l'enclos à coups de groin pour demander leurs céréales, les chevaux piétinaient le plancher de leurs sabots et les vaches beuglaient pour qu'on soulage leurs pis engorgés de lait.

Nicolas saisit un petit banc à traire, près du parc à veau et le déposa tout contre Roussette. Il s'assit sous la bête et, la chaudière de tôle entre les genoux, il appuya la tête contre flanc de la vache et pressa les pis.

Le lait fusa aussitôt, laissant entendre un «flic, flac» bruyant sur le métal.

Le temps de remplir son contenant, Nicolas pensait au malheur qui planait sur les Acadiens. Pourquoi les Anglais ne leur laissaient-ils pas la paix? Le bonheur s'ouvrait devant lui. Il avait une adorable fiancée, des terres généreuses qui lui étaient données et puis, il éprouvait tellement de joie à exécuter les travaux de la ferme.

La porte basse bâilla sur ses gonds rouillés dans un long craquement. Marie entrait. Nicolas sourit, content de sa présence, de sa bonne humeur. Elle était si jolie. Elle avançait silencieusement en retroussant sa jupe pour éviter de la salir.

Nicolas se trouvait coincé entre deux vaches, mais Marie arriva tout de même à se glisser derrière lui. Elle se pencha et embrassa sa nuque où se tordaient des petits cheveux follets, un baiser qu'elle n'osait pas rendre aussi sensuel qu'elle l'aurait voulu: l'endroit n'était pas propice aux caresses. Voyant que Nicolas ne réagissait pas, elle chatouilla gentiment l'arrière de ses oreilles.

Nicolas rentrait le cou dans ses épaules et riait.

– Je vous défends de me chatouiller. Si vous continuez, vous allez m'empêcher de travailler, dit-il.

Marie enjamba de nouveau le dalot et alla s'appuyer le dos au tonneau de bois servant à abreuver les bêtes. Son regard ne quittait plus Nicolas. Elle se mit à dire n'importe quoi pour meubler le silence.

– Moi aussi, je sais traire, mais papa me le défend : il craint que j'abîme mes mains. Je suis pourtant une fille de ferme, moi ; je ne suis pas née avec une cuillère d'argent dans la bouche.

– Vous savez aussi soigner les veaux ?

Nicolas espérait-il se débarrasser de sa présence en lui imposant ce travail ? Il se trompait. Elle ne quitterait pas son poste.

– Je saurai si vous me montrez.

Elle sourit. Une pointe de malice faisait briller ses yeux.

– Vous, vous êtes ici seulement pour déranger et non pour aider.

– Vous avez raison. Depuis l'arrivée des navires anglais, vous n'avez plus une minute à m'accorder.

– C'est que je dois voir à tout. Mais vous ne perdez rien pour attendre. Laissez-moi d'abord terminer mon train.

Avec toutes les histoires de déportation qui couraient, Marie n'avait pas le temps d'être patiente. Elle se dit : « Une fois, juste une fois, que je goûte à l'amour, que je me soude à Nicolas pour la vie et que j'en imprime le souvenir dans mon cœur. Quel mal y aurait-il ? Après tout, nous sommes fiancés. »

Les yeux de Marie brillaient plus qu'à l'accoutumée.

Nicolas sourit et subitement son visage devint grave ; il allait s'embourber dans la pire sottise. Non, il ne la toucherait pas. Il n'arriverait plus ensuite à se contenter de son désir. Quand Nicolas s'appropriait un bien, c'était pour de bon.

Marie ne comprenait pas le brusque changement d'attitude de Nicolas.

– J'ai dit quelque chose qui vous a blessé ? Vous me semblez soudainement si grave.

– Non. Soyons sages. Je suis sûr que vous l'apprécierez plus tard.

Marie rougit. Elle se conduisait comme une imbécile.

Le pis de Roussette vidé de son lait, Nicolas se leva et versa le beau liquide mousseux dans un bidon. Sans perdre un instant, il poussa du pied son banc à traire et s'accroupit sous Véreuse, la vache voisine.

Marie le mit en garde.

– Prenez garde, Véreuse est une hypocrite. Elle donne des ruades et renverse les chaudières.

– Je tiens compte de votre avertissement. Votre père n'a pas pensé à la tuer pour la boucherie ?

– S'il la garde, c'est qu'elle est aussi très généreuse. À elle seule, elle donne du lait comme deux.

– Si c'est pour le renverser…

Marie sourit.

– Je vais préparer le souper.

– Il m'est pourtant bien agréable de vous avoir à mes côtés.

Le regard de Marie s'assombrit.

– Pour combien de temps encore ?

– Si les choses pouvaient changer, mais c'est impensable. Il n'y a plus d'espoir.

– J'ai peur, Nicolas. Si les Anglais nous exilent, il y aura la traversée, les misères, et l'inconnu qui me préoccupent. On dit qu'au sud, la chaleur est tellement forte qu'elle tue les gens. Mais le pire malheur serait de vous perdre.

Nicolas, passionné fou, n'en pouvait plus de résister au charme de sa fiancée. Une émotion, un désir indéfinissable, une douce volupté, l'envahissait tout entier. Il laissa Véreuse en plan et s'approcha de Marie. Il la serrait dans ses bras et l'embrassait à l'étouffer, quand la porte mal jointe grinça de nouveau. Augustin apparut dans l'encadrement. Le charme secret tomba. Nicolas, gêné d'être surpris, reprit son seau et se glissa de nouveau sous Véreuse.

* * *

Le lendemain, Nicolas complètement démoli, se rendit chez les Labasque. Sitôt entré, il se laissa tomber lourdement sur la première chaise.

– Ça sent la guerre à plein nez. On vient d'apprendre que les quatre cents hommes des Mines, de Rivière-aux-Canards et de Grand-Pré qui se sont rendus au fort Cumberland ont été faits prisonniers dès leur arrivée là-bas. On les a embarqués sur un navire anglais venu du Massachusetts.

L'affreuse nouvelle démolit Augustin.

– On nous a fait croire que le but de la convocation était la conservation de nos terres. C'était un piège des Anglais.

Parmi les captifs se trouvaient le notaire Le Blanc, père de vingt enfants, Doucet, Pellerin, Bugeau et combien d'autres.

– C'est le commencement de la fin. Les femmes sont révoltées.

Augustin Labasque était désolé. Il connaissait intimement tous ces hommes et particulièrement le notaire Le Blanc qui était au courant des lois. C'était aberrant.

– C'est épouvantable! La paroisse est déjà toute démembrée et nous n'avons plus de fusils pour nous défendre.

– Des Micmacs sont partis frapper à toutes les portes de Grand-Pré pour prévenir ceux qui ne se sont pas rendus au fort Cumberland de se cacher dans les bois sous leur protection. Je me demande bien ce que la France attend pour nous envoyer des renforts. Ils avaient pourtant promis de nous protéger.

– La France est déjà en guerre contre l'Angleterre. Là-bas, ils ont besoin de leurs soldats. Comme arme, il ne nous reste plus que la prière, ajouta Augustin d'une voix étouffée.

– Si ça peut vous consoler, on dit que des Micmacs ont aperçu l'abbé Félicien en train de lire son bréviaire tout en se promenant le long de la rivière. Le missionnaire serait vivant. Les indigènes sont venus tout heureux nous porter l'agréable nouvelle.

* * *

Sitôt mises au courant de l'arrestation de leur mari, cent quarante femmes de Grand-Pré, indignées, se rassemblèrent devant le manoir et décidèrent d'un commun accord de faire front.

Elles partirent tôt le matin, laissant temporairement leurs enfants au foyer, aux soins soit de l'aînée, d'une nièce ou encore d'une petite voisine.

Un chapelet de voitures remplies de braves épouses s'égrenait sur le chemin qui menait au fort Cumberland situé à environ quarante milles de Grand-Pré. Ce voyage représentait toute une trotte. En route, les attelages s'arrêtaient dans les petits villages. Il fallait laisser reposer les bêtes. Les femmes profitaient de ces haltes pour se restaurer et se dégourdir les jambes.

Les voyageuses arrivèrent tard le soir au fort Cumberland. Elles s'arrêtèrent devant une enceinte assez vaste et faiblement éclairée.

Trois d'entre elles se détachèrent du groupe et s'informèrent au premier officier en vue où elles pourraient trouver leurs maris.

Après avoir parlementé avec l'officier, celui-ci les pria d'attendre. Une heure passa pendant laquelle les femmes s'inquiétaient à savoir où elles passeraient la nuit.

L'officier sortit de la place forte et invita les femmes à conduire leur attelage derrière le rempart où les bêtes seraient gardées en sécurité.

Il invita ensuite les femmes à le suivre sur un navire.

Les épouses se précipitèrent aveuglément sur le vaisseau pour secourir et ramener leur homme au foyer. Mais sitôt les femmes embarquées, les Anglais cernèrent le groupe et le conduisirent à la cale. Ils n'eurent qu'à verrouiller les écoutilles pour les emprisonner. Les femmes s'étaient prises inconsciemment au piège des Anglais. Elles laissaient derrière elles des centaines de petits orphelins.

En apprenant le malheur qui s'abattait brusquement sur les familles acadiennes, une solidarité lia alors tout le petit peuple restant. Les femmes encore libres coururent de maison en maison au secours des petits orphelins.

Salomon à Pierriche et Céline Bugeau, leur vie de couple à peine commencée, se rendirent à la maison voisine où se trouvaient cinq enfants en bas âge. Ils libérèrent la gardienne, une jeune cousine, et recueillirent les enfants, trois garçons et deux filles, âgés de six ans à huit mois.

À l'annonce de l'effroyable nouvelle, il fallait entendre les cris terrifiants des pauvres petits, privés de leurs parents. Instinctivement, les enfants s'accrochaient les uns aux autres, comme s'ils craignaient d'être à leur tour séparés du reste de leur famille. Céline jucha la petite Agathe sur sa hanche, et invita les autres à monter aux chambres où elle tria certains vêtements indispensables qu'elle déposa dans une taie d'oreiller. Les plus jeunes subissaient leur sort sans chercher à comprendre, mais Émile, l'aîné, refusait de partir.

Il fallait le voir du haut de ses six ans avec ses cheveux blonds et drus de chérubin ; on eut dit qu'il se prenait pour l'homme de la maison. Il arrachait les vêtements des mains de Céline. Celle-ci dut se marcher sur le cœur pour lui faire comprendre sa misérable situation.

– Ici, il n'y a plus personne pour vous donner à manger, laver votre linge, dormir avec vous et vous protéger des Iroquois. On vous emmène dans notre maison pour prendre soin de vous en attendant que vos parents reviennent. Il faut bien apporter quelques vêtements.

– Non. Je ne veux pas. Je veux maman.

Le garçon restait dans son coin à étreindre ses vêtements, à ronger son frein.

– On ne peut pas vous laisser seuls dans votre grande maison. Veux-tu que Salomon et moi venions habiter ici ?

– Non.

Céline, trop émotive, se mit à pleurer. Salomon intervint. Il souleva Émile dans ses bras.

– Viens m'aider à ramasser les paillasses. Ensuite, je vous amènerai tous à la maison manger des bons beignes avec un grand verre de lait froid. Et puis quand vos petits ventres seront pleins, nous irons visiter vos cousins, les petits Pellerin qui eux sont chez vos autres cousins, les Dugas. Dans la place, tous les enfants déménagent.

Salomon tentait d'alléger leur départ et la tristesse de perdre leurs parents.

La même abomination se répétait dans les cent quarante foyers abandonnés.

On ramassait parfois jusqu'à dix enfants par maison. Dans les foyers d'accueil, des paillasses étaient disposées directement sur le sol et coincées entre les lits. Les familles qui restaient élevaient les enfants des autres au même titre que les leurs.

Les Dugas accueillirent les six enfants des Pellerin, même s'ils en avaient déjà neuf à eux. Osite, à moitié épuisée, ne regardait pas à la fatigue.

Le soir au coucher, elle se demandait comment les Anglais pouvaient arriver à dormir avec un pareil crime sur la conscience.

Le colonel Winslow logeait au presbytère. Il ne manquait de rien. Les paroissiens de Grand-Pré étaient de généreux donateurs et ils avaient vu à ce que leur pasteur ne manque pas de confort.

Le commandant profitait largement de cette générosité. Toutefois, le soir, seul dans ses locaux, Winslow s'ennuyait terriblement de sa famille.

Ce dernier ne semblait aucunement sensible au sort des Acadiens. Il n'avait que deux préoccupations : les fugitifs à rattraper et les transports qui n'arrivaient plus.

IX

On était le 2 septembre 1755.

Un ciel lourd pesait sur Grand-Pré.

Augustin se posta à la fenêtre. Mais que diable faisaient tous ces gens, en plein cœur d'après-midi, agglutinés comme un troupeau de moutons devant la porte de l'église ? Il plissa les yeux, histoire de mieux les distinguer, mais la distance l'en empêchait. Augustin pensa aussitôt aux prisonniers du fort Cumberland. Les Anglais venaient peut-être de les relâcher. Les gens, sortis de leur maison, accouraient de partout.

Augustin décrocha son chapeau du clou, s'en coiffa, et fila, voir ce qui se brassait au cœur du village. En chemin, il aperçut Albertine et Bernadette agenouillées devant leur plate-bande. Un vieux chapeau de paille sur la tête, les mains couvertes de gants en cotonnade, elles déchaumaient les talus. Augustin s'arrêta un moment pour leur parler de ce curieux rassemblement.

– Il se passe quelque chose d'étrange dans la place. Tout le monde est regroupé devant l'église ; sans doute, le retour de nos prisonniers du fort Cumberland. Vous feriez peut-être bien de venir aux nouvelles.

Il y avait foule, non seulement devant la devanture de l'église, mais aussi du presbytère, des commerces, des entrepôts et des moulins à scie.

Augustin s'approcha. Toutes les façades des édifices publics étaient placardées des ordres du gouverneur.

Les hommes du village se tenaient pelotonnés au pied des affiches. Landry lisait le contenu du texte à haute voix pour ceux qui n'avaient pas fréquenté les classes.

J'ordonne et enjoint strictement par la présente, à tous les habitants, y compris les vieillards, les jeunes gens de dix ans et plus de se réunir à l'église de Grand-Pré, le vendredi, cinq courant, à trois heures de l'après-midi afin de leur faire part des instructions de sa Majesté. Aucune excuse ne sera acceptée et le défaut d'obéissance aux ordres entraînera la confiscation des biens et effets.

Ordre du gouverneur Lawrence.

Depuis l'emprisonnement de ses semblables au fort Cumberland, la capture des prêtres et le désarmement des colons, Augustin ne s'étonnait plus de rien. Les Anglais mentaient comme ils respiraient.

Avec le peu d'hommes qui restaient, Augustin s'attarda à fumer et à discuter, histoire de faire le tour de la situation. Quand un drame touche toute une communauté, les gens sentent le besoin de s'entourer, de sympathiser.

* * *

Trois jours plus tard, Nicolas Amireault attela le vieux cheval de la forge à une charrette dont les harnais pendaient dans les brancards. Accompagné de ses deux frérots, il se rendit chez Augustin Labasque.

Marie les invita à dîner.

Après le repas, les hommes restèrent longtemps affalés sur leur chaise basse à discuter des derniers développements. Augustin hacha du tabac pour fumer cinq ou six pipées, mais à la deuxième, Nicolas secoua sa pipe dans l'âtre.

– J'ai promis d'aller chercher quelques colons au fond du rang. Venez, monsieur Labasque, nous avons assez traîné; nous allons être en retard.

Marie leva douloureusement ses beaux yeux bleus sur son père.

– Papa, faites attention à vous. N'allez surtout pas plier devant les exigences des Anglais.

Augustin sortit, la tête basse, le dos courbé sous le poids de l'inquiétude.

– À mon âge, je sais comment me conduire, que diable !

Marie s'inquiétait de voir Augustin aussi bourru. Elle ne connaissait pas son père sous ce jour. Il était le meilleur père au monde.

– Ne vous en faites pas, je m'occuperai de nourrir le bétail, dit-elle. Et revenez vite.

Augustin sorti, Nicolas poussa ses frères sur le perron et s'attarda derrière la porte. Il passa une main caressante dans les cheveux de sa belle. Il n'en finissait plus de s'en aller. Marie aurait voulu se serrer très fort contre lui, mais une pudeur la retenait : son père était tout près, dans la voiture collée au perron. Nicolas sortit et referma la porte dans son dos.

Marie restait là, la face collée à la vitre.

La charrette s'ébranla sur la petite route en terre battue. Nicolas, le chapeau à bout de bras, saluait Marie et riait. Il voulait la faire rire, mais en dedans de lui, il ne riait pas. Il était même terriblement sérieux.

L'attelage chevaucha par les chemins de traverse. Des nuages en deuil suivaient la chignole.

– Ça vaut bien la peine d'avoir un père forgeron pour être si mal gréé en fait d'attelage.

– Papa réparait d'abord ceux des autres. Là où il est prisonnier, il doit s'ennuyer à mort de sa forge. Vous savez quelle sorte d'homme il était : incapable de rester à ne rien faire plus de deux minutes.

* * *

La voiturée descendit devant l'église de Grand-Pré transformée en caserne. Une caserne dans l'église même où ils avaient reçu le baptême. Quelle honte !

L'attelage suait. Nicolas attacha son cheval au piquet où il pourrait reprendre son souffle.

Des hommes venaient des quatre coins de la paroisse. Quand les quatre cent dix-huit Acadiens furent entrés dans l'église et bien assis sur les longs bancs de bois, on verrouilla les portes du saint lieu.

Le lieutenant-colonel Winslow fit son entrée en grand apparat. Un commis huguenot, du nom de Deschamps et à l'emploi du commerçant Mauger, l'accompagnait et servait d'interprète auprès des Acadiens.

Winslow, entouré de ses officiers, prit place à une table placée dans le chœur et lut son message aux Acadiens. Il leur annonça au nom de sa Majesté qu'ils étaient tous prisonniers et leurs biens confisqués, sauf leur argent et quelques effets qu'on leur permettrait d'apporter avec eux sur des navires qui les transporteraient en des lieux qui leur étaient inconnus. Il ajouta que si après deux jours, les absents ne se livraient pas aux autorités, leurs proches seraient alors exécutés.

– Le devoir qui m'incombe est très désagréable à ma nature et à mon caractère, mais ce n'est pas à moi de critiquer les ordres que je reçois. Je dois m'y conformer. Dorénavant, vos terres, habitations, bétails de toute sorte et cheptels de toute nature appartiennent à la Couronne.

Winslow annonça son intention d'éviter autant que possible la séparation des familles. Il termina sur une note sympathique :

– J'espère que, dans toutes les parties du monde où le sort va vous jeter, vous serez des sujets fidèles, un peuple paisible et heureux.

On s'emparait de leurs troupeaux et de leurs magnifiques terres d'alluvions récupérées sur la mer et transmises de père en fils. Mais tout ça n'était que des exploitations agricoles; la survie de leur nombreuse famille les préoccupait bien davantage.

Deschamps traduisait. Incapable de bien articuler; les instructions foudroyantes s'étouffaient dans sa gorge. Il toussait pour s'éclaircir la voix et reprenait sa version simultanée.

– Tous les habitants français seront déportés. Le gouverneur exige d'eux un silence complet sur ces événements. Ceux qui transgresseront ses ordres seront passibles de fouet ou de mort.

Les captifs se regardaient, muets, éperdus. On leur enlevait leurs biens et on les exilait. Il y eut un sursaut d'indignation contre l'autorité, des cris, des mouvements de révolte.

Les hommes, fous de rage, devinrent si agressifs qu'ils se mirent à crier et à frapper à grands coups de poing et de pied sur les murs et les portes verrouillées. Ils s'ensanglantaient les poings à force de frapper pour qu'on ouvre, mais rien n'y fit. Des soldats, en sentinelle sur le portail, gardaient les portes de l'église. Les Acadiens surpris et désarmés ne pouvaient même pas esquisser une résistance.

Dans cet affolement, des dizaines de petits prisonniers, des enfants de dix à treize ans, la frayeur dans les yeux, des pleurs dans la voix, s'accrochaient désespérément à leur père. Parmi eux était mêlé une vingtaine d'orphelins, dont les pères avaient été faits prisonniers un peu plus tôt, au fort Cumberland. Ces petits prisonniers désespérés se retrouvaient complètement abandonnés. Éperdus, les yeux sortis de leur orbite, ils hurlaient comme des animaux qu'on mène à l'abattoir.

Julien Le Blanc, un des fils du notaire, ne réussit pas à lui seul à les calmer. Sans doute la faiblesse des jeunes le rendait plus fort. Il plaça chacun d'eux sous la protection d'un père ou d'un grand garçon.

Il conseilla ensuite la soumission aux jeunes gens les plus exaspérés.

Le premier mouvement de révolte atténué, quelques-uns s'agenouillèrent et prièrent; les autres serraient leurs fils dans leurs bras et étouffaient des sanglots.

Le regard grave de Nicolas se posa sur Augustin Labasque. Agenouillé dans un banc, les mains jointes, les larmes aux yeux, l'homme, continuellement en frissons ou en sueurs, semblait épuisé.

Nicolas ne lâchait pas d'une semelle ses deux frères de dix et douze ans. Il les entraîna près d'Augustin et, doucement, il aida l'homme à s'asseoir. Nicolas ne trouvait rien à dire pour le rassurer. Augustin et lui pensaient probablement la même chose. Où se trouverait Marie, dorénavant, sans père ni mère? Comment, chaque mère de famille, aveuglée par son propre malheur, trouverait-elle la force de s'ouvrir aux souffrances des autres ? Tout le monde traversait une rude épreuve en même temps. Marie se retrouverait peut-être seule dans son coin : à chaque affliction, elle était portée à s'isoler. Dorénavant, qui s'occuperait de la protéger contre les Anglais ? Ceux-ci détestaient tellement les Acadiens qu'ils ne négligeraient aucun prétexte pour tuer froidement les femmes et les enfants.

Nicolas restait muet. Il lui aurait fallu mentir pour consoler Augustin. Le vieil homme n'avait plus de résistance. Il passait son temps à pleurer. Nicolas tenta de le réconforter en lui rappelant la promesse de Winslow de ne pas séparer les familles. Mais Augustin y croyait-il ? Déjà, au fort Cumberland, les hommes et les femmes avaient été emprisonnés séparément.

– Ces hypocrites nous gavent de mensonges.

Augustin serra le poignet de Nicolas si violemment que celui-ci sentait ses doigts pénétrer ses chairs.

– Quand je ne serai plus là, je compte sur toi pour t'occuper de ma fille. Je sais comme elle tient à toi. Je me demande où elle est en ce moment. Je crains qu'elle ne se trouve seule à la maison, à se replier sur elle-même, à pleurer, sans personne pour la consoler.

Nicolas, comme Augustin, se posait mille questions au sujet de Marie. Peut-être se trouvait-elle chez Osite ? Si oui, cette dernière, troublée par les récents événements, et surchargée d'enfants, avait-elle le temps de s'occuper de sa nièce ? Sans mari à la maison, sans leurs grands garçons, chaque femme avait un reste de famille à s'occuper. Qui penserait à Marie ? Sa fiancée était-elle seule à la maison ou se cachait-elle dans les bois ? La reverrait-il ?

Ainsi commençait une guerre absurde contre l'Acadie où les combattants étaient des familles entières, hommes femmes et enfants.

* * *

Marie, réfugiée chez elle, se promenait, de long en large, dans la grande cuisine morte. La pièce était humide. Le poêle était éteint, et Marie n'avait pas le courage de le rallumer. Le corps vidé de toute énergie, elle s'assit au bout de la table, au bout de ses rêves, les yeux dans le vide. Ses plus beaux souvenirs étaient restés vivants dans les vieux murs de bois. Elle avait tant de fois rêvé d'y vivre avec son Nicolas. Maintenant elle prenait douloureusement conscience de la fatalité qui pesait sur sa vie.

Son cas n'était pas unique, dans la place, toutes les familles étaient cruellement touchées : les femmes enceintes, les bébés, les vieillards, les malades. Pour tous les Acadiens, la vie changeait de cap. Mais en ce moment, Marie considérait son malheur plus grand. Le cas des autres était différent parce que pour elle, il n'existait pas de plus grand amour que sa passion pour Nicolas. Elle en mourrait.

Elle monta au deuxième et fila à la chambre qui regardait la baie. Dans la penderie, une échelette fixée au mur menait au grenier. Marie grimpa aux échelons, poussa la trappe et, par le carreau, pénétra dans le lieu secret où elle devait marcher penchée. Elle s'agenouilla devant le berceau et caressa le bois doux. La vision du petit lit, désormais inutile, la faisait terriblement souffrir. Une autre illusion perdue.

Marie descendit à sa chambre et s'effondra sur son lit, le temps d'épuiser ses larmes, puis ses yeux voilés firent le tour de la pièce. Elle se demandait ce qu'elle ferait désormais seule dans cette grande maison. Elle revint à la cuisine. Au-dessus de la bassine, le miroir lui renvoyait l'image de sa figure défaite, mais peu lui importait son apparence : Nicolas emprisonné, la vie ne valait pas la peine d'être vécue. Marie fonctionnait avec une lenteur anormale. Elle se demandait où aller. Son père n'aurait pas aimé la savoir seule à la maison. Elle quitta les lieux.

Sur la courte distance qui la menait chez les Arseneau, toutes ses pensées rejoignaient son fiancé. Nicolas avait prévu ce qui se tramait, mais tout le monde avait fermé les yeux sur ses appréhensions. Pourquoi n'avait-elle pas fui avec lui avant les terribles événements ? Comme elle regrettait !

Elle frappa chez les Arseneau, les yeux rougis. Sous ses paupières inférieures, des boursouflures mauves surplombaient ses pommettes saillantes.

En entrant, elle se jeta tout en pleurs dans les bras d'Albertine qui la reçut comme une mère.

La jeune fille était inconsolable. Elle ne craignait plus qu'on la voie pleurer.

– Je ne sais plus où aller.

– Reste ici. Tu es toujours la bienvenue dans cette maison.

Albertine la conduisit à la berçante.

La robe de mariée de Marie était étendue de tout son long sur la table.

– Vous pouvez laisser ma robe de mariée inachevée. Elle ne servira plus à rien : Nicolas a été fait prisonnier avec mon père et tous les autres.

Bernadette restait sourde à cette décision. Assise contre la table, elle continuait d'exécuter des points invisibles sur l'encolure en mousseline blanche. Elle leva un regard compatissant sur Marie.

– Je n'ai quand même pas fait tout ce travail pour rien. Je vais terminer ta robe et tu l'apporteras en exil. Elle sera un porte-bonheur qui te redonnera ton Nicolas.

– Et si je ne le retrouve jamais ?

– Tu vois tout en noir. Ne te laisse pas aller au désespoir. Ce sont ceux qui luttent qui gagnent la partie.

Albertine intervint.

– Avec tout ce qui passe dans la place, tu ne vas pas dormir seule chez toi, ce soir ?

– Je vais coucher chez ma tante Osite.

– Reste donc avec nous en attendant la suite des événements.

– Je ne peux pas : Magdeleine et moi avons juré de ne jamais nous séparer.

– C'est très bien de vous soutenir l'une et l'autre. Mais ta tante en a déjà assez avec sa famille et les six petits Pellerin qui se sont ajoutés. Va leur dire que tu habiteras ici en attendant le grand départ. Ça nous fera tellement plaisir. Je vais te préparer un lit, en haut.

– Et si ma tante a besoin de mon aide ?

– Ses grandes filles l'aideront. Reste.

Marie accepta l'invitation ; il lui fallait bien un toit.

Mademoiselle Albertine avait raison : la maison des Dugas était bondée de monde. Où aurait-elle trouvé, dans le grouillement de la maisonnée, un peu de silence pour entrer en communion de sentiments avec Nicolas ? Et puis elle trouvait un peu de réconfort et d'encouragement chez les Arseneau. Ces femmes lui témoignaient toute leur attention et une grande compassion au moment où elle se sentait seule au monde. Avec elles, Marie pouvait laisser aller son chagrin. Les autres femmes étaient trop affligées pour qu'elle en rajoute à leur peine.

* * *

Dans la petite église de Grand-Pré, toute la nuit fut une suite de soupirs, de longs gémissements étouffés. Les hommes les plus forts refoulaient leurs pleurs, mais une haine terrible minait leur cœur.

Les captifs devaient assimiler ce qu'on venait de leur apprendre, l'inimaginable. Ils s'étaient fait avoir par les Anglais et c'était par leur propre faute : d'abord, en leur donnant le gîte, la nuit où on les avait dépouillés de leurs armes, et ensuite, en obéissant aveuglément aux ordres du gouverneur.

Une souffrance sans nom les rapprochait. Ils sentaient le besoin de s'appuyer les uns sur les autres pour ne pas s'effondrer comme des épis de blé affaissés sous une averse de grêle.

* * *

Deux jours plus tard, cinq navires arrivés de Boston jetaient l'ancre près des berges de la Gaspareau, mais le colonel craignait que les vaisseaux nolisés ne soient pas encore en nombre suffisant pour transporter tous les prisonniers acadiens de Grand-Pré, des Mines, de Rivière-aux-Canards et de Gaspareau. On remplit les navires de marchandises humaines. Les captifs y resteraient encore plusieurs jours.

Tout ce temps, le colonel Winslow semblait très nerveux. Il craignait que, par vengeance, tout de suite après le départ des Acadiens, les Micmacs, amis des Français, brisent les aboiteaux ou les valves à clapets.

* * *

En érigeant ces digues, les Acadiens, très ingénieux, avaient volé à la mer un demi-million d'acres de terre des plus productifs plutôt que de les prendre à la forêt. C'est pourquoi les Anglais traitaient les Acadiens de paresseux. Maintenant, sans ces digues, les terres seraient noyées, impropres à la culture et les nouveaux colons anglais seraient réduits à la famine.

Winslow redoutait aussi qu'avec tous les retards des navires, les Acadiens fomentent une révolte. Le temps pressait, le péril grandissait.

Winslow obéit aux ordres de Lawrence comme un chien obéit à la voix de son maître. Il enverrait les hommes sans leur famille.

Il fit venir son état-major dans son bureau. Il fallait organiser un mode de fonctionnement, lui donner la forme et la force afin que le départ se déroule dans l'ordre.

L'embarquement, prévu pour le lendemain, aurait lieu à bord de l'embouchure de la rivière Gaspareau située à un mille et demi de l'église de Grand-Pré.

Le colonel réunit ses officiers et ordonna :

– À mon commandement, vous ferez sortir les prisonniers et les ferez monter par groupes de cinquante sur chacun des cinq vaisseaux arrivés de Boston. Vous embarquerez deux cent cinquante personnes aujourd'hui même, les jeunes gens d'abord.

Chaque jour, les familles des prisonniers se rassemblaient par petits groupes devant l'église. Chacun espérait qu'on libère les fils et les maris.

Tout était calme ce matin-là quand deux officiers surgirent et ordonnèrent aux femmes qui se tenaient près de l'église de s'éloigner avec leurs enfants afin de libérer la place pour l'embarquement des garçons.

Les cœurs surexcités battaient à grands coups sous l'emprise de l'émotion. Chacune s'attendait à étreindre un mari, un fils, un frère, un fiancé.

Un corps de troupe, caserné dans l'église, fut appelé sous les armes. Ils étaient quatre-vingts officiers et soldats anglais, armés, prêts à faire le guet et à escorter les prisonniers jusqu'aux navires.

Les captifs devaient se présenter sur la plage, les jeunes gens à gauche, les hommes à droite.

On fit sortir cent quarante et un jeunes hommes, tous dans un état d'abattement extrême. Des officiers anglais les escortaient.

Quand les garçons apparurent, ce fut le délire. Les mains agitées se tendaient vers les fils et les fiancés. Les femmes qui osaient s'approcher de leurs fils étaient durement repoussées par les soldats. On ne permettait pas aux otages de se mêler, ni d'embrasser leurs proches. Le désespoir était à son comble. Un officier cria :

– Serrez les rangs.

Les prisonniers, sourds au commandement, serraient plutôt les poings d'indignation. Les Acadiens, ni formés ni entraînés pour la guerre, feignaient de ne rien comprendre. Tous leurs sens étaient occupés à chercher leur famille qui les préoccupait bien davantage que les rangs. Les soldats les cernèrent de plus près.

Tenues à distance, les mères gémissaient, pleuraient, hurlaient.

Winslow avait promis de ne pas séparer les familles. Toutes les promesses et les agissements des Anglais n'étaient qu'un tissu de mensonges et d'hypocrisies.

Le capitaine ordonna aux prisonniers de marcher.

Nicolas Amireault, à la tête du peloton, ne bougeait pas d'un poil. Il empêchait ainsi le groupe d'avancer. On répéta les ordres, deux fois. Nicolas regardait la ligne d'horizon. Il semblait sourd au commandement. Les garçons répondirent qu'ils ne partiraient pas sans leurs pères.

Sur un signe de Winslow, une troupe de trois cents habits rouges surgit et s'avança sur les jeunes gens. Winslow leva la main et aussitôt, les officiers tirèrent leur baïonnette avec tant d'ensemble qu'on eut dit un éclair.

Les femmes, folles d'inquiétude, sanglotaient tout bas. Leurs fils commettaient-ils une erreur et allaient-ils en payer le prix ? Allait-on les tuer sous leurs propres yeux ? Sans s'en rendre compte, elles serraient très fort contre elles leurs jeunes enfants qui gémissaient. Les petits ne comprenaient pas le drame qui se déroulait, mais ils sentaient que quelque chose de grave se passait.

Le colonel commanda alors aux quatre rangs de droite, composés de vingt-quatre prisonniers chacun, de se séparer du reste. Ils ne bougèrent pas.

Tous les yeux étaient rivés sur les récalcitrants. Un silence de mort planait maintenant sur l'assistance. Chaque mère était à l'affût du moindre geste.

Le colonel dégaina son épée et en toucha le cou de Nicolas Amireault qui empêchait les autres d'avancer. Il lui ordonna de marcher. Sous la menace de l'épée, Nicolas obéit très lentement. Les autres suivirent.

Les femmes, venues assister à l'embarquement avec leurs enfants, voyaient s'éloigner leurs fils, sans savoir où on les conduirait et si jamais elles les reverraient. Certains n'avaient que dix ans : des enfants ! Ces petits allaient-ils mourir de faim et de misère ou encore allait-on en faire des esclaves comme les nègres dont parlaient les coureurs de bois ? Pour les mères, l'exil de leurs fils était beaucoup plus cruel que l'aurait été leur mort.

Les garçons, tristes et angoissés, avançaient comme des condamnés à la potence, en priant le ciel et en se lamentant sur tout le parcours d'un mille et demi.

L'âme déchirée, les femmes criaient à pleins poumons le nom de leurs fils.

On fit monter les garçons dans des barques qui les conduiraient aux vaisseaux.

Les mères désespérées se jetaient à genoux sur la plage et, pliées en deux, elles pleuraient à chaudes larmes.

Marie étirait le cou dans le but d'apercevoir Nicolas. Elle sautait en se servant de ses pieds comme ressort. Finalement, épuisée de bondir, elle se jucha sur le bout des orteils et secoua sa coiffe à bout de bras, mais le bonnet de tissu blanc se perdait dans la foule nombreuse et tumultueuse des officiers et des mères affligées. On ne lui permettait même pas de dire adieu à son fiancé, de l'embrasser. Comme elle aurait aimé marcher à ses côtés, la main dans la main, jusqu'au bout du parcours d'un mille et demi.

Soudain, son cœur se serra à la vue de deux vieillards aux mouvements ralentis et prudents. L'un d'eux était son père. Lui qui semblait si solide, pleurait tout haut en marchant. Malheureusement, Marie ne pouvait même pas s'en approcher et tenter de le consoler.

La colère au cœur, elle cracha sur la botte du colonel Winslow et s'éloigna.

Si Winslow s'en aperçut, il n'en fit rien voir, trop content de se débarrasser des colons acadiens.

Il ordonna ensuite à ceux qui restaient de choisir parmi eux cent neuf hommes mariés qui devaient embarquer sur les mêmes navires que les jeunes gens. Les Acadiens laissèrent la préférence aux pères des plus jeunes prisonniers. Mais lors du départ, Winslow constata qu'il n'y en avait que quatre-vingt-neuf.

Soudain, un homme dans la file s'affaissa au sol.

Marie reconnut la tête blanche de son père. Il était étendu la face contre terre. Elle accourut à ses côtés, brisant le rang des officiers qui s'écartèrent pour la laisser passer. La Chiasson la suivait de près. Elle tourna l'homme sur le dos. Le vieillard ressemblait à un fantôme avec ses joues blafardes creusées de nobles rides.

Marie s'agenouilla sur le sable et se pencha sur le visage livide d'Augustin, cherchant un souffle qui lui confirmerait que son père vivait. Les yeux humides, elle prit le visage aimé entre ses mains et embrassa son front soucieux.

– Papa, papa, murmura-t-elle.

Augustin revint à lui, le temps de lui dire d'une voix éteinte :

– Prends garde, ma fille : les Anglais sont nos pires ennemis. Protège-toi de leur convoitise.

Augustin posa ses mains sur son cœur et grimaça.

– Je suis inquiet à ton sujet. Ma bénédiction te suivra où que tu sois.

Augustin se tut. Il semblait à bout de souffle.

Marie regardait son père avec une expression de détresse qui lui transperçait le cœur.

Doucement, Augustin rendit l'âme dans les bras de sa fille.

Marie secoua la dépouille avec une fureur qu'elle ne maîtrisait pas.

– Ils l'ont tué, ils l'ont tué, répétait-elle sans cesse.

Albertine Arseneau s'approcha et demanda à Deschamps, l'interprète de Winslow, la permission de célébrer des funérailles convenables. Elle réclama l'intervention de Nicolas Amireault, le futur gendre d'Augustin Labasque, pour procéder à l'enterrement.

Winslow accéda à sa requête et exigea que ses troupes se tiennent en retrait à une ligne déterminée.

Élisabeth, la mère de Nicolas, courut à la maison et en rapporta deux jeux de cartes, un damier et une bouteille d'eau bénite.

Sur la plage, Marie, consternée, s'agenouilla sur le sol, le visage décomposé. Soudain, elle sentit une main sur son épaule. C'était la main de Nicolas.

– Marie ! Marie ! répétait Nicolas.

Marie leva ses beaux yeux tristes sur lui.

– Papa est mort, Nicolas.

La jeune fille était si belle avec ses yeux bleus qui semblaient avoir absorbé toute l'eau de la baie. Nicolas aurait voulu la serrer indécemment contre lui, mais ce n'était pas le moment ; Marie pleurait la mort de son père, comme Osite pleurait son frère, comme les femmes pleuraient le départ de leurs fils. Le spectacle était triste à mourir.

Nicolas essuya les larmes silencieuses qui pleuvaient sur les joues pâles de sa fiancée et prit ses mains.

– Il fallait s'y attendre, dit-il, ton père baissait de jour en jour.

On célébra en plein air une messe blanche, sans prêtre, sans autel, et on enterra Augustin sur la plage de Grand-Pré. Marie demeura prostrée jusqu'à la fin des obsèques.

Son père en terre, il ne lui restait plus que son fiancé et bientôt celui-ci irait rejoindre les prisonniers et on le conduirait en exil.

Nicolas prit ses poignets délicats et les serra si désespérément que Marie figea et plongea son regard implorant dans le sien.

– Je t'attendrai, mon bel amour, dit-il le cœur serré. Sois certaine que de là-haut ton père va s'occuper de nous réunir de nouveau.

Mais Nicolas le croyait-il? Sa voix tremblait. Marie s'accrocha à son cou.

– Je n'ai plus que toi, Nicolas. Tu es ma seule famille. Si tu pars, j'en mourrai.

– Sois courageuse. On se retrouvera un jour.

Nicolas se pencha, baisa son front et chuchota à son oreille:

– Je vais organiser une révolte sur le navire et je vais revenir pour t'épouser. Je t'aime tant!

Madame Amireault et Magdeleine Dugas tournaillaient autour de Nicolas. Celui-ci promit à sa mère de veiller sur ses jeunes frères. Désespérée, la pauvre mère lui remit les jeux et glissa la bouteille d'eau bénite dans sa poche. Elle se contenta de serrer son bras comme une dernière tentative pour le retenir. Magdeleine suppliait Nicolas de dire à son Joseph de l'attendre, qu'elle l'aimait et qu'elle l'attendrait jusqu'à sa mort. Magdeleine pleurait tellement que Nicolas ne comprenait rien à ses mots entrecoupés de sanglots.

Trois habits rouges dispersèrent l'attroupement et escortèrent Nicolas Amireault jusqu'à la barque qui devait le conduire au vaisseau.

Il avançait lentement, la tête dans le dos, le regard triste fixé sur sa fiancée.

Marie, la mort dans l'âme, regardait son fiancé monter dans l'embarcation qui le conduirait vers la flotte.

Les femmes désolées retournèrent à leurs occupations.

Sur la plage restaient deux jeunes filles, le cœur accroché aux haubans des grands mâts et aux vergues des misaines dressées vers le ciel. Marie se serra contre Magdeleine et lui dit sur le ton du secret :

– Nos fiancés sont sur le *Pembroke*. Ils préparent une révolte.

– Ils n'y arriveront jamais sans armes.

Chose étrange, le long des côtes, aucun navire ne prenait le large.

Marie ne se décidait pas à quitter ce lieu où son père venait d'être enterré, ni à détacher sa vue de la flotte où se languissait son fiancé. Elle perdait ses deux hommes le même jour.

Marie et Magdeleine restèrent là, désespérées, impuissantes, jusqu'à ce que le soleil cache sa grosse face rouge de honte derrière la colline.

Le soir jetait un voile de deuil sur la plage. Le serein tombait sur les épaules. Les jeunes filles durent rentrer à la maison. Leur père n'aurait pas aimé les voir traîner à la noirceur à la merci des Anglais.

Toute la nuit, des patrouilles faisaient le tour de l'église alors que d'autres surveillaient les issues du village pour empêcher les femmes et les enfants de s'échapper dans les bois.

Marie et Magdeleine revinrent chaque jour surveiller le départ de la flotte. Elles et plusieurs femmes marchaient un mille et demi dans l'espoir d'entrevoir les captifs et de s'assurer que les goélettes étaient toujours en rade.

* * *

Osite vaquait comme à son ordinaire quand elle entendit des cris de joie venus de l'extérieur.

– Maman, maman! Papa s'en vient.

Osite courut au-devant de Cajétan et se jeta dans ses bras.

– Les Anglais vous ont relâchés? Où sont nos garçons?

– Laisse-moi t'expliquer. Comme les vivres manquent sur les navires, Winslow m'a choisi avec neuf autres hommes pour venir à tour de rôle chercher des vivres dans les familles. Je dois retourner là-bas avant la nuit.

– N'y va pas. Reste avec nous.

– Ils menacent de s'en prendre à nos fils si on n'y retourne pas.

– Parle-moi de Mathurin, Jacques et Émile.

Cajétan ne voulait pas parler des petits prisonniers qui vivaient le désespoir au quotidien.

Il embrassa les siens.

Marie s'informa:

– Est-ce que Joseph et Nicolas vont venir aussi?

– Non, seulement les pères. Les soldats se méfient de Nicolas.

– Est-ce que je peux vous donner une lettre à lui remettre ?

– Oui, mais je ne sais pas si elle se rendra ; à mon retour sur le *Pembroke*, on va me fouiller.

– Vous n'aurez qu'à la cacher dans vos bas.

– C'est une bonne idée. Surtout, ne parlez pas de piratage sur vos lettres, gardez ça secret si vous voulez revoir vos amoureux en vie. Maintenant, laissez-moi seul avec Osite.

– Viens, Magdeleine, allons chez moi écrire à nos fiancés.

– Amenez les enfants. Je dois parler à votre mère dans le particulier.

Une fois seul avec elle, Cajétan entraîna Osite à la chambre.

– Si tu savais comme j'attendais ce moment !

– Tu ne vas pas me faire un autre enfant, un orphelin de plus ?

– Non ! Je vais me contenter d'être avec toi, de te regarder. Tu m'as tellement manqué.

Cajétan prit ses mains et les embrassa. Soudain, il la serra désespérément contre lui, puis s'ouvrit avec abandon. Il mettait des mots sur ses sentiments profonds, des mots qui éveillaient des émotions jusqu'alors inconnues dans l'âme de sa femme.

Osite ne reconnaissait plus son Cajétan. Son cœur battait comme celui d'une gamine qui tombe en amour.

Avant, jamais Cajétan ne lui parlait d'amour, même quand il lui faisait un enfant. C'était la première fois depuis leur mariage qu'il lui disait qu'elle était belle et elle avait bien envie de le croire.

– Il me semble que je découvre un autre homme.

– Tu sais, le fait de rester enfermé à ne rien faire pendant des jours change un homme. J'ai eu le temps de m'ennuyer et de penser tranquillement à toi et à nos enfants. C'est le manque qui nous fait apprécier ce qu'on possède.

– Après toutes ces émotions, je vais m'ennuyer de toi encore plus.

– Je dois retourner là-bas. Viens me reconduire.

– On devrait atteler le cheval pour transporter la nourriture.

– Non, les femmes l'apporteront. Moi, j'aime mieux marcher ; j'ai besoin de me dégourdir les jambes.

Cajétan et Osite s'en allaient main dans la main. Ils s'arrêtaient à toutes les portes prendre des provisions. À chaque maison, les femmes sortaient sur leur perron, un panier sous le bras, et leur emboîtaient le pas jusqu'à l'église devenue une caserne militaire.

À partir de ce jour, pendant que leurs hommes étaient détenus dans les cales des navires, les femmes demeurées temporairement aux maisons étaient tenues de préparer la nourriture qu'elles croyaient destinée aux maris et aux fils, mais tel n'était pas le cas. Winslow nourrissait tout son régiment avec les vivres que les femmes expédiaient à leurs hommes.

Les semaines passaient sans aucun changement.

Les prisonniers acadiens priaient le ciel que la France vienne à leur secours. Mais toujours rien !

Le 8 octobre, comme les vaisseaux attendus n'étaient pas encore arrivés, Winslow entassa les prisonniers restés dans l'église dans les vingt-quatre vaisseaux, de vieux bateaux préposés au transport de marchandises que le gouvernement avait loués de la compagnie Apthorp et Hancock.

* * *

Encore une fois, la même abomination se répétait sur la plage.

Le départ se fit sans résistance, si ce n'était des larmes, des cris et des appels des quinze cents femmes et enfants rassemblés qui, faute de transport, restaient à Grand-Pré sous la surveillance des troupes anglaises.

Les hommes avançaient, sans se retourner ; ils en étaient incapables. Ils montaient sur les vaisseaux, la tête basse, laissant derrière eux un grand nombre de familles brisées, démembrées à jamais.

Les épouses et les mères éplorées s'en retournèrent à leur foyer. Il fallait s'occuper des jeunes enfants, soigner les animaux et préparer les repas.

Sur la plage déserte, il ne restait ici et là que des cages à homards inutiles et des coquillages.

X

C'était l'été indien. Habituellement à la mi-octobre, on broyait le lin mûr.

Cet automne, les hommes et les fils étant emprisonnés pour la première fois, on ne broierait pas le lin. On n'entendrait plus les filles et les garçons chanter près du ruisseau. On ne verrait plus de jeunes soupirants lancer des œillades et échanger des sourires engageants sous l'œil vigilant des parents. Grand-Pré était en deuil.

* * *

Les navires patientèrent encore d'interminables semaines dans le bassin des Mines, à attendre d'autres bateaux maudits.

Pendant ce temps, des détachements de soldats anglais parcouraient les campagnes de la région pour s'emparer du reste de la population.

À leur arrivée chez les colons, ils trouvaient les maisons vides. La plupart des familles restantes s'étaient déjà réfugiées dans les bois.

Winslow mit alors les têtes à prix, un plus élevé pour les scalps de femme et un moindre pour les scalps d'enfants.

Les Iroquois, une race de sauvages féroces, se plaisaient à répandre le sang. Amis des Anglais, ils se chargèrent aussitôt de la sale besogne.

Ce même jour, ces barbares massacrèrent de sang-froid cinq femmes et deux enfants trouvés seuls dans deux cabanes. Fiers de leurs prises glorieuses, les sauvages rapportèrent leurs trophées, sept scalps, au colonel Winslow qui s'empressa de régler la note.

Mises au courant de ce carnage, des centaines de familles, réfugiées dans les bois, se rendirent.

* * *

Après deux mois en rade, le *Pembroke* partit avec la marée.

Les captifs commençaient à comprendre la langue des habits rouges, et les jeunes bien davantage avec leur mémoire toute fraîche.

Louis Fontaine et Nicolas Amireault, pour tuer le temps, tiraient du poignet. Louis, un garçon d'une force peu commune, l'emportait chaque fois et Nicolas, loin de se vexer, s'en amusait.

Nicolas, que son projet de piratage ne quittait pas, étudiait discrètement les comportements des captifs. Il s'approcha de Louis et l'informa de son intention secrète et périlleuse. Louis Fontaine, qui n'avait peur de rien, n'eut aucune hésitation.

– Je suis ton homme, dit-il.

Louis et Nicolas ne comptaient que sur leur force et leur courage. Ils commencèrent par mettre tous les captifs au courant de leurs desseins secrets. Même les plus jeunes étaient dans le coup. On cherchait par tous les moyens possibles à redonner un peu d'espoir à tous les prisonniers.

Louis Fontaine se surnommait lui-même Capitaine Beaulieu, quand en réalité, Nicolas le savait bien, il n'était que constructeur et réparateur de navires et de frégates. Sa force surhumaine était un atout précieux.

Une fois au large, Louis et Nicolas attendraient le moment propice pour passer à l'attaque. Ils n'auraient alors qu'à donner une consigne à un des leurs et ils étaient assurés que tous les prisonniers se passeraient discrètement le mot. Nicolas parlait peu et bas. Il encourageait ses semblables à baragouiner le français pour empêcher les Anglais d'apprendre leur langue, ce qui leur donnerait la liberté de se transmettre des messages utiles à leurs manœuvres secrètes.

* * *

Coincés dans le vaisseau depuis deux mois, les garçons pratiquaient régulièrement des exercices physiques dans le but de renforcer leurs muscles et de maintenir leur corps en forme.

Capitaine Beaulieu, un fier-à-bras un peu fendant, un révolté unique en son genre, se retrouvait sans cesse sur le pont à insulter les Anglais. On eut dit qu'il offrait sa poitrine aux baïonnettes. Les Anglais ne cessaient de le surveiller. Il se retrouvait, tour à tour, interné, enchaîné, en camisole de force ou mis en état de coma. Au dernier affront, comme on le conduisait vers l'écoutille au bout de la baïonnette, Capitaine Beaulieu s'excusa et tendit la main à l'officier. Il serra si fort que son adversaire perdit connaissance et tomba par terre. On mit aussitôt le coupable aux fers et on le retourna avec les captifs où il servirait de leçon aux détenus rebelles.

Le *Pembroke* n'avait pas pris le large et déjà Capitaine Beaulieu se trouvait enchaîné comme un chien. Nicolas se désolait.

– Tu l'as bien cherché. Tu ne te fies qu'à ta force, mais les Anglais t'ont bien eu. Nous, on comptait tellement sur ton aide.

Assis, les mains au dos, Capitaine Beaulieu se permettait de rire.

– Continuez vos exercices. Quand arrivera l'heure, vous me donnerez à manger et ensuite, je m'essayerai.

Entre-temps, le géant surveillait et analysait toutes les mesures possibles pour arriver à réussir son coup.

Nicolas se tenait près de l'écoutille, les sens aux aguets. Il crut entendre le capitaine prononcer «Connecticut».

Soudain, un officier ferma violemment l'écoutille. Nicolas eut juste le temps de se plier en deux pour se protéger le crâne. Il descendit aussitôt avertir les siens.

– Je crois qu'ils nous conduisent au Connecticut.

Dans la cale sombre, on entendait l'eau frapper sous le bateau. Les corps balançaient en cadence avec le navire dans un mouvement de tangage.

Nicolas aperçut une planche du plafond qui tendait à s'arracher. Il tenta sa chance en tirant dessus. La brèche donnait directement sur le pont. Nicolas tendit l'oreille. Un soldat le surprit et lui asséna un coup de crosse de fusil sur la tête. On fit monter Nicolas sur le pont. Celui-ci expliqua par gestes qu'il voulait se servir de la planche pour tuer les rats. Mais depuis son embarquement, les soldats le surveillaient étroitement. Ils redoutaient et interprétaient chacun de ses regards, de ses expressions. On l'enferma au cachot pendant trois jours et on le rationna sur la nourriture.

Le voyage se déroulait dans des conditions inhumaines. Les déportés déjà sales et négligés vivaient entassés comme des marchandises dans la cale où il faisait toujours nuit, sauf quelques minutes au grand air. À tour de rôle, des petits groupes, étroitement surveillés, montaient sur le pont marcher un peu et respirer l'air salin pour redescendre à la cale. Lamirande s'empara d'une hache qu'il dissimula dans une jambe de son pantalon et descendit en clopinant.

Après quelques jours, plus de la moitié des passagers souffraient de la variole. Puis le mal de mer se mit de la partie. Plusieurs Anglais et Acadiens moururent pendant le voyage.

Une fois libéré, Nicolas Amireault s'occupa de faire manger son ami dont les mains étaient toujours enchaînées au dos.

Capitaine Beaulieu resta tranquille quelques jours, comme la mer avant le typhon.

Nicolas désespérait. Comment déclencher son offensive sans Capitaine Beaulieu ?

– Tu vas nous manquer. Nous comptions tellement sur ta force.

Hilare, Capitaine Beaulieu sourit.

– Confiance, dit-il, et priez. Mon père disait que les hommes sont les mendiants de Dieu.

Il ajouta :

– Demande aux moins de treize ans de dénombrer les officiers. Comme ils ne sont que des enfants, les Anglais ne s'en méfieront pas.

Nicolas craignait pour ses jeunes frères aussi intrépides que lui. Il les savait capables de s'exposer au péril, au risque de leur vie. Il leur répétait :

– Lors de la révolte, je ne veux pas voir les moins de quinze ans sur le pont. Les Anglais vous jetteraient à la mer.

Nicolas ajouta que les manquements à ses ordres seraient passibles de punition, comme la privation de nourriture. Il leur conseilla de se cacher, de se protéger en se tenant si possible loin des combats et de ne penser qu'au jour béni où ils retrouveraient leur famille.

Les garçons rapportèrent à Nicolas avoir compté près de soixante officiers, peut-être davantage. Soixante officiers pour deux cents prisonniers, ce qui signifiait une moyenne de trois Acadiens contre un Anglais. Les officiers avaient l'avantage d'une baïonnette, mais le désavantage du sommeil parce que jour et nuit, à tour de rôle, des vigiles montaient la garde. Toutefois, Louis et Nicolas ne se décidaient pas à exposer la vie de leurs semblables. Ils attendraient une bonne occasion pour passer à l'action.

– Ouvrez l'œil et le bon, disait Nicolas. Surveillez tout, mais très discrètement, et rapportez-moi les moindres faits et gestes des Anglais. Guettez-moi bien et dès que je m'attaquerai à un de ces chiens, à votre tour, passez à l'attaque rapidement. Jetez-les tous par-dessus bord, sauf le timonier. N'oubliez pas que nous sommes trois contre un. Nous les vaincrons.

Quand vint son tour de monter respirer un peu d'air pur sur le pont, le jeune Benjamin Amireault, un petit malin dégourdi, se faufila jusqu'à la timonerie. Le gamin fut reconduit durement auprès des captifs. À son retour dans la cale, le garçon rapporta à Nicolas avoir entendu le timonier crier à un officier : « Hurricane ».

« Hurricane ! » Nicolas sourit d'entendre le gamin répéter le mot avec un accent parfait, mais il souriait encore plus de satisfaction. Un ouragan était l'occasion rêvée pour pirater le navire. Il avisa son ami, Capitaine Beaulieu.

– Dès que nous aurons l'avantage sur les Anglais, nous viendrons briser tes chaînes.

– Donnez-moi plutôt à manger.

* * *

Le *Pembroke* naviguait depuis un temps indéfini. Nicolas ne savait pas exactement depuis combien de jours ni le lieu où ils étaient rendus.

Il réunit ses hommes et les rassembla par groupes de trois.

– Vous devrez d'abord surprendre les soldats. Le moins grand des trois se jettera au sol et tirera l'adversaire par les pieds pour le faire chuter. Une fois au plancher, les deux autres attaquants se jetteront sur l'ennemi et le débarrasseront de son arme. Une fois celui-ci désarmé, la partie sera gagnée. Que Dieu vous garde!

L'horizon était noir et ce n'était pas seulement le sombre de la nuit. La mer était d'un calme plat, comme un gamin avant de commettre une bêtise. C'était l'annonce d'une tempête. Nicolas le savait comme tous les pêcheurs en haute mer.

Un officier criait des ordres que les Acadiens comprenaient: «Que je n'en voie pas un les bras croisés!»

Tous ses hommes se mouvaient en même temps, comme s'ils avaient reçu un coup de pied au derrière.

La mer était noire comme de l'encre. Au loin, des éclairs flagellaient le ciel.

L'équipage s'affairait vivement. Des marins remontaient les chaloupes de sauvetage et les attachaient solidement. On installait des cordages tout autour du bateau pour permettre aux matelots de s'y accrocher en exécutant les manœuvres. Comme le mouvement du navire, sous l'effet de la houle et des vagues, écartait les joints, les marins devaient colmater les brèches pour que le bateau soit dans la meilleure condition avant la tempête. Des matelots plongeaient et calfataient la coque par l'extérieur et par l'intérieur. On cherchait la hache qui restait introuvable. Louis Lamirande avait demandé à un invalide de s'asseoir dessus.

Comme il s'agissait d'un vieux navire de marchandises, on se demandait s'il tiendrait le coup. On descendit les voiles, ne gardant que la voile tempête. Celle-ci, plus épaisse, garderait le vaisseau face au vent et permettrait au gouvernail d'obéir à la barre.

Les préparatifs terminés, le capitaine servit aux matelots et aux officiers un gobelet d'eau-de-vie. Mais là ne s'arrêta pas la soif de l'équipage. À l'insu du capitaine, les soldats et les matelots, gobelet en main, puisaient la boisson à même la barrique.

Louis Lamirande, intéressé à ce qui se passait sur le pont, souleva légèrement l'écoutille. Il constata que, là-haut, l'eau-de-vie coulait à flot. Il descendit aviser Capitaine Beaulieu et Nicolas.

– En haut, dit-il, les habits rouges et les hommes d'équipage sont en train de se soûler. Ils sont déjà tout guillerets.

– Un autre avantage pour nous, murmura Capitaine Beaulieu. Dieu soit loué !

Lamirande retourna à son poste d'espion.

Sur le pont, deux Anglais se chicanaient pour une dette de jeu. Ils gesticulaient, les bras en l'air, le doigt sous le nez. Le capitaine intervint avant qu'ils n'en viennent aux coups. Il dégaina son épée et aussitôt, les belligérants se calmèrent. On s'empara des deux hommes.

D'importants gonflements annonçaient le début de l'ouragan. Soudain, un bruit terrible se fit entendre, semblable aux hurlements de milliers de loups. D'un coup, une vague haute de trente pieds frappa le *Pembroke* qui, secoué comme une plume au vent, menaçait dangereusement de chavirer. Dans la cale, les captifs, brimbalés par les chocs brusques des vagues qui heurtaient le navire, étaient projetés violemment les uns contre les autres. Les plus âgés tentaient inutilement de rester en place afin de protéger les plus jeunes, mais ceux-ci étaient propulsés d'un bout à l'autre de la cale, sans aucune maîtrise et sans rien pour les protéger. Les hommes rageaient, les jeunes hurlaient. Le bruit de l'ouragan et des gréements qui se déplaçaient sur le pont couvrait les cris. Nicolas et Capitaine Beaulieu gardaient les sens en éveil. Tout le monde se tenait prêt.

L'eau montait dans la cale. Nicolas et Louis Lamirande montèrent tour à tour avertir les matelots, mais ceux-ci restaient sourds à ce problème majeur. Ils se fichaient complètement des proscrits.

Louis avisa les gamins :

– Si l'eau continue de monter, vous prendrez place sur les marches qui mènent aux écoutilles et tenez-vous solidement. Vous attendrez là. Je ne veux pas en voir un sur le pont avant que je vous en donne l'ordre.

Les membres d'équipage, alourdis à force de se battre contre les éléments, rampaient sur le pont. Les vagues déferlaient sur eux, les charriaient, les secouaient. Quand les jambes retrouvaient un peu de leur souplesse, les matelots et les Anglais s'accrochaient désespérément aux cordages qui claquaient.

Le capitaine, sur le passavant du navire, criait des ordres, mais un bruit infernal couvrait ses directives. Un des officiers s'était trompé en exécutant une manœuvre compliquée, rendant la cape très dure à contrôler.

Devant le danger, les hommes d'équipage ne pensaient qu'à leur survie. Entre les câbles et les caisses, deux barriques d'eau-de-vie roulèrent sur le pont et frappèrent mortellement deux matelots.

Le surnommé Capitaine Beaulieu, doué d'une force peu commune, réussit à briser ses chaînes. Il monta sur le pont et demanda au commandant du bâtiment où il pensait les conduire. Ce dernier, davantage préoccupé par les éléments déchaînés, lui cria avec mépris :

– Sur la première île déserte.

Comme le commandant le poussait avec force sur la rambarde, Capitaine Beaulieu l'abattit d'un coup de poing en pleine figure et le jeta à la mer. Il sauta aussitôt sur le garçon qui gardait l'écoutille, l'assomma aussi et l'envoya retrouver son chef à la mer.

Beaulieu brandissait les poings et il gueulait qu'il aurait leur peau à tous.

– Nous en Acadie, on ne sait pas ce que c'est que la guerre, mais nous sommes d'une race qui sait brandir les poings.

Une fois les écoutilles ouvertes, Nicolas ordonna aux siens de monter et cria :

– Désarmez-les tous. Que Dieu nous vienne en aide !

Aussitôt, les Acadiens montèrent sur le pont et comme fous de rage, se jetèrent à trois sur les officiers. La bataille faisait rage comme la tempête.

Nicolas, plié en deux, suffoquait. Quelque chose, dur comme du métal, le frappait au dos. Il cherchait encore son souffle quand il reçut un nouveau coup, sur la tête, cette fois. Il entendit un « crac » et il tomba à genoux. Ils étaient combien à lui fesser dessus ? « Ils vont tous nous avoir », pensait Nicolas à moitié mort. Le garçon eut une brève pensée pour sa mère qui perdrait trois fils d'un coup. Sur le point de désespérer, il tenta un dernier effort. Il se redressa avec l'impression d'étouffer. Deux hommes venaient à son secours. Que diable se passait-il ? Nicolas allait tenter un dernier effort pour se relever quand il vit tout près de lui

Capitaine Beaulieu en train d'assommer à coups de poing deux Anglais qu'il jeta par-dessus bord. Son ami tenait son rôle avec éclat.

Les Anglais, violemment secoués par les vagues qui passaient par-dessus bord, se voyaient soudainement plaqués au sol par leurs adversaires et rapidement désarmés. C'était au tour des Acadiens de brandir l'arme. Plusieurs officiers se jetaient à la mer plutôt que d'être transpercés par la baïonnette.

La tempête n'épargnait personne. Les soldats se cramponnaient à la rambarde ou aux cordages, mais, à trois contre un, les Acadiens, comme des bêtes féroces, les arrachaient à la rambarde et les jetaient dans les flots. Les matelots subirent le même traitement, mais dans sa chute, le plus grand parmi eux entraîna Louis Lamirande avec lui dans les vagues monstrueuses. Les Acadiens n'avaient perdu qu'un seul homme. C'était peu, mais c'était un de trop. Louis Lamirande avait dix-huit ans.

– Un miracle, un vrai miracle ! Dieu soit loué !

–Sur le pont se mêlaient les rires, les pleurs et les cris de joie.

Appuyé à la rambarde, Capitaine Beaulieu, victorieux, voyait surgir une main implorante au creux d'une lame. Il lui fit un salut victorieux de la main.

Le mât d'artimon se brisa et tomba sur le pont avec boucles et haubans. Tout le monde se protégea en se rangeant sur le côté opposé ce qui déséquilibra le navire qui pencha à tribord, risquant ainsi de le faire chavirer. Une partie de l'équipage se traîna à bâbord. Le vent prenait toujours de la force. Le bateau, secoué par les éléments, n'était plus contrôlable. Emporté par la vague, soulevé à la verticale, il s'engouffrait ensuite au creux d'une lame qui pouvait mesurer vingt coudées de profondeur. Il était si durement bringuebalé que les occupants avaient l'impression qu'à chaque choc, le trois-mâts se brisait en deux.

De tous les Anglais, il ne restait plus que l'homme de barre dans la timonerie. L'homme, très nerveux, regardait autour de lui et ne voyait personne de son équipage. Il aurait préféré mourir avec les siens plutôt qu'à son retour, être puni du fouet par ses supérieurs. Il profiterait de la première distraction des Acadiens pour se jeter à la mer.

Capitaine Beaulieu allait s'en débarrasser quand Nicolas l'en empêcha.

– Ne fais pas cette folie. Celui-là, il faut le garder. Le timonier est précieux. Il peut prédire le temps avec précision et il est indispensable pour diriger le navire. Je crains qu'il se jette à l'eau plutôt que d'être fouetté ou tué par les siens.

– C'est facile de trouver un timonier: Dugas et Lalande connaissent bien le métier. À l'occasion, Dugas accompagnait son père en mer sur une goélette de pêche.

– Gardons quand même le timonier. Avec trois hommes de barre, la relève sera assurée.

Nicolas désigna quatre Acadiens armés de baïonnettes pour monter la garde auprès de l'homme de barre. Ils ne seraient pas trop de quatre. Ces gardiens, trempés jusqu'aux os et à bout de nerfs, tremblaient de tous leurs membres.

La tempête faisait toujours rage et le navire s'enfonçait rapidement. Nicolas sortit une petite bouteille de sa poche et aspergea le pont d'eau bénite.

Cette eau sainte ne le quittait pas. Lorsque le liquide sacré diminuait, Nicolas y ajoutait de l'eau salée.

Comme par miracle, un grand vent de mer ébouriffa les nuages. La tempête s'apaisait un peu. Finalement, la mer se calma et le navire reprit son aplomb. L'ouragan avait duré dix heures. Les hommes pleuraient d'épuisement.

Les bateaux de guerre qui escortaient les navires avaient disparu, emportés ou coulés avec la tempête.

On invita les jeunes à monter sur le pont. Les Acadiens, maintenant libres et maîtres du *Pembroke*, applaudissaient. Ils chantèrent en chœur un cantique d'Action de grâce, puis les embrassades se mêlèrent aux pleurs. Il ne manquait que les mères, les épouses et les fiancées à leur bonheur. Puis ce fut le silence. On récita un Notre Père pour Louis Lamirande et les Anglais décédés.

L'eau de la cale était maintenant haute de cinq pieds. Nicolas réquisitionna ses hommes pour manœuvrer les pompes et réparer la voile brisée. Ceux-ci parvinrent à tenir le bateau à flots pendant plus de trois jours avant de cesser de siphonner.

Les jours qui suivirent, le jeune Benjamin Amireault passa le plus clair de son temps à la timonerie. Ce métier le passionnait, le captivait. Il questionnait, retenait : tenir un journal de bord, observer régulièrement le soleil, la Polaire, la Croix du Sud. Il gagna l'affection du timonier. Ce dernier partageait même son biscuit avec lui. Les yeux dans l'eau, il lui parlait de sa femme et de deux enfants laissés à la maison.

L'homme lui céda un moment sa place aux commandes, sous sa surveillance, bien sûr.

Benjamin, fier et bravache, se campa solidement devant le timonier. À tenir la barre, une grande importance gagnait le gamin ; ses mains tremblaient à maîtriser un si grand navire. Cheveux au vent, les yeux irrités par le sel, se croyant prêt à narguer le danger, le garçon lança, comme un défi, un grand éclat de rire à la mer qu'il croyait contrôler du haut de ses dix ans.

Le ciel et la mer changeaient de couleur, le timonier reprit la barre.

– Dans cinq ans, tu deviendras peut-être un capitaine acceptable.

Le timonier lui enseignait le métier sans se méfier qu'un jour ses leçons pourraient servir contre lui.

* * *

Ils étaient environ deux cents hommes et garçons, quelque part en pleine mer avec un pauvre cinquante livres de biscottes, vingt livres de viande salée, vingt litres d'eau, le journal de bord, un compas et un sextant.

Leur première idée fut de retourner à Grand-Pré. L'espoir vivait toujours dans le cœur des Acadiens. Mais ce serait se jeter une nouvelle fois dans la gueule du loup. Là-bas, les Anglais ne devaient pas avoir terminé leur razzia.

Nicolas rassembla les hommes et demanda leur avis. Certains parlaient de retourner à l'île Saint-Jean, d'autres en Nouvelle-Écosse. Tous désiraient retrouver leur famille, mais où ?

Pendant que les Acadiens discutaient de la direction à prendre, le timonier, un Anglais rusé, mit le cap sur l'Angleterre, assuré qu'à leur arrivée là-bas, les Acadiens seraient tous faits prisonniers. Encore une fois, à leur insu, les Acadiens se trouvaient à la merci d'un Anglais.

Le voyage se déroulait dans des conditions inhumaines. Les biscuits de mer[1] tournaient en farine, on trouvait des excréments de rat sur la nourriture et, en manque d'eau, les hommes devaient boire leur propre urine.

Pour comble, une épidémie de variole se déclara sur le vaisseau et emporta une trentaine d'hommes.

---

1. Les biscuits de mer étaient en fait des galettes de blé déshydratées, un aliment de réserve pour l'armée ou les longs voyages en mer.

On les jetait par deux ou trois dans le cimetière marin. Les survivants se trouvaient dans un état lamentable.

Nicolas s'inquiétait pour ses frères. Vincent prenait du mieux, mais l'état de Benjamin empirait de jour en jour. Nicolas descendit à la cale, au chevet de son frère.

Le petit malade, le front incendié par la fièvre, pleurnichait. La variole faisait larmoyer ses yeux.

– J'ai soif.

Nicolas lui présenta sa bouteille d'urine.

Benjamin repoussa la fiole de la main, en détournant la tête, mais Nicolas insistait.

– Bois! Il le faut si tu veux guérir. Maman nous attend et tu ne dois pas la décevoir. Je lui ai promis de veiller sur vous. Bois.

– Non.

– Ton frère Vincent s'accroche, lui. Il prend beaucoup de mieux. Bois, si tu veux revoir maman.

Le garçon avala une gorgée qu'il recracha aussitôt et sa tête retomba sur le sol dur.

En haut, on chantait. Il n'y avait que les prières et les chansons pour tenir les Acadiens en vie.

– Chante, Benjamin.

Benjamin fermait les yeux.

Nicolas craignait tellement pour la vie de son frérot. Il voyait déjà balancer son jeune corps par-dessus bord et cette pensée le rendait fou.

– Chante! hurla Nicolas, la rage au cœur.

Le petit malade sursauta et se mit à pleurer. Il n'avait plus de résistance. On pouvait voir bouger ses lèvres, mais aucun son ne s'échappait de sa bouche.

Nicolas savait être tolérant autant que ferme. Son rôle n'était-il pas celui de père et mère à la fois?

Il serra affectueusement le poignet du petit malade.

– Je ne laisserai pas la maladie me prendre un frère. Sais-tu pourquoi maman appelait cette maladie la picote volante?

Benjamin faisait non de la tête.

– C'est parce qu'elle s'envole vite. Dans quelques jours, tu te sentiras mieux.

Le petit malade, les yeux vitreux et les lèvres fiévreuses, murmura:

– Combien?

– Quelques! Les Amireault ont la couenne dure, tu passeras à travers. Et puis on a besoin de toi en haut. Si le timonier se laisse mourir, il nous faudra un remplaçant à la barre et nous, on n'a que toi sur qui compter.

Nicolas passa une main sur la tête blonde. Les cheveux gras et raides du gamin tombaient sur ses yeux. Nicolas coupa un bout de câble, en sépara un filin de chanvre et s'en servit pour attacher la tignasse du garçon sur sa nuque.

Il sortit de sa poche sa bouteille d'eau bénite et comme il l'avait fait sur le pont, il aspergea Benjamin de l'eau sainte. Il monta ensuite sur la passerelle retrouver Vincent.

– Va voir ton frère en bas. Il s'ennuie. Parle-lui. Il ne te répondra pas, mais il t'entend.

– Qu'est-ce que tu veux que je lui dise ?

– N'importe quoi. Parle-lui de vos souvenirs, de nos parents, du timonier. Ça va le tenir en vie.

– Tu crois qu'il peut mourir ?

– Pas si tu lui parles. Fais-le boire et prier. Et puis empêche-le de se gratter, sinon le mal va s'étendre et la guérison sera plus lente.

Ses frères devaient s'accrocher à l'espoir de retrouver leurs parents, comme lui vivait de l'espoir de retrouver Marie, mais ce jour-là, l'ennui se faisait plus intense. Nicolas, lui-même affaibli par une dysenterie sanguinolente, s'appuya au bastingage. Il pensait : « Ne plus avoir d'eau à boire quand on ne voit que ça, est-ce possible ? » Épuisé et abattu par la perte de son ami Louis Lamirande, Nicolas se mit à sangloter.

Soudain, il sentit une grosse main secouer son épaule. C'était son ami Louis, dit Capitaine Beaulieu.

Nicolas essuya ses yeux du revers de sa manche et murmura : « Trop c'est trop. »

Trois jours plus tard, Nicolas eut l'agréable surprise de voir quelques pustules sécher sur la figure de Benjamin. Il passa une main soucieuse sur le front de l'enfant. La fièvre était tombée. Tout n'était pas gagné, mais c'était bon signe. Nicolas respirait de soulagement. Un sourire de victoire éclairait son visage.

Quelques jours plus tard, Nicolas aperçut son frère Benjamin qui rampait au bas de l'escalier.

– Tiens, un petit Amireault tout neuf. Viens, mon grand. Viens voir le beau soleil sur le pont.

– Amène-moi à la timonerie.

Nicolas l'attendait en haut, mais le jeune malade ne se rendit pas plus loin que l'écoutille ; la faiblesse et le roulis l'en empêchaient. Nicolas saisit Benjamin à bras-le-corps et l'allongea sur le pont, en prenant soin de couvrir son visage pour protéger ses yeux larmoyants. Il répétait le geste de sa mère, au temps des rougeoles et des rubéoles.

* * *

Un dimanche après-midi, le *Pembroke* accosta. Deux nègres, sans doute des esclaves, regardaient le voilier approcher. Ils plongèrent au bout du quai pour fixer les amarres.

Quel était ce joli port de mer tout en fleurs ? C'était un lieu digne d'être peint par son aspect original.

Nicolas questionna le timonier.

– Où sommes-nous ?

Le timonier sourit, victorieux.

– Bristol. Angleterre.

Nicolas, dépité, avisa Capitaine Beaulieu et tous les proscrits.

– Le timonier nous a eus, mais ici nous trouverons peut-être un peu de nourriture.

Le *Pembroke* évacua de ses flancs toute sa cargaison d'exilés.

Sur le quai, les déportés furent mal accueillis. Les hommes, d'une maigreur extrême, les traits tirés, la barbe et les cheveux longs, sentaient mauvais. Ils étaient tellement sales qu'on se demandait si ces blancs étaient des noirs. Le découragement et l'épuisement se lisaient sur les visages.

Les autorités, craignant les épidémies, refusèrent de recevoir les exilés, même le timonier dont l'état de santé laissait à désirer. Ses gencives enflées saignaient. Les proscrits furent aussitôt refoulés sur le navire. Encore une fois, ils se retrouvaient prisonniers du navire, comme à Grand-Pré, mais cette fois, ils étaient maîtres à bord.

Avant le départ du *Pembroke*, les officiers civils regarnirent le magasin du bord de viande salée ou desséchée, de poisson en saumure séché, de tonneaux d'eau potable et de biscuits. Les exilés assoiffés buvaient trois verres à la file.

XI

À Grand-Pré, le ciel s'assombrissait. Des flocons blancs, de la taille des œufs d'oiseaux, tombaient tranquillement.

Étienne d'Entremont, sa sœur et ses deux enfants de trois et quatre ans s'étaient retirés dans une cabane d'écorce. Après quelques jours d'ennui, ils décidèrent de se joindre à d'autres déserteurs réfugiés dans une cabane voisine. Fabiola d'Entremont marchait devant ses enfants quand elle entendit les cris aigus d'une troupe d'Iroquois. Le temps de se retourner, un sauvage, détaché du groupe, attrapait sa petite Adèle par les cheveux et l'emportait sur sa monture. Presque instantanément, le groupe disparut de sa vue.

Souple comme un félin, Fabiola s'élança à leur poursuite afin de reprendre sa fille. Elle courait dans la direction des barbares, en se guidant sur les traces au sol. Mais elle ne pouvait rien contre la rapidité des chevaux. Épuisée, Fabiola s'arrêta, le temps de reprendre son souffle, puis reprit sa poursuite. Soudain, elle entendit non loin les cris démoniaques des sauvages. Elle se faufila sans bruit, d'arbre en arbre, de buisson en buisson, en prenant soin de dissimuler sa présence.

Ils étaient une dizaine d'Iroquois à crier de joie et à danser autour du corps de la fillette pendant qu'un d'entre eux la scalpait vive. Cette opération, d'une cruauté barbare, tua l'enfant. Fabiola allait échapper un cri de mort, quand une main se plaqua sur sa bouche. Étienne rattrapait sa sœur de justesse. Il la traîna de force.

— Viens vite, ils vont tous nous tuer.

Fabiola se rebiffait.

— Laisse-moi. Je veux mourir avec ma fille. Va-t'en avec Robert.

Étienne portait toujours le jeune Robert sur son dos. Il traînait sa sœur d'une main et tous les trois, dans la nuit pâle, se dirigeaient vers le bassin. Fabiola était fatiguée, mais elle ne se plaignait pas. Étienne s'en aperçut à sa main qu'elle tirait davantage en marchant.

Ils s'arrêtèrent, essoufflés, vidés, à l'entrée d'une cabane d'écorce ignorée des Iroquois. Étienne regarda de tous les côtés et ne voyant personne qui puisse déceler leur cachette, il tenta d'ouvrir. La porte était verrouillée par l'intérieur. Il cria :

— Ouvrez-nous vite. N'ayez pas peur. Nous sommes des vôtres. J'ai avec moi une femme et un enfant.

Une voix de femme lui répondit :

— Attendez.

Étienne entendit le bruit d'une barre fer qu'on glisse. La porte s'ouvrit lentement. Étienne poussa Fabiola et Robert à l'intérieur où se tenait une fugitive d'un certain âge.

La femme, d'abord effrayée, retrouva sa bienveillance.

– Venez, dit-elle, ici vous serez en sécurité et avec vous, je me sentirai moins seule.

Là, bien à l'abri, Étienne s'assit sur ses talons et berça doucement le petit Robert.

– Tiens, tout va bien maintenant. Ici tu vas pouvoir dormir tranquille. Personne ne te fera de mal. Je veille sur toi et ta maman.

– Elle est où, Adèle?

Étienne posa une main sur la bouche de l'enfant et se mit à chantonner pour endormir sa douleur.

Près d'eux, Fabiola, secouée de sanglots et de hoquets, murmurait des paroles inaudibles.

Les Iroquois lui avaient arraché sa fille, l'avaient martyrisée et tuée. Elle n'avait même pas pu récupérer le corps de sa petite Adèle, ne serait-ce que pour le serrer une dernière fois dans ses bras. Elle n'avait pas su protéger son enfant.

Dans une sorte d'état intérieur, quasi inexplicable, Fabiola se mit à parler seule, ou peut-être à sa fille qui se trouvait de l'autre côté, du côté des anges, là où on entend tout. Parce qu'il y a les anges au-dessus des détresses humaines.

Étienne regardait sa sœur avec pitié. Lui aussi pensait à sa nièce et à sa mort atroce. Une enfant innocente, tuée pour rien. Il détestait les Iroquois comme il détestait les Anglais.

– Je sais que tu m'en veux, Fabiola, mais je l'ai fait pour ton Robert, pour ne pas qu'ils vous tuent aussi tous les deux. Le petit a besoin d'une mère.

Fabiola se taisait. C'était ce que la raison lui dictait, mais son cœur de mère lui soufflait le contraire ; elle aurait préféré mourir avec sa fille plutôt que de l'abandonner ainsi. De toute façon, elle allait étouffer avec son chagrin, sa colère, sa rancœur.

Étienne la mit en garde sur le ton de la menace :

– Maintenant, ne raconte ça à personne, sinon les Anglais vont nous tuer.

Non, elle ne dirait rien ; la peine l'étouffait. Et puis on ne raconte pas ces atrocités, on les garde en soi, on en meurt.

La vieille femme tenta de la faire parler, mais elle n'en sortit rien.

Fabiola restait intraitable. Elle tremblotait.

– Laissez-moi.

Fabiola sortit dans la nuit. Elle préférait être seule pour entrer tout à son aise en communion d'esprit avec son enfant. Elle sentait pourtant l'âme de sa petite Adèle s'éloigner. Elle n'acceptait pas que le corps de son enfant puisse rester entre les mains des barbares. Comme elle regrettait son départ de la maison ! Mais où donc était son mari ?

Le lendemain, au lever, une mèche de cheveux blancs, marque indélébile d'un grand malheur, tombait sur le front de Fabiola.

Étienne choisit de se rendre aux Anglais plutôt que de passer le reste de ses jours à se cacher et à exposer les siens à une mort cruelle.

Fabiola, tombée dans une prostration profonde, ne s'opposa pas. Elle était incapable de prendre une décision. Étienne emmena aussi la vieille femme qui les avait reçus. C'était une Acadienne qui venait de Rivière-aux-Canards, que les Micmacs avaient mise en sécurité dans une cabane d'écorce.

Le groupe suivit un chemin tortueux, ondulant sur les collines. Arrivés devant la caserne, ils se joignirent à d'autres déserteurs qui se rendaient à l'ennemi.

XII

Un souffle funeste et humide planait sur Grand-Pré.

Après avoir déversé les Acadiens le long de la côte américaine, du Massachusetts jusqu'en Virginie, les navires revinrent extirper de Grand-Pré la population restante, plusieurs femmes et enfants et des centaines de fugitifs capturés dans les bois.

À la maison, Marie plia précieusement sa robe de mariée et la déposa dans sa malle. Elle ajouta une couverture pour les nuits froides, sa poupée de son, des herbes médicinales, des garrots et des éclisses.

Avant son départ, elle se rendit une dernière fois à la bergerie où venaient de naître des agnelets frileux. Elle les caressa une dernière fois et quitta la ferme.

Des femmes de tout âge se tenaient en groupes serrés sur le rivage. Sous leur joli bonnet breton, on pouvait voir leur âme en détresse. Elles tenaient des bébés sur leurs genoux. Tout contre elles se trouvaient quelques ballots, sacs et coffres, témoins de leur récente pauvreté. Ici et là, des enfants étreignaient sur leur cœur soit un chien, soit un chat qu'ils affectionnaient.

Ces gamins avaient l'âge des amusements, du bonheur, de l'insouciance. On leur faisait miroiter un beau grand voyage, mais le croyaient-ils? Les enfants savent reconnaître le moment où ils doivent se chagriner ou se réjouir. Ce jour-là, aucun d'eux n'était radieux.

Des infirmes appuyés sur leur canne et des vieillards épuisés égrenaient du bout des doigts chapelet sur chapelet.

Non loin des cages à homards vides, des brouettes débordant de différentes utilités attendaient, les pieds ancrés dans le sable, qu'on les soulage de leur poids. Des hommes poussaient des charrettes surchargées d'effets vers les barques. Tout se passait dans un silence absolu, désespéré.

Marie Labasque et sa cousine Magdeleine Dugas se tenaient blotties l'une contre l'autre, tourmentées à l'idée de s'en aller vers un monde qui leur était inconnu. À leur arrivée en terre étrangère, retrouveraient-elles leur fiancé?

Un crachin aspergeait la foule frissonnante et pourtant, personne n'avait hâte de quitter son Acadie natale. Nul ne savait ce qui les attendait après la traversée et aucun ne connaissait l'endroit où on les conduirait.

Soudain, on vit approcher un groupe d'Acadiens, une cinquantaine de déserteurs surpris dans les bois et escortés par des officiers anglais. Ils s'étaient rendus sans résister pour éviter que les Anglais ne s'en prennent à leur famille. Marie regardait les fugitifs défiler devant ses yeux et monter dans les barques qui les conduiraient au *Ranger*. Les vaisseaux étant déjà bondés, on dut forcer les familles à abandonner sur place certains effets trop encombrants.

On refusait d'embarquer le lourd coffre des demoiselles Arseneau à bord du navire. Albertine était résolue à faire un esclandre pour défendre son bien. Elle piqua une crise et, à son grand contentement, elle gagna la partie.

Les déportés avançaient lentement sur le sable mouillé. La tête basse, ils ressemblaient à des animaux qu'on mène à l'abattoir.

Soudain, dans la barque qui les menait au *Ranger*, le cri horrifié d'une enfant fendit le silence.

– Le feu est aux maisons!

Louise Lanoue détourna aussitôt la tête de sa fille pour la soustraire à cette vision d'horreur.

Les Anglais incendiaient les maisons et les bâtiments dans le but de décourager les Acadiens de revenir sur leurs terres.

Les toits de chaume s'enflammaient comme des torches. Les brasiers lançaient de folles et rutilantes étincelles qui s'élevaient comme des milliers d'étoiles vers le ciel pour ensuite échouer noires et tristes sur la plage.

Tout Grand-Pré s'écroulait dans un grondement infernal. Le vent poussait une odeur de brûlis vers la baie.

Ce soir, les brebis ne rentreraient pas à la bergerie. Elles seraient à la merci des loups.

Plus personne sur la plage ne regardait derrière le vallon riant qui agonisait.

* * *

Les femmes et les enfants descendaient pêle-mêle dans le ventre du vieux navire à bestiaux, le *Ranger*.

La cale, d'une saleté répugnante, donnait envie de vomir. L'odeur écœurante d'excréments et l'apparition de petites blattes, des insectes nocturnes et coureurs rapides, provoquaient des cris et des hauts le cœur.

Osite sanglotait et frémissait. Sa défaillance surprenait Marie. Cette femme, dont la résistance et la force maîtrisaient habituellement celle des autres, flanchait.

Comme les déportés devaient s'asseoir et dormir à même le sol, quelques femmes, dans la force de l'âge, proposèrent de lessiver elles-mêmes le fond de la cale. Cette tâche exigeait de vider la soute de ses bagages et de faire refluer les détenus vers le pont. Les Anglais refusèrent leur demande, prétextant un manque de temps.

Osite donna ordre aux femmes de s'entasser à l'avant avec leurs enfants et elle somma les jeunes filles de se tenir en retrait afin de les soustraire aux convoitises des habits rouges. Les Acadiens pouvaient s'attendre à tout des Anglais. Ceux-ci exigeaient le silence sous peine de mort. Cependant, personne ne respectait les consignes d'Osite, même Marie refusait la place qu'on lui assignait.

Une fois le *Ranger* rempli à craquer, on embarqua encore des malades, des vieillards, des infirmes et sept femmes enceintes. Marie les aida à descendre l'escalier menant à la cale. On les entassait comme des bêtes; deux cent cinquante exilés dans une soute de navire.

Chaque déporté devait se contenter de trois pieds carrés d'espace, ce qui les obligerait à dormir recroquevillés sur eux-mêmes, les genoux au menton, la tête penchée sur leur ballot de vêtements. Ils étaient pires que des sans-abri.

Albertine s'assit sur sa malle dont personne autre qu'elle et sa sœur Bernadette ne connaissait le contenu.

La Chiasson ordonna à tout le monde de se déchausser et de faire bouger leurs pieds pendant le voyage.

– Vous vous servirez de vos chaussures pour tuer les rats.

Les enfants fatigués manifestaient hautement leur crainte des bestioles par des cris et des pleurs. Les tout-petits pleuraient sans arrêt.

Les cris et les lamentations dérangeaient ces chers messieurs anglais. Un officier exaspéré descendit et se posta sur la dernière marche. Il affichait une raideur britannique. Il ne pouvait avancer davantage, il lui aurait fallu piétiner les prisonniers qui ne lui concédaient pas un pouce d'espace. Comme une menace, le soldat porta une main alerte à sa baïonnette. La voix cinglante, comme un coup de fouet, il vociféra contre les enfants ce qui devait être des injures ou des intimidations, mais personne n'en fit de cas : on ne comprenait pas la langue.

Les mères serraient les enfants dans leurs bras. Elles n'avaient plus qu'eux et, comme des lionnes, elles étaient prêtes à les défendre au prix de leur vie si les

Anglais s'en prenaient à l'un des leurs ou cherchaient à les intimider. L'officier qu'on avait ignoré remonta sur le pont et, l'air caduc, il referma brusquement l'écoutille.

On entendit soudain le bruit sourd d'une multitude d'arrivants qui piétinait sur le pont. On eut dit une légion en marche.

L'écoutille s'ouvrit de nouveau. On amenait de nouveau une trentaine de fugitifs dont plusieurs étaient des hommes surpris dans les bois et capturés par les Anglais. Ces clandestins étaient refoulés dans la cale déjà bondée.

Doucement, le *Ranger* se mit en mouvement. Dans la pièce sombre, comme ses occupants étaient sombres de désespoir, les yeux s'attardaient sur le caillebotis qui laissait filtrer le jour par les écoutilles. On n'entendait plus un mot, que des pleurs étouffés. On voguait, on ne savait où. C'était la désolation.

Pour atténuer leur douleur, quelques déportés entamèrent en chœur :

Faux plaisirs, vains honneurs, bien frivoles,
Aujourd'hui recevez nos adieux,
Trop longtemps, vous fûtes nos idoles,
Trop longtemps, vous charmâtes nos yeux.

Des sanglots montaient des gorges des captifs et ceux-ci chantaient encore plus haut pour les faire passer.

Les chants les plus douloureux devenaient alors les plus belles mélodies, parce qu'ils étaient vrais.

Les chansons et le mouvement des vagues berçaient le trois-mâts et assoupissaient les passagers, mais aucun d'entre eux n'arrivait à dormir, leur position étant trop inconfortable.

Dans cet intérieur sinistre, noir comme chez le diable, Albertine chuchota à l'oreille de sa sœur Bernadette:

– Je me fais tasser par les hommes. Un en avant, un autre en arrière. C'est honteux!

– Tout le monde se fait tasser, chuchota Bernadette. Tu n'as qu'à te taire et en profiter: à ton âge, l'occasion ne se représentera peut-être plus jamais pour toi.

– Eh que t'es bête, Bernadette Arseneau.

Bernadette tournait tout en ridicule et sa façon railleuse affligeait Albertine.

Marie, recroquevillée dans son coin, les yeux fermés, rêvait à Nicolas. Est-ce que le navire voguait vers Saint-Malo? Est-ce que Nicolas l'attendait là-bas? Elle l'imaginait à ses côtés. Avec son fiancé, l'exil lui serait plus supportable. Soudain, une pensée noire traversa son esprit. Elle poussa Magdeleine du coude:

– Dors-tu?

– Non.

– Peut-être que nos fiancés sont morts pendant la traversée, eux qui devaient pirater le navire.

– Dors, la nuit, on voit tout en noir.

– Je ne peux pas.

Marie ravalait. Son mariage était-il à l'eau? Sa vie, qu'elle avait rêvée si belle, si amoureuse, si poétique, s'annonçait monotone et insensée. Toutefois, quelque chose lui disait de chasser ses idées noires, de s'accrocher, d'espérer. Elle voulait tellement des enfants qui se développeraient dans son sein, des enfants qui seraient une part de Nicolas et une part d'elle.

Soudain, dans la pénombre, elle sentit une main fouineuse se glisser sous sa jupe. Marie, insultée, saisit aussitôt son sabot. On leur avait recommandé de s'en servir pour tuer les rats. À coups répétés, elle et Magdeleine frappaient l'effronté au visage, à la tête et dans l'estomac. Elles appelaient à l'aide. Leurs cris et menaces alertèrent toute la cale. On ne pouvait intervenir en pleine noirceur sans risquer de recevoir des coups. Landry, alerté par les cris, s'approcha, une chandelle à la main. Il réussit à calmer Marie et Magdeleine qui frappaient Edmond Richard à corps perdu. Il ramena le coupable à ses côtés et le garda sous sa surveillance.

Edmond Richard s'en tirait sans remontrance.

L'odeur de la cale était si pestilentielle qu'Angèle Gautherot, une jeune femme enceinte, s'évanouit. Elle s'était affaissée comme une masse au pied d'un vieillard. Autour d'elle, tout le monde s'énervait. On la croyait morte.

Du fond de la cale, on appelait la Chiasson, mais celle-ci répondit qu'elle était déjà occupée, auprès d'un enfant, à soigner une blessure à une jambe.

Avec la saleté des lieux, la plaie était exposée à l'infection et le jeune blessé risquait sa vie.

Marie chercha à tâtons un petit contenant, au fond de son sac et se leva. La cale était noire comme de l'encre.

– Quelqu'un aurait-il une chandelle ?

Sa demande resta sans écho. Les chocs rythmés de la mer démontée frappaient contre la coque. Marie trébucha et s'abattit de tout son long sur deux vieilles femmes endormies, ramassées en boule sur une couverture de laine. Le coup brusque les fit tomber à la renverse sur deux enfants qui se mirent à pleurnicher.

Marie laissa aux autres captifs le soin de consoler les petits. Faisant fi de ses légères contusions, elle se releva et continua de se tracer un chemin en marchant à quatre pattes, comme une brebis, entre les captifs. À son passage, les prisonniers se serraient les coudes contre les flancs pour permettre à la soigneuse d'atteindre Angèle Gautherot et ainsi éviter un évanouissement prolongé.

Marie s'assit contre la jeune femme et lui fit respirer les sels. Angèle retrouva ses esprits, mais elle fut aussitôt prise de nausées. Comme Marie ne pouvait rien faire d'autre pour la future maman, elle lui présenta un récipient qu'on avait remis aux détenus en cas de mal de mer. Marie nettoya ensuite, tant bien que mal, la figure barbouillée de vomissures quand elle entendit un homme se lamenter. Avec l'instabilité du navire, un vieillard, Joseph Benoît, était tombé sur un bras en tentant de se rendre à la chaudière qui servait aux besoins naturels.

La Chiasson était déjà à ses côtés.

– Allez me chercher la fille à Augustin. J'ai besoin de son aide.

– J'arrive, madame Chiasson, répondit Marie, allumez une chandelle. Je ne vois pas où je mets les pieds.

– Non, laisse, ce ne sera pas nécessaire, le jour commence à filtrer à travers le treillis. Je crains que le membre ne soit brisé. À chaque choc des vagues, le pauvre homme endure des douleurs insupportables. Il faut le contraindre à l'immobilité, mais je ne trouve rien qui puisse servir d'attelle. Je me demande si eux, en haut, ne pourraient pas nous en procurer une.

Marie lui coupa net la parole.

– Les Anglais ? Pas question ! Je ne veux rien d'eux. J'ai dans mes bagages quelques écorces de bouleau qui se plient aisément. J'ai aussi des onguents.

– L'écorce réussit toujours fort bien. T'es une fille vraiment prévoyante.

– C'est vous qui m'avez enseigné ce truc.

– Il me vient d'une vieille indigène qui m'en a appris long sur la médecine indienne.

Marie s'en retourna en titubant jusqu'à sa malle.

Sa cousine Magdeleine était toujours là, enfermée dans son mutisme. Magdeleine si joyeuse avait perdu la parole. Son désœuvrement renforçait sa tristesse.

Françoise Chiasson lui tapotait la main.

– Soyez confiantes, les filles, dans deux ou trois jours, nous allons débarquer et vous partirez à la recherche de vos fiancés.

*** *

Le matin, dans la cale du navire, les exilés qui avaient pu dormir se réveillaient avec des douleurs à la tête et des courbatures dans les membres.

Le vieillard éclopé fut trouvé mort derrière sa malle, les yeux mangés par les rats. On récita les prières des morts et on jeta ses restes à la mer.

On tenta tant bien que mal de cacher cette histoire de vermine aux enfants afin de leur épargner une nouvelle crainte, mais ceux-ci n'étaient pas dupes. Le jour, sous leurs yeux effrayés, les prisonniers tuaient les rats à coups de sabot. Une fois la cale débarrassée de ces indésirables, les cris des enfants cessèrent, toutefois, ils restaient avec la crainte d'en revoir; il en revenait toujours.

Quand donc finirait ce voyage? On ne savait rien de sa durée ni de sa destination.

Le trois-mâts filait à une vitesse de trois nœuds.

Le temps traînassait. Aux repas, des hommes d'équipage descendaient des plateaux chargés de poissons, d'œufs, de lard, de pain et de galettes que les passagers faisaient circuler. On mangeait très peu avec cette odeur infecte des lieux. Et pour ajouter, les dix chaudières qui servaient aux besoins naturels échappaient des vapeurs pestilentielles. À tour de rôle, des hommes montaient les vider à la mer.

Sur ce bateau, les Acadiens vivaient comme dans un cachot. Ils étouffaient.

Marie n'en pouvait plus de demeurer sur place sans bouger. Cette fille avait une prédisposition innée pour soulager la misère humaine. Qui l'aurait cru ? Elle qui ne connaissait qu'un nid douillet, qui n'avait jamais côtoyé la pauvreté. Elle se rendit auprès de madame Bugeau pour l'alléger un moment de ses petits infirmes qui, continuellement sur ses genoux, lui pesaient lourd. Une femme se tassa pour lui laisser un espace près de la petite fille que son frère innocent était en train de mordre au bras. La petite ne réagissait pas. Doucement, Marie l'installa sur ses genoux et caressa son dos et son cou. Elle lui fit ingérer ses aliments à la cuillère. Ensuite, elle la berça d'avant en arrière, en chantant et en frappant des mains.

Quand l'un des déportés entamait une chanson, tout le monde reprenait le refrain. Le chant était leur seul agrément, sans doute une bouée qui les empêchait de couler.

À chaque repas, Marie répétait les mêmes gestes généreux. Avec le temps, elle prit l'enfant en affection. Mais son amitié la ramenait chaque fois à Magdeleine qui se laissait aller au désespoir.

– Magdeleine, est-ce que je peux te parler ?

Magdeleine leva des yeux éteints sur Marie qui fit comme si elle avait répondu oui.

– Tu te souviens que toutes deux nous parlions d'avoir des enfants. Pas vrai ? Alors, adoptons-en un. Nous pourrions partager notre affection avec eux. Il y a les enfants Bugeau qui demandent beaucoup de soins. Je m'occupe déjà de la petite fille.

– Des anormaux ?

– Anormaux ou pas, qu'est-ce que ça change ?

– Ces petits ont leur mère.

– Bientôt, ils n'en auront plus, madame est épuisée.

– Non.

Marie reçut son refus catégorique comme un affront. Magdeleine et elle n'avaient pas le même esprit de sacrifice. Après un silence lourd, Marie se ressaisit.

– Rien ne t'oblige. Oublie ça, Magdeleine. C'était une mauvaise idée de te le demander. Moi, je préfère soulager la misère plutôt que de ne rien foutre de toutes mes saintes journées et de me rendre malade à broyer du noir.

Magdeleine et Marie ne s'adressèrent plus la parole de la journée. Le soir, pour la première fois, elles s'endormirent sans s'être souhaité bonne nuit. Toutefois, Marie, satisfaite d'avoir réussi à délier la langue de son amie, s'endormit bercée par la houle.

Le lendemain, Magdeleine suivit Marie auprès des enfants Bugeau. La nuit devait lui avoir porté conseil. Elle regardait sa cousine s'occuper de la petite fille.

– Tu vois, Magdeleine, la petite a glissé sa main sur ma joue. C'est ma plus belle journée depuis mon départ. Si seulement tu voulais bercer le petit, tu soulagerais sa mère.

Pendant que les jeunes filles s'occupaient de ses enfants, madame Bugeau profitait de ce répit pour dormir un court somme, recroquevillée sur le plancher dur et puant.

Avant de retourner à l'autre bout de la cale, Marie secoua l'épaule de la mère et les filles lui rendirent ses enfants.

– Le bon Dieu vous le rendra, disait la pauvre mère, je Le prie chaque jour qu'Il vous rende vos amoureux.

Les jours qui suivirent, quelques jeunes filles prirent modèle sur Marie.

* * *

Les jours passés à ne rien faire dans la cale sombre ressemblaient à des nuits. On ne les comptait plus. Les passagers, maintenant habitués à l'odeur infecte, ne pensaient plus qu'au mal de mer qui sévissait.

Sur le point d'accoucher, Angèle Gautherot se plaignait de douleurs au ventre. La Chiasson et Osite l'entouraient de leurs soins. Ce serait leur premier accouchement en mer. Marie, curieuse, s'approcha.

– Je veux apprendre le métier d'accoucheuse.

– Non, va-t'en plus loin. Ce n'est pas la place d'une jeune fille. Ce serait inconvenant. Contente-toi de soigner les blessures.

– Quand vous ne serez plus là, qui prendra la relève ?

– N'importe quelle mère qui a fini d'élever sa famille peut me remplacer. Aujourd'hui, ta tante Osite va m'assister. Éloigne-toi.

Marie se plaça en retrait. De son poste, avide d'en apprendre davantage, elle tendait l'oreille à tout ce que la Chiasson enseignait à Osite et, telle une éponge qui absorbe l'eau, Marie imprégnait son esprit de toutes ses techniques.

Pour la première fois, Marie assistait à une naissance. À chaque contraction de la parturiente, Osite appliquait un tampon sur la bouche d'Angèle afin d'étouffer les hurlements qui risquaient d'effrayer les jeunes filles et les futures mamans.

Marie se tenait à proximité. Une peur irraisonnée la saisit et elle se mit à claquer des dents. À chaque cri, elle aussi échappait un petit grognement chevrotant. Quelle souffrance que de donner la vie !

– C'est donc si difficile ? demanda Marie.

Personne ne répondit.

Les futures mamans portaient leurs regards inquiets les unes sur les autres. Elles étaient six autres femmes enceintes de trois à huit mois.

Osite entendit grogner Marie qui n'avait pas bougé. Elle la repoussa durement du bras.

– Toi, déguerpis. On n'a pas besoin de braillarde ici. Va plutôt chanter avec les enfants pour couvrir les cris.

Marie, entêtée, ne pouvait se résoudre à abandonner son poste. Elle qui pensait que donner la vie était le plus grand, le plus merveilleux des accomplissements. Elle restait là, sidérée. Elle ne renonçait cependant pas à soigner. Elle espérait, son tour venu, être capable de surmonter sa compassion.

– Va, insistait Osite en poussant la jeune fille, fais réciter un chapelet aux autres pour que tout aille bien.

Les yeux tristes, la main sur la bouche, Marie ne bougeait toujours pas.

– Laissez-la donc, reprit la Chiasson.

– C'est ça ! Elle n'en fera encore qu'à sa tête.

Aux premiers vagissements du nourrisson, la figure de Marie s'illumina. Elle s'écria :

– Une fille ! Je l'ai vue naître.

Marie était au septième ciel, comme si c'était elle-même qui venait d'accoucher.

L'émotion gagnait tous les cœurs. Il y eut des applaudissements. Cette joie passagère apportait un baume sur le navire de malheur. Cette naissance prouvait que la race survivrait.

Cinq minutes plus tard, Angèle Gautherot ressentit une autre contraction et se mit à pousser de nouveau.

Un deuxième bébé montrait sa tête.

La Chiasson jeta un regard grave vers Osite et s'exclama :

– Dieu du ciel ! Des bessons !

Angèle éclata en pleurs.

– Ah non ! Pas deux ! Je ne pourrai jamais. Et Charles qui n'est pas là.

– Ici, tu n'es pas seule, ma fille. Tout le monde va t'aider à prendre soin de tes bébés.

La Chiasson reçut une deuxième fille dans ses mains. Les nouveau-nées ressemblaient à deux petites sauterelles tellement elles étaient maigrichonnes. La sage-femme se demandait si, dans ce milieu insalubre, on arriverait à réchapper de si frêles créatures.

En l'absence de prêtre, on ondoya les jumelles qu'on prénomma Flore et Flavie.

Trois jours plus tard, la jeune mère, Angèle Gautherot, fut prise de fièvre puerpérale. Comme c'était un problème dans les flancs d'un navire de préparer des infusions, on lui présenta de l'herbe à dinde et on insista pour qu'elle la mastique bien sans l'avaler. La malade mâchouillait comme un ruminant, mais ce fut sans résultat. Le mal finit par emporter la jeune maman.

Marie était désarmée. Une jeune femme mourait en donnant la vie, comme sa propre mère était décédée seize ans plus tôt. Elle détacha la chaînette en or suspendue au cou d'Angèle et la passa au cou de Flore, sa première-née.

Après une oraison funèbre, une pesée fut installée au cou de la défunte pour l'empêcher de remonter. Un corps qui flottait était un présage de malheur. La dépouille mortelle fut jetée dans les profondeurs de la mer.

Les exilés pleuraient d'impuissance, de honte et de rage devant le décès d'Angèle qui commençait à peine sa vie d'adulte. Les femmes enceintes, davantage touchées, sentaient leur propre vie menacée. Étouffées de sanglots, elles se serraient les unes contre les autres, déchirées par l'angoisse de la mort qui les guettait aussi.

Françoise Chiasson les regardait verser les mêmes larmes. Elle tenta de les rassurer :

– Soyez confiantes. Toutes ne meurent pas.

Les nouveau-nées appartenaient maintenant à tout le groupe. Il n'y avait plus de destins individuels dans cette cale de navire, seulement une histoire collective. Le malheur des uns devenait le malheur des autres.

La Chiasson confia les jumelles à une nourrice qui accepta de sevrer son enfant de dix mois. Son geste généreux contribuerait à garder les nourrissons en vie.

Marie posa les bébés sur son cœur. Elle ne se lassait pas de les admirer. Ces enfants avaient besoin d'une mère et Marie était prête à les adopter. Désormais Flore et Flavie lui appartenaient, du moins, jusqu'au retour de leur père, si jamais celui-ci les retrouvait. Personne autre que ce dernier ne pourrait lui ravir ces enfants qu'elle adorait déjà. Elle pensait à Charles Gautherot et à son désarroi quand il apprendrait le décès d'Angèle.

Une jeune femme enceinte offrit de soulager Marie.

– Tu en as plein les bras. Passe-moi un bébé que je pratique ma future profession de mère.

– Non, ce serait mauvais pour les petites de les séparer sitôt nées.

Marie bécotait les fronts laiteux des bébés. Les jumelles ne la quittaient plus que pour la tétée.

Osite, un peu à l'écart, la tenait à l'œil. Marie avait la fibre maternelle, mais parfois, la petite Flavie s'étouffait. Marie, paniquée, avait chaque fois recours à sa tante. Osite tournait l'enfant sur le côté, rentrait son gros doigt au fond de la petite gorge et retirait un peu de sécrétions.

Marie passait son temps à admirer et à câliner ces petits êtres délicats. Déjà des liens serrés se formaient dans les replis de son âme. À ses cousines, elle répétait : « Regardez mes filles comme elles sont mignonnes ! » Marie avait bien raison, les jumelles, deux blondinettes aux yeux bleus, à la bouche agrémentée de deux fossettes moqueuses, dormaient en se tenant par le cou. Tous se pâmaient d'admiration devant ces si frêles créatures.

La nuit venue, Marie s'endormait avec les petites étendues mollement sur son ventre ou encore, au creux de ses bras, toutes trois enroulées bien serrées dans la même couverture de laine. Marie se sentait mère à part entière.

Son bonheur dura neuf jours, au bout desquels ce fut le drame. La petite Flore, consumée par une forte fièvre rendait l'âme dans ses bras.

À chaque décès, la convenance voulait qu'on impose le silence, le temps de se recueillir.

Marie hurlait comme une femme en couches. Son bébé mort, elle vivait le pire moment de son existence.

Les adultes pouvaient se permettre de mourir eux, mais la mort d'un nourrisson, qui avait toute la vie devant, était révoltante, inacceptable.

Bernadette lui retira la petite dépouille des mains. Albertine enleva la chaînette en or et la passa au cou de Flavie. Le frêle corps de Flore s'en fut retrouver celui de sa mère dans le vaste cimetière d'eau.

Avec la mort de Flore, Marie, déjà orpheline, puis veuve d'un fiancé, plongea dans une grande affliction. C'était comme si, sans cesse, des parties de sa vie se déchiraient l'une après l'autre et s'en allaient en lambeaux. Le malheur s'acharnait sur elle et sur tous ceux qui l'approchaient.

Elle se jeta, éplorée, dans les bras d'Osite et pleura toutes les larmes de son corps.

Autour de Marie, les yeux se mouillaient. C'était comme si toutes les mères détenues avaient perdu un enfant.

Osite tentait d'encourager Marie.

– Console-toi, il te reste encore Flavie.

Malheureusement, un enfant ne pouvait en remplacer un autre et comment imaginer Flavie sans Flore ? Mais que dire ? Osite, elle-même atterrée par trop de malheurs, ne trouvait rien d'autre pour consoler Marie. Il fallait bien tenir le coup sur ce navire maudit. Marie soupirait d'une manière humble et touchante.

– Et si Flavie allait mourir aussi ?

Osite tapota son épaule.

– Sois confiante, ma grande. Et dis-toi qu'il existe pire épreuve. Pense un peu à tous nos enfants que les Anglais ont arrachés aux familles et qui, rendus au diable vert, ont peut-être été vendus comme esclaves. C'est à se demander s'ils ne seraient pas mieux morts. Bientôt, nous allons sortir de ce navire de malheur. Espérons que la vie reprendra ses droits.

–Ça ne me redonnera pas Flore.

* * *

On connut bientôt la raison de la fièvre qui avait emporté bébé Flore. La petite vérole sévissait maintenant à la grandeur du trois-mâts. On disait pourtant que les bébés naissants étaient immunisés contre les maladies contagieuses pendant les trois premiers mois de leur vie. Par chance, Flavie fut épargnée. Marie veillait à la tenir éloignée des malades, ce qui n'était pas facile à toujours vivre entassés les uns sur les autres.

L'épidémie décima encore une centaine d'entre eux : Anglais, hommes d'équipage et Acadiens. On pouvait lire sur les visages de ceux qui restaient la crainte que le prochain corps lancé à la mer soit le leur.

Même si leur destin semblait inacceptable et que la mort sapait leur moral, ceux qui restaient s'accrochaient désespérément à la vie.

* * *

Marie vivait dans la crainte continuelle de perdre Flavie. Elle tenait toujours sa menotte afin de la rassurer. La petite plissait les yeux; peut-être cherchait-elle sa jumelle? Est-ce que sa petite sœur allait lui manquer toute sa vie?

Le trois-mâts filait. La petite vérole cessait ses ravages, mais elle avait laissé de grands trous dans le cœur des exilés.

Les jours se succédaient dans une infinie tristesse qui montait en eux comme la houle. La nuit, quand les exilés dormaient serrés les uns contre les autres, les soupirs de désespoir se mariaient au bruit des vagues.

Même les enfants subissaient la fatalité. Il fallait les voir, les visages affaissés, les regards sans éclat.

Quelquefois, Bernadette Arseneau leur racontait des histoires de son propre cru. Son intention était de transporter leurs pensées loin de ce cachot.

XIII

Les semaines filaient. La cale, cette prison commune, devenait insupportable. Si les exilés n'avaient pas eu les prières et les complaintes pour se vider le cœur, ils seraient tous morts. Marie ne se contenait plus à force de vivre sans savoir ce que lui réservait le lendemain. Elle ressentait toute cette impatience propre à la jeunesse et elle manifestait son agacement par ses questions lassantes.

– Quelle heure est-il ? Sommes-nous le jour ou la nuit ? Quand est-ce qu'on débarque ?

– Tu ferais mieux de demander aux officiers, répondit Magdeleine.

– Eux, qu'ils s'occupent de nous nourrir. Les vivres doivent s'épuiser ; les portions ne cessent de diminuer.

Un matin, les officiers retranchaient la moitié du pain, ensuite ils supprimaient le beurre. Maintenant, les biscuits durcissaient, on lésinait sur l'eau et on servait du poisson vieux de plusieurs jours. La faim dévorait les captifs qui maigrissaient à vue d'œil. Et dire que la Chiasson encourageait les gens à s'alimenter afin de combattre les maladies possibles.

Marie se tourna vers Magdeleine.

– Tu te souviens quand ta mère nous servait du bon rôti de porc avec des petites patates jaunes? Dans le temps, nos assiettes débordaient.

Marie se plaisait à en rajouter un peu, puis elle parlait de mangeaille avec volupté, histoire de faire saliver Magdeleine.

– Et ses tartes au sirop d'érable et noix?

– Tais-toi, de grâce!

Toutes deux pouffaient de rire.

On ne fit aucun reproche aux dissipées. Pourtant, on venait à peine de jeter le corps d'un vieillard à la mer. Il fallait bien un antidote au malheur, sinon on allait étouffer leur jeunesse. Depuis combien de temps ces exilés n'avaient-ils pas entendu rire?

* * *

Un de ces matins, comme par miracle, on ne sentait plus les vagues frapper la cale du trois-mâts. Le navire ancré n'était plus bercé que par une onde légère. Des applaudissements venus d'en haut et des pas pressés qui martelaient le plafond attirèrent l'attention des prisonniers. Tout laissait croire à la fin du périple.

Un silence total s'installa dans la cale. Un gardien ouvrit une écoutille et la lumière crue fit plisser les yeux déshabitués à la clarté.

Malgré leur inquiétude face au destin qui les attendait, les visages des captifs s'illuminaient. On allait enfin sortir de cette saleté de navire et respirer l'air pur.

Deux goélettes venues de Nouvelle-Écosse, chargées chacune de trois cents exilés, venaient aussi d'accoster. Ce fut le délire. On oubliait les membres meurtris, les reins brisés. On allait enfin pouvoir reconstituer les familles. Malheureusement, là s'arrêta l'espoir des exilés. Les proscrits devaient attendre la décision des autorités pour débarquer et ces dernières n'avaient pas été avisées de l'arrivée en bloc de trois navires de déportés.

Les Acadiens, à force de côtoyer les Anglais, commençaient à comprendre leur langue. Ils tendaient une oreille vigilante à tout ce qui se disait en haut. Le capitaine donnait ordre de laisser débarquer les proscrits sans intervenir. Si le capitaine relâchait ainsi sa surveillance, c'était dans le seul but de se débarrasser de sa cargaison d'humains afin de quitter le port et de rentrer au plus tôt dans sa famille. Sa mission était accomplie.

Les exilés, démunis, devaient compter sur le secours des autorités pour le gîte et la nourriture.

Marie passa Flavie aux bras de Magdeleine et s'avança jusqu'à l'écoutille. Elle demanda la permission de monter sur le pont. On acquiesça à sa demande. Osite et Edmond Richard l'accompagnaient. À l'extérieur, un vent chaud leur léchait les bras et séchait les corps de l'humidité malsaine de la cale.

Osite fusillait du regard des filles faciles qui rôdaient près du quai, des dévergondées, en jupes courtes et décolletés provocants, sans doute en mal de matelots.

– Vous voyez ça ! Ça se dandine, la fale à l'air, les cuisses au vent.

– Moi, j'ai rien contre, reprit Edmond Richard, si la nature a donné des charmes aux créatures, ce n'est pas pour les cacher.

– Taisez-vous, espèce d'imbécile ! Pour vous, les hommes, le mal n'existe pas.

Edmond Richard, un garçon un peu vulgaire, se contenta de rire.

Une des goélettes de déportés, le *Seaflower*, était ancrée contre le *Ranger* dans la baie entourée de charmantes maisonnettes où des vêtements aux couleurs éclatantes dansaient sur les cordes au soleil du midi.

Des cerfs-volants flottaient entre ciel et terre. Sur le quai, une voiturette vendait des tomates et des arachides. Un homme très sale fabriquait des pipes. Étienne d'Entremont le salua et l'homme se mit à parler en français.

– Vous savez que je suis de votre pays ? Mes grands-parents sont nés en Nouvelle-Écosse.

D'Entremont reconnaissait chez lui le parler lent des Acadiens.

Le bruit de ces arrivées circulait dans la ville. Des curieux, venus des rues avoisinantes, s'attroupaient à distance des trois-mâts.

Les badauds venaient aux nouvelles pour ensuite répandre leurs informations dans la ville. Cependant, ce jour-là, ils ne pouvaient deviner que, dans ses entrailles, le *Ranger*, un navire à bestiaux, contenait un peuple d'exilés.

La présence de vaisseaux dans un port excitait chaque fois la curiosité de la communauté. À leur arrivée au port, certains navires n'étaient plus que des épaves flottantes, éventrées, rejetées sur la rive.

Sortie sur le pont, Marie cherchait à reconnaître des Acadiens sur le navire voisin, le *Seaflower*; peut-être des gens de Grand-Pré. Elle saluait, les bras en l'air. Aussitôt, un ensemble de cris confus, mêlé de battements de mains, s'échappa du trois-mâts. Ces gens parlaient la langue de son pays.

Marie s'adressa à eux, en criant à tue-tête :

– Qui êtes-vous ?

Des voix montaient. Des noms et des prénoms se bousculaient.

– Où sommes-nous ?

– En Virginie.

– D'où venez-vous ?

– De Rivière-aux-Canards. Et vous ?

– Nous venons de Grand-Pré. Je cherche mon fiancé, Nicolas Amireault. Avez-vous vu Nicolas ?

Sur le *Ranger*, un traducteur échangeait quelques mots discrets avec un responsable de la ville. Marie les interrompit.

– Y a-t-il un autre navire qui aurait accosté ici, ces dernières semaines ? Mon fiancé comptait parmi les captifs du *Pembroke*.

– On a appris par les journaux que le *Pembroke* et deux autres navires ont disparu en mer. On ne compte aucun rescapé. Je suis désolé.

Marie blêmit. Elle mordait ses lèvres pour empêcher sa bouche de trembler. Elle refusait d'afficher sa peine face aux militaires, responsables de son malheur.

– Qu'est-ce qu'on attend pour débarquer ?

– La permission du gouverneur. Les autorités craignent les épidémies et les rébellions. Ils se doivent de protéger d'abord les gens de la place.

Marie descendit à la cale.

Tous les yeux étaient rivés sur elle. Que s'était-il passé en haut pour que Marie soit si bouleversée ? On attendait impatiemment qu'elle parle.

Marie ne regardait personne. Plus rien, à part sa petite Flavie, n'avait d'intérêt pour elle.

Maintenant, elle devait avertir Magdeleine et la mère de Nicolas. Quelle épreuve terrible que d'annoncer à une mère la perte de ses trois fils ! Marie manquait de courage. Elle passa près de madame Amireault incapable de la regarder et fila jusqu'à sa cousine Magdeleine. Elle se jeta dans ses bras et lui murmura à l'oreille :

– Le *Pembroke* a coulé en mer. Nos fiancés sont morts.

Sur le coup de la nouvelle, Magdeleine resta bouche bée. Puis quelque chose lui dit le contraire : cette nouvelle, qui aurait dû la tuer, n'arrivait pas à l'attrister. Son Joseph était vivant, elle le sentait.

– Coulé ou disparu en mer?

– Disparu, je crois. Maintenant, ajouta Marie, il faut avertir la pauvre mère.

– Non! Tu vas l'achever. Surtout que je n'y crois pas. Quand on manque de preuve, on se tait.

Dans les entrailles du navire, c'était impossible de cacher un secret. L'espace étant restreint, les cœurs battaient à l'unisson et, à chaque émotion, les captifs ressentaient tous le même courant de pensée.

Un silence de mort planait dans la cale. Tous les yeux fixaient Marie que les sanglots secouaient.

Magdeleine tentait de la consoler. Elle entoura les épaules de son bras et murmura à son oreille:

– Tu sais comme moi que le naufrage du *Pembroke* est une fausseté. Nicolas avait parlé de pirater le navire. Les prisonniers doivent avoir réussi leur coup. Les Anglais peuvent bien faire croire ce qu'ils voudront, ils n'avoueront jamais un échec et, encore moins au profit de leurs ennemis. Ils ont bien dit disparu et non pas coulé. Nos fiancés voguent peut-être quelque part à notre recherche. Essuie tes larmes; maman dirait qu'elles ne servent qu'à vieillir prématurément.

– Je sais que tu dis ça pour me consoler, mais j'ai bien envie de te croire.

– Maintenant, tu ne vas pas annoncer une rumeur sans fondement? Arrange-toi pour faire bonne figure devant les autres.

* * *

Les Acadiens attendirent encore une journée entière dans le ventre du trois-mâts.

Le lendemain, un haut fonctionnaire de Virginie s'amena à bord et demanda à voir les prisonniers au nom du gouverneur. Comme l'odeur de la cale incommodait le mandataire, on fit monter les déportés sur le pont.

Les captifs avançaient péniblement, pieds nus, crasseux, puants, leurs vêtements plus mettables, raidis par la saleté. On voyait les poitrines à travers les déchirures des chemises. Les cheveux et la barbe sales, la peau couverte de tumeurs brunes qui causaient d'insupportables démangeaisons, les captifs donnaient l'envie de vomir. Plusieurs d'entre eux, à force d'être demeurés inertes, tombaient à genoux, se relevaient et s'effondraient de nouveau sous la charge de leurs besaces. Les vieillards, quasi mourants, étaient poussés par des soldats anglais qui cherchaient à s'en débarrasser. Ces gens d'allure harmonieuse supportaient mal d'être bousculés.

Le fonctionnaire regardait les Acadiens de haut, comme s'ils étaient des pestiférés.

Un traducteur leur apprit qu'on placerait les femmes et les filles dans des familles où elles seraient affectées comme bonnes, tandis que les hommes et les garçons seraient répartis dans les plantations de coton. Pour tous, du travail au pair. On promit d'ouvrir un dispensaire à l'intention des malades et des vieillards dans un coin isolé de la ville.

Placée au dernier rang, Marie murmura à l'oreille de Magdeleine :

– On nous traite comme des chiens. Ils ne feront pas de moi une servante à si bon compte.

Des murmures montaient. On allait encore séparer les familles et leur assigner les travaux les plus répugnants. Les proscrits refusaient de servir d'esclaves comme les nègres.

Françoise Chiasson connaissait les droits des déportés. Elle s'avança, furieuse, et parla au nom des siens :

– Vu que nous sommes des prisonniers de guerre, vous n'avez pas le droit de nous faire travailler. Votre gouverneur se doit de nous nourrir et de pourvoir à notre entretien.

Pour toute réponse, on se moqua de la femme déguenillée et de sa langue aux accents acadiens.

Le lendemain, un huguenot, Antoine Bénezet, et un prêtre protestant montèrent à bord. Atterrés devant la misère de ces malades sans chemise ni couverture, ils firent appel à la charité publique. Ils dressèrent une longue liste, énumérant des cas : poitrinaires, cancéreux, infirmes, fous.

Enfin les Acadiens sentaient un peu de sympathie.

Cinq jours plus tard, on autorisa les exilés à débarquer par petits groupes et avec précaution. Plusieurs, dont Marie et Magdeleine, restèrent encore deux mois à bord du rafiot infect, dans leur prison flottante avec les rats et la vermine qui proliféraient comme des fourmis.

Entre-temps, deux messieurs anglais descendirent à la cale. Il se fit un silence absolu. Les proscrits se poussaient du coude, le regard interrogateur. Il fallait que ces hommes aient une raison majeure pour oser mettre le pied dans ce lieu pestilentiel et se mêler à des gens aussi repoussants.

Le plus grand des deux arrivants se pinçait le nez. Son regard rapide s'arrêta sur les enfants. De l'index, l'homme pointait quelques petits garçons, naturellement les mieux portants. Il en choisit sept, de huit à dix ans, à qui il fit signe de le suivre.

Les gamins affolés s'accrochaient désespérément à leur mère. Celles-ci, avec le peu de forces qui leur restaient, tiraient sur leurs fils pour les retenir.

Les Anglais dégainèrent.

On arrachait ces gamins à leurs familles pour les distribuer chez les colons où on les placerait en service comme esclaves. Ils seraient vendus aux plus offrants à des messieurs anglais pour travailler dans les plantations sous un soleil tuant.

Déjà privées de leur mari et maintenant de leurs garçons de huit ans et plus, ces mères aux visages tourmentés, aux corps déshydratés, n'avaient plus de larmes pour pleurer la cruauté du destin. La douleur et le désespoir les rongeaient comme un chancre.

Les garçons partis, leurs cris de détresse restaient ineffaçables dans la cale du navire.

La mort continuait de frapper. Depuis leur départ de Grand-Pré, presque la moitié des exilés étaient morts de misère ou de différentes maladies. Maintenant, l'enlèvement des gamins et la chaleur insupportable de ce pays allaient avoir raison de ceux qui restaient.

Dans les entrailles de ce navire, c'était invivable. Les Acadiens allaient tous devenir fous.

On manquait de fonds dans le trésor de la province pour l'approvisionnement de ces déportés. On ne savait qu'en faire.

Avec l'appui du huguenot et du prêtre, on finit par caser certains neutres dans des baraques à l'entrée de la ville et dans trois maisons désaffectées aux portes et fenêtres arrachées, des maisons ouvertes aux quatre vents sur des rues dépeuplées. Le conseil leur fournit de la vaisselle et des lits. Mais bon nombre d'exilés couchaient encore sur le sol dur. Dieu merci, ils en avaient l'habitude.

Sur le navire, ancré au port, restaient toujours des mères de familles, des tout-petits, des vieillards malades et Juliette, terrée dans le coin le plus retiré de la cale, qui n'en finissait plus de vomir. Elle tenait toujours une gamelle sur ses genoux. Marie s'en approcha.

– Pauvre Juliette ! Viens avec moi prendre l'air salin sur le pont. C'est mauvais de rester enfermée dans cette puanteur. On étouffe ici.

Juliette suivit Marie. Appuyées au bastingage, les filles humaient l'air du large.

– Si ces nausées peuvent me lâcher !

– Prends patience. Ton mal de mer va cesser dès que tu mettras un pied à terre.

– Ce n'est pas le mal de mer.

– C'est quoi alors ?

– Ce n'est rien.

Marie sentait un mystère au bout de son regard.

– Si c'est autre chose, j'ai des remèdes.

– Il n'existe pas de remède pour mon mal. C'est comme ça. Tu l'endures et tu vis avec toute ta vie, comme une conséquence.

Marie comprit que le mal de Juliette était davantage dans son âme que dans son corps. Elle colla la bouche contre son oreille.

– Juliette, tu es enceinte ?

Juliette, enfermée dans son cocon, s'inquiétait à savoir combien de temps encore elle arriverait à cacher l'évidence.

– La vie est laide.

Marie la fixait avec une douceur dans le regard.

– Si tu veux parler, ça restera entre nous. Un secret est moins lourd lorsqu'il est partagé.

– Un secret, ça se garde.

La honte talonnait Juliette comme un remord.

Marie ajouta, le regard plein d'indulgence :

– Si c'est ce que je pense, il n'y a pas d'autre issue qu'un mariage rapide.

Après un silence à n'en plus finir, Juliette finit par lâcher le paquet :

– Je ne sais pas de qui est l'enfant. Il faisait nuit noire quand il m'a prise de force, sa grosse main sur ma bouche pour m'empêcher de crier. Ça n'a duré qu'un instant. Un instant et ma réputation se trouve ternie à jamais. Je n'aurais jamais pu imaginer pire. Maintenant, j'ai ça à vivre et je ne sais plus quoi faire.

Marie était sidérée. Un des leurs avait commis cet attentat. Qui avait osé s'attaquer à Juliette, une fille pudique et vertueuse ? Marie tentait de trouver le coupable.

– Cherche quelques indices, peut-être la voix ?

– Il n'a pas prononcé un mot.

– Peut-être l'odeur ou une barbe ?

– Tous les hommes puent et portent la barbe.

– Ce ne serait pas Edmond Richard ? Tu sais comment il est ! Moi, j'en sais quelque chose.

– Non, c'était un costaud au ventre bedonnant, au cou épais comme une encolure de taureau. Je le sais pour avoir tenté de l'étouffer. Depuis, je soupçonne tous les gros hommes. Je redoute d'être agressée de nouveau. J'ai tellement peur !

– Tu n'as pas crié ?

– Le temps de me réveiller, j'ai cru que quelqu'un se frayait un passage pour se rendre à la chaudière, puis j'ai eu la surprise de le sentir tomber sur moi. Comme j'allais crier, le salaud a plaqué sa grosse main sur ma bouche pour étouffer mes cris.

Tout en racontant, Juliette éprouvait un frisson de répugnance, comme si elle revivait les faits. Encouragée par une oreille attentive, elle parlait très vite, comme si ses secondes étaient comptées.

– Je pouvais à peine respirer, il m'étouffait. Je me débattais des mains et des pieds, mais autour, personne ne venait à mon aide. On devait croire à une autre guerre aux rats. Le temps de le dire, l'écœurant avait fini sa saloperie. J'ai tellement honte !

Juliette, dans tous ses états, suait à grosses gouttes. C'était comme si toutes ses forces s'étaient anéanties à partager son lourd secret.

Marie n'en croyait pas ses oreilles.

– Calme-toi un peu.

Juliette essuyait de sa main les gouttes de sueur qui perlaient sur son front.

– Tu as raison. Je perds tout mon contrôle. Ça me rend folle.

Le coup parti, Juliette éprouvait un vif besoin de parler de cette bassesse qu'elle ne pouvait effacer de sa mémoire.

– Depuis, plus la nuit approche, plus j'ai peur que le salaud recommence. Je dors sur mes gardes, toujours dans la crainte d'une nouvelle attaque.

– Ta mère est au courant ?

– Maman doit tout deviner. Alors que toutes les filles maigrissent, ma taille s'arrondit. C'est un signe évident. Depuis quelque temps, elle me fusille du regard, comme à la maison : elle était toujours là, le front ridé, à me reprocher mes moindres défaillances.

– Parle-lui, même si cette démarche ne te plaît pas. Une mère doit tout comprendre.

– La mienne ne m'aime pas. Elle est bourrée de scrupules. Tu sais comment elle est, pour elle, les filles sont les seules responsables de la conduite des garçons. Et puis, elle doit se préparer à affronter le jugement de la honte.

– Tu as besoin de soutien, Juliette, et le plus vite sera le mieux. Encore un peu et tout le monde connaîtra ton état.

– Si tu savais comme c'est difficile de ne trouver aucun appui, de rester seule avec mes craintes.

– Tu peux te confier à madame Chiasson. Elle est compréhensive et de bon conseil. Demande-lui de parler à ta mère pour toi. Elle trouvera les mots. Tu dois tout tenter pour éviter que ces choses ne se reproduisent. Les familles sont assez éprouvées comme c'est là.

– Et si madame Chiasson m'en veut?

Marie tapota sa main.

– Je serai toujours là pour t'épauler, Juliette.

Magdeleine approchait avec Flavie. Juliette s'enlisa de nouveau dans son silence.

* * *

Une semaine interminable passa.

Il faisait un temps épouvantable. La mer déchaînée secouait durement le navire accosté au quai.

Dans la baie, les arbres, qui étalaient habituellement leurs longs bras protecteurs, s'étaient rabougris et transformés en d'affreuses sorcières qui flagellaient le ciel.

L'assemblée se montra aussi méchante que la tornade. Le gouverneur de la Virginie adopta une loi interdisant le débarquement de nouveaux français neutres sur leur territoire et, pour ceux déjà entrés, la défense formelle de quitter la province. Ceux qui seraient appréhendés sans passeport seraient punis d'emprisonnement pour le premier délit et de fouet public pour la récidive. Ces peines seraient aggravées de trois heures de pilori par décision judiciaire.

Cette loi était une farce ; toutes les demandes de passeports étaient rejetées.

Osite supplia le huguenot d'intervenir en faveur des enfants enlevés. Ce fut pour rien.

Les Acadiens étaient encore une fois prisonniers, cette fois de la Virginie. La chance de rassembler leur famille venait de basculer. Marie était navrée. Tout allait à l'encontre de son désir le plus cher, retrouver son Nicolas.

On les traitait comme des criminels, des ennemis.

Ces gens, qui avaient vécu dans l'abondance et le bien-être, se voyaient montrés du doigt et repoussés, pire que des mendiants. Les cœurs, comme les corps, étaient brisés de souffrances, de rejet, de misère.

Le reste des déportés dut attendre encore plusieurs jours et plusieurs nuits dans la cale et sur les quais avant d'être acheminé dans des prisons et des bâtiments abandonnés.

Les exilés ne se hasardaient dans la ville que lorsqu'ils y étaient contraints par la nécessité. Les rues étaient tristes, sans caractère ni chaleur humaine.

Albertine bombardait l'audacieuse Marie de ses conseils :

– Ne va pas te perdre dans la ville sans une boussole.

– J'ai mon ombre pour m'orienter.

– Ton ombre, ton ombre! Cette petite n'en fait toujours qu'à sa tête.

Marie sentait toujours passer un courant d'affection dans les reproches et les avertissements des demoiselles Arseneau.

XIV

Marie déambulait sur la plage quand elle entendit crier :

– Marie, Marie !

Vivement, elle se retourna.

Jules Le Blanc courait vers elle. Un gros chien errant le suivait au trot. Le fils du notaire n'avait jamais cessé d'aimer Marie à la folie. Dans le feu des retrouvailles, il la saisit à bras-le-corps.

– Je suis si heureux de vous avoir retrouvée, dit-il, tout essoufflé !

Marie le repoussa doucement.

– Vous, ici ? D'où sortez-vous ?

– Je suis arrivé sur le *Seaflower*. À Grand-Pré, je me suis caché dans les bois et j'ai été rattrapé par les Anglais. Mais cette fois, c'est moi qui les ai eus. Je me suis échappé du navire. Maintenant, je ne crains plus rien, le *Seaflower* a repris la mer sans moi.

– Avez-vous des nouvelles de Nicolas ?

Le garçon, blessé d'être dédaigné, fit non de la tête, mais il ne cessait de regarder Marie, l'œil amer. Elle avait maigri. Ses traits étaient tirés, mais elle était toujours aussi belle, un brasier destructeur.

Jules, de par sa profession de clerc de notaire, imaginait tout le monde à ses pieds. Ce fantasme s'avérait
possible dans l'étude de notaire de son père en dépit
des chicanes qui s'y réglaient, mais à l'extérieur, le petit
clerc n'avait aucune emprise sur le comportement des
gens. Toutefois, Jules se croyait maître de Marie.

– Le *Pembroke* a sombré au large et Nicolas avec.
Aucun survivant. Mais heureusement, je suis là, moi,
pour prendre soin de vous et vous aimer.

– Mon cœur est déjà pris.

Jules rétorqua d'un air vainqueur :

– Nicolas est mort. Vous n'allez pas vous morfondre
à l'attendre ?

– Une promesse est une promesse ! Je me suis
engagée.

– Vous ne comprenez donc pas ? Nicolas est mort,
mort, mort !

– Ne faites pas tant d'histoire. Mon cœur me le dirait.

– Vous allez attendre encore combien de temps
avant de connaître les grandes joies du mariage ?

Marie qui avait rêvé d'un foyer, d'une famille
semblable à celle de sa tante, ne dit rien. Elle ne se
sentait pas en mesure d'écouter Jules. Ce garçon en
avait toujours voulu à Nicolas. Elle regardait au loin,
dans le vide.

Jules insistait :

– Vous ne le retrouverez jamais.

Le garçon lui jetait-il un sort ou était-ce un moyen
pour s'approprier la jeune fille ?

Marie descendait d'une race d'entêtés.

– Quelque chose me dit qu'il est vivant. Je l'attendrai jusqu'à ma mort.

Marie ne le lui dirait pas, mais la folie du doute la reprenait à certains moments.

– Si Nicolas vivait, il serait ici, comme moi qui vous ai cherchée et retrouvée.

– On verra bien.

– À force de tant vous entêter, votre vie restera vide, comme celle d'une veuve. Et admettons qu'il soit encore en vie, Nicolas vous aurait sans doute remplacée.

Marie ressentait un malaise. Nicolas ne lui ferait pas ça, il était trop franc.

Jules n'avait pas sa place auprès d'elle. Il se faisait du mal autant qu'à elle. À continuer sur cette même traînée, ils allaient tous les deux s'asphyxier, s'aliéner.

– Laissez-moi, dit-elle sur le ton de l'impatience.

– Si vous préférez une vie errante et difficile…

Marie n'ajouta rien. Elle restait avec un goût de cendre sur les lèvres.

Se sentant devant une porte fermée, Jules Le Blanc s'en retourna plus fâché que déçu.

Marie reprit sa marche lente sur la plage blonde. Intérieurement, elle disait comme une douce incantation : « Je suis à toi, à toi seul, Nicolas. Je t'aime et s'il le faut, je t'attendrai jusqu'à ma mort. » Puis elle répétait son vœu profond et sincère jusqu'à épuiser son moral.

Sur le point de se décourager, Marie eut une pensée pour la mère de Nicolas à qui il manquait trois fils. Le sort de toutes ces mères qu'elle côtoyait n'était-il pas pire que le sien? Elle repassa dans sa tête les derniers événements tragiques qu'elle n'arrivait pas à chasser de son esprit. Elle revoyait les enfants arrachés à leur famille, sous les yeux horrifiés de leur pauvre mère, pour être vendus aux messieurs anglais où ils seraient placés en service dans les plantations. Pourquoi ces mères s'acharnaient-elles tant à vivre si c'était pour devenir folles?

* * *

Les exilés stagnaient sur le vaisseau qui leur servait de gîte. La nourriture diminuait et les cas de scorbut se multipliaient. Les plus résistants subsistaient tant bien que mal.

Jules Le Blanc, ce petit futé rapide et discret, allait, entre chien et loup, chaparder dans les marchés à ciel ouvert et les potagers. Il rapportait le fruit de ses larcins aux siens. Ses gestes illégaux devenaient nécessaires, même s'ils n'étaient pas permis, parce qu'ils empêchaient ainsi les proscrits de mourir de faim.

Marie se désolait de perdre autant de malades. À continuer ainsi, l'épuisement et le découragement allaient bientôt avoir raison de son moral.

Ce matin-là, elle revint sur ses premières intentions et prit la décision d'offrir ses services comme bonne.

Albertine, scandalisée, disait qu'il était honteux de faire d'une fille riche une servante.

– Prends donc quelques jours pour y réfléchir. Tu es trop prime en affaire.

– Non. C'est déjà tout réfléchi.

– Et Flavie ?

– Je l'emmène.

Rien ne servait à Albertine d'intervenir. Que de fois avait-elle réprimandé Marie inutilement ! Quand la petite Labasque tranchait, on ne se plaçait pas en travers de son chemin.

Marie préférait voir d'autres gens, changer d'air plutôt que de passer ses journées à écouter les lamentations des siens et à se décourager sur place. Elle invita Magdeleine à l'accompagner. Comme elle, sa cousine n'avait plus le cœur à rien.

– Mademoiselle Albertine n'est pas de mon avis, elle ne m'a pas offert de s'occuper de Flavie. Je crois que c'est dans le seul but de me retenir. Moi, je ne vois pas ma vie se terminer ainsi. Je suis tannée de suivre le même peloton, d'entendre les mêmes voix, les mêmes ronflements et de respirer la puanteur de la cale. Et puis le fait de travailler m'empêchera peut-être de penser continuellement à Nicolas. Comme c'est là, je vais virer folle ou mourir. Tant qu'à mourir, j'aime mieux me tuer au travail.

– Tu crois pouvoir oublier Nicolas ?

– Tu sais bien que non. Je veux seulement m'occuper, me secouer et cesser de me faire des idées noires.

Si tu le veux, nous irons trouver un travail comme bonne. Nous choisirons nous-mêmes nos maîtres et, si possible, assez près l'une de l'autre. Ensuite, dès que nos moyens nous le permettront, nous reprendrons le large à la recherche de nos fiancés. On dit qu'avec un peu d'argent, on ne refuse pas les passagers illégaux sur les navires.

– Je n'ai rien à me mettre sur le dos. Avec nos vêtements sales et tout déchirés, personne ne voudra de nous dans leur maison.

– Allons laver notre linge à la plage.

– Comment veux-tu ? Je n'ai pas de rechange.

Marie réfléchit un moment.

– Nous en emprunterons aux autres. Ils s'enrouleront dans des couvertures. Ce sera l'histoire d'une couple d'heures. Avec ce soleil et le vent du large, nos vêtements sécheront en un rien de temps.

– Et le savon, on le prendra où ?

– Nous irons en quêter.

– Et si on refuse ?

– Tiens, tiens, Magdeleine qui panique, se moqua Marie, c'est à voir !

– Après tout, nous ne perdrons rien à essayer.

* * *

Le lendemain, dans un coin isolé et tout ensoleillé de la baie, deux jolies lavandières, Marie et Magdeleine, la jupe retroussée aux genoux, les pieds nus, battaient leur linge au bord de l'eau. Près d'elles, Flavie dormait à l'ombre d'un laurier.

Tout le temps de la lessive, les filles écartaient les orteils sur le fond de sable pour permettre à l'eau de les chatouiller. Leurs vêtements lessivés, les cousines avancèrent plus avant dans la baie pour un gros savonnage.

Elles avaient beau se laver, se frotter, l'odeur de la cale persistait.

Magdeleine sortit la première.

– La puanteur a pénétré nos chairs.

– Non, ce n'est qu'une impression. L'odeur est imprégnée dans notre nez.

Les cheveux lavés et le corps débarrassé du farcin, cette crasse tenace qui s'accumule sur la peau, les filles partirent comme si elles étaient nées pour marcher ensemble. La petite Flavie passait des bras de Marie à ceux de Magdeleine et vice versa.

À leur retour dans la cale du navire, les filles s'approprièrent des chaussures à leur pointure parmi celles ayant appartenu aux personnes décédées.

Comme elles allaient partir, Albertine intervint.

– Tu ne vas pas amener Flavie avec toi? Tu vas l'avoir continuellement dans les jambes.

– Pas si quelqu'un accepte de s'en occuper.

Albertine lui enleva l'enfant des bras et colla sa joue contre celle de Marie qui y déposa un baiser rapide.

– Ce que vous faites pour moi vaut beaucoup plus qu'un gros bec.

Sur ce, Marie et Magdeleine disparurent.

La grande rue, qui s'ouvrait devant les filles, menait à un carrefour de superbes résidences.

La ville comptait mille boutiques : ganteries, fumisteries, corsetières, joailleries. Chez elles, à Grand-Pré, on trouvait de tout au même magasin. Les filles s'arrêtèrent devant une boulangerie où elles dévorèrent des yeux tout ce qu'elles voyaient.

Il y avait belle lurette que Marie et Magdeleine n'avaient pas marché sur un chemin solide comme lors de leur promenade à Grand-Pré. Déjà, elles sentaient une certaine liberté à déambuler dans cette ville étrangère, les yeux accrochés aux vitrines, tout en faisant fi des coudoiements hautains de la rue.

Magdeleine espérait travailler dans la même maison que sa cousine.

– Tu te souviens de notre promesse de ne jamais nous séparer ?

– Si seulement quelqu'un est prêt à engager deux bonnes. Surtout, gardons-nous bien de donner une réponse immédiate. Ça nous permettra de mieux choisir nos maîtres.

– Si jamais quelqu'un veut bien de nous.

– Non. Si quelqu'un a besoin de nous. Rappelle-toi bien qu'on ne demande pas la charité. On échangera un travail contre de l'argent. C'est clair ?

– Comme de l'eau de roche !

L'avertissement était aussi clair que leurs rires qui s'égrenaient en cascade.

– Tu vois la maison jaune là-bas? Je ne sais pas pourquoi, mais elle me plaît. Elle semble assez grande pour que nous ayons chacune notre chambre.

– Regarde le joli pavillon de toile vert qui donne sur le jardin. Et les belles persiennes blanches qui protègent les fenêtres à carreaux.

Plus près, on entendait des notes mélodieuses s'échapper par une ouverture. Magdeleine devança vivement Marie. Elle monta les marches et frappa. Un garçon de dix-sept ans, vêtu d'un pantalon et chemise en toile blanche, vint ouvrir. Il toisa les filles des pieds à la tête et les invita à entrer.

– Miss?

– Magdeleine Dugas and Marie Labasque.

– Christopher Smith!

Les filles connaissaient très peu la langue du pays. À force de mots répétés et mimés, elles réussirent à se faire comprendre. Elles demandèrent à parler à la maîtresse de maison.

Le garçon disparut.

Marie et Magdeleine en avaient plein la vue.

Le portique donnait sur un boudoir somptueux. Les pièces étaient peintes en crème et de lourdes draperies d'un pourpre vif pendaient aux baies vitrées. Chez elles, en Acadie, le rouge était une couleur recherchée. Pour s'en procurer, il fallait réduire en charpie des étoffes anglaises dédaignées, les filer et les retisser.

Sur les murs, d'anciennes tapisseries et au sol, un superbe tapis à fleurage et à frange, de larges fauteuils, des petits meubles gracieux et parmi ces vieilleries magnifiques, sur un guéridon, trônait un arrangement coûteux de fleurs fraîchement coupées. La résidence était pleine d'objets précieux. Tout ce luxe laissait deviner l'aisance des propriétaires.

Le piano se tut. Une dame enceinte, qui accusait la trentaine avancée, s'approcha et posa sur les filles un regard froid.

Elle les invita à passer à la cuisine et leur offrit une chaise que les cousines refusèrent poliment en expliquant le but de leur visite.

La femme marqua une hésitation avant de répondre. Elle examinait les filles, comme avant l'achat d'un objet pratique et indispensable. Les pauvresses tombaient pile : ces derniers temps, elle parlait justement à son mari d'engager une négresse pour la maison. La dame crut dénicher chez ces étrangères une main-d'œuvre à bon marché. Elle pointa Marie du doigt.

– Je prendrais mademoiselle à mon service. Maintenant, assoyez-vous. Vous savez qu'il y a beaucoup de travail à abattre ici. J'espère que vous ne me décevrez pas. Je déteste changer sans cesse de domestique.

– Et quel sera mon travail ?

– Tout faire, tout. Vous devrez obéir aux ordres des gens de la maison et ces mêmes ordres devront être exécutés immédiatement.

– Quels seront mes gages ?

– Vous serez logée et nourrie. C'est déjà beaucoup.

C'était une honte. Ces gens-là dépensaient sans compter pour le luxe et ils lésinaient sur les gages.

Marie se leva. Magdeleine l'imita.

– Je regrette. J'ai besoin d'un salaire, j'ai une enfant à entretenir. Il y a aussi la pension qu'il faut bien payer. Je vais regarder ailleurs.

Marie mentait sans aucun scrupule. C'était œil pour œil, dent pour dent. Les Anglais leur avaient tellement menti pour réussir à commettre leur crime, pourquoi se gêner? Elle, au moins, mentait pour des raisons honnêtes et ce n'était pas un petit mensonge sans conséquence qui allait lui peser sur la conscience.

– J'ai aussi besoin d'argent pour acheter des vêtements et les petites nécessités de la vie.

– Je suis prête à vous fournir une robe et une coiffe de bonne.

– Je regrette. J'ai besoin d'un salaire. Nous allons chercher ailleurs.

La femme hésita puis la retint un moment.

– Si après deux semaines d'entraînement, je suis satisfaite de votre travail, je consens à vous donner deux dollars par mois et congé les mardis.

– Seulement si vous me payez aussi mes deux premières semaines.

– Ça va, dit-elle, je vous prends en essai. Vous commencerez demain matin à huit heures.

Marie exigea aussi une cuve qui servirait à ses ablutions.

Tout le temps de l'entrevue, Magdeleine était restée silencieuse. Elle allait tourner les talons quand la femme la rappela.

– Vous, mademoiselle, il y aurait peut-être une place pour vous chez ma sœur. Elle demeure sur la rue du quai à environ une heure de marche. Je vous donne l'adresse.

La femme lui remit un papier griffonné et d'un geste gracieux, elle leur signifia la sortie.

Sur le chemin du retour, Marie avoua à Magdeleine :

– Tu parles ! Deux dollars par mois, c'est maigrement payé. La dame peut bien marcher sur des tapis de velours ! Nous allons continuer de chercher. Si nous arrivons à trouver une place pour deux ailleurs, les Smith ne me reverront pas.

Magdeleine glissa son bras sous celui de Marie.

– On va quand même aller voir à l'adresse donnée.

XV

Marie accepta le travail chez les Smith.

À son arrivée, la dame exhorta la jeune fille à la suivre à sa chambre. Elles traversèrent le perron sur toute sa longueur jusqu'à une pièce attenante à la résidence, comme l'étaient en Acadie les hangars accrochés aux maisons, à cette différence qu'à Grand-Pré, ces ajouts servaient à remiser le bois de chauffage.

Marie n'allait pas s'en plaindre, depuis des mois, elle vivait en groupe et subissait les humeurs et les maladies de tout un chacun. À vivre ainsi entassée, il ne restait que peu de place pour l'imagination délirante de ses longs rêves à peine ébauchés.

La petite pièce était lambrissée de bambou et agrémentée de deux fenêtres, une à l'est et l'autre au sud, ce qui permettait une bonne aération. Elle ne contenait que l'essentiel : un matelas jeté sur des sangles en peau de bœuf, un chiffonnier de bois noir et deux chaises paillées sur lesquelles étaient pliés des vêtements, soit une jupe noire, un chemisier blanc, un tablier brodé et une coiffe de bonne.

Restée seule, Marie déposa sa malle sur le sol de planches et l'ouvrit. Elle suspendit sa robe de mariée dans la penderie. Elle lambinait, ouvrait la jupe en éventail, tâtait le tissu. La vue de cette adorable robe la ramenait chaque fois à Nicolas. Au fond de sa malle restait sa poupée de son, un cadeau d'Albertine, le seul lien qui la reliait à son enfance. Toute petite, Marie se figurait que ce jouet était un vrai bébé et que ce bébé était sa chose à elle. Maintenant, ce jouet lui rappelait Flore restée toute petite dans son souvenir. Elle colla la poupée sur son cou puis la déposa délicatement sur son oreiller.

Le lit était invitant. Après avoir passé des mois entassée dans le ber d'un navire, à dormir en rond de chien sur le sol dur, Marie pourrait enfin s'allonger et s'étirer tout à son aise sur un confortable lit de plumes. Ce lieu, un peu retiré, lui plaisait bien. Elle y ferait son nid et s'y sentirait chez elle en attendant le grand départ. Ici, elle pourrait partir dans ses rêves, sans que rien ni personne n'arrive à la distraire de ses pensées. Ce soir, dans le secret de sa chambre, elle se laisserait aller à imaginer tout à son aise ce que serait sa vie avec Nicolas.

Au coucher, Marie récita une courte prière et se glissa entre les draps. La tête sur son oreiller mœlleux, elle laissa trotter son imagination jusqu'à Grand-Pré où elle s'affairait dans la grande cuisine de son père à cuire un ragoût, savoureusement apprêté, avec Nicolas sur la berçante qui la regardait amoureusement s'affairer autour du poêle.

Ces rêvasseries vagues et confuses l'aidaient à tenir le coup.

* * *

Au lever, Marie recouvrit sa jupe verte du tablier blanc et posa la coiffe sur sa tête.

À son arrivée dans la cuisine, la dame de la maison s'arrêta net devant elle, le regard imposant.

Le tablier et la coiffe lui allaient à merveille. Elle était vraiment jolie, très jolie. Quelle grâce touchante ! Mais sous son tablier, la bonne portait sa robe usée.

– Quelle tenue ! Je tiens à ce que vous portiez l'uniforme de nurse tout le temps que vous habiterez cette maison.

Marie ne dit rien.

La dame lui jeta une enfant de dix-huit mois dans les bras.

– Tenez, changez sa couche.

Marie obéit puis déposa l'enfant sur une chaise haute. Après un déjeuner rapide, elle prit les rênes de la maison. La grosse besogne ne lui pesait guère au bout du bras ; là-bas, en Acadie, sa tante Osite l'avait très bien exercée au métier.

Madame ne pouvait rien lui reprocher si ce n'était ses vêtements acadiens qui tombaient en loques.

Marie refusait de porter l'uniforme. Laisser tomber sa jupe verte et son chemisier, c'était comme lui demander de renier son Acadie natale. La patronne eut beau insister, tempêter, Marie tint tête, même si elle s'exposait à être renvoyée.

* * *

Son jour de congé arrivé, Marie rêvassait au lit. Son Nicolas était-il encore en vie? Allaient-ils se retrouver un jour? Si ce n'avait été de cette déportation, Nicolas et elle seraient si heureux à Grand-Pré. Ils dormiraient blottis dans le même lit, dans la maison de son père. Ils paresseraient amoureusement, la tête sur le même oreiller. Ils s'aimeraient et, saouls d'amour, ils s'endormiraient dans les bras l'un de l'autre. Et qui sait si elle ne porterait pas déjà un enfant de Nicolas dans son sein? Mais où son cher Nicolas pouvait-il bien se trouver?

Marie se leva et fit ses ablutions en lambinant. Elle enfila ses vêtements acadiens, sa coiffe bretonne et passa à la cuisine. Avant de partir, elle prit soin de préparer deux tartines de confiture qu'elle glissa dans un sac de papier brun.

Elle quitta la maison, presque joyeuse. Le soleil dardait et la chaleur était tellement insupportable que Marie devait croiser les bras pour empêcher sa peau de brûler. Elle flâna quelques minutes dans un parc chichement ombragé puis reprit son chemin.

Chez les Harrison, Magdeleine l'attendait à l'extérieur, assise sur un long banc qui écaillait sa peinture sur le perron.

Après une semaine sans se voir, les filles tombèrent dans les bras l'une de l'autre.

Magdeleine invita sa cousine à s'asseoir à ses côtés et murmura pour ne pas être entendue des Harrison :

– Raconte-moi comment les choses se sont passées chez les Smith.

– Je fais bien mon travail, le reste m'est égal. Je suis là seulement pour ramasser de l'argent en vue de partir. Hier, madame et moi avons rangé la lingerie et compté les morceaux. Tu ne me croiras pas, l'armoire de madame compte vingt-quatre douzaines de chemises et quatorze douzaines de nappes brodées, des centaines de serviettes de table, quatre douzaines de draps et le double de taies d'oreillers, sans parler des serviettes, des linges à vaisselle et de tout le tralala. Elle ne vivra jamais assez vieille pour user tout ça.

– Et le fils, ce Christopher Smith, il est gentil ?

– Celui-là, il ne fait rien de ses dix doigts. Il n'a pas d'heures fixes ni pour le lever, ni pour le coucher. Il vit dans la ouate, mais il n'en sait que faire. À midi, quand je sonne le dîner, il prend place à l'extrémité de la table, dos à la cheminée. Tu te souviens de la belle cheminée où trône une horloge en bois de chêne ? De son poste, il me suit sans cesse des yeux jusqu'à ce que j'aie fini de servir. Sa présence me met mal à l'aise. Je n'aime pas qu'on m'observe, ça me fait rougir.

– Il te trouve peut-être à son goût ? Il va peut-être te faire oublier Nicolas.

Marie toisa sa cousine d'un œil menaçant, pour reprendre aussitôt.

– Après le repas, madame s'enferme dans le salon où elle joue du piano et son fils sort de la maison pour aller je ne sais où. Une fois tout le monde sorti de table, c'est à mon tour de manger. La nourriture est succulente. Mon travail terminé, je regagne ma chambre ou bien je m'assois sur le perron où je regarde tomber les derniers rayons du soleil. Et toi ? Tes patrons ? Ta chambre ?

De l'intérieur, Madame Harrison entendait les petites domestiques échanger à voix basse. Elle sortit marcher sur le perron afin de mieux écouter leur conversation. Quand madame approchait, les filles se taisaient. Et la dame disait en passant, comme ça :

– De quoi parliez-vous donc, toutes les deux ?

Les filles ne répondaient pas. La femme continuait sa marche sur le perron et l'on n'entendait que le bruit de ses pas et le murmure du vent. Les filles attendirent que la porte se referme sur la dame et leur conversation reprit de plus belle. Magdeleine tira la main de Marie.

– Viens, allons marcher. Je vais te raconter mille choses en chemin.

Les jeunes filles, bavardes comme on l'est à seize ans, parlaient sans relâche.

Ayant gagné la rue, les cousines marchèrent au hasard, les pieds dans des galoches et vêtus de loques. Elles traversèrent une voie à grande circulation où des fiacres pressés filaient vivement.

– Comme il fait bon de se promener librement.

Un groupe de filles et de garçons, élégamment vêtus, les invectivèrent de remarques désobligeantes. Ces jeunes gens les traitaient comme des traîtresses, des mendiantes.

– C'est fou, s'exclama Marie, ce que les pauvres peuvent être rejetés!

Les filles prirent sur elles de les ignorer.

Magdeleine reprit ses bavardages.

– Comme je te disais, les Harrison ont cinq enfants de huit ans à dix mois. J'aime bien les petits, mais je m'occupe surtout de l'entretien de la maison. La patronne serait gentille si elle ne me reprenait pas à chaque mot sur ma prononciation. À la longue, ça tape sur les nerfs. Ce n'est pas de ma faute si leur langue est si cassante. Mais ne crains pas, je tiendrai le coup.

– Tu parles! Ma patronne à moi me postillonne en pleine figure.

Les filles se moquaient à qui mieux mieux. Les dents serrées, elles répétaient des phrases de leurs patronnes et, à chacune, elles insistaient exagérément sur les *s* qu'elles changeaient en *ch*.

Le rire des gamines s'égrenait dans le haut du jour, tel un bienfait, comme l'aboutissement joyeux d'une semaine de travail.

Elles pouvaient bien se permettre de rire, c'était leur seule joie, la vraie, celle qui, pendant un moment, vous réchauffe le cœur et vous fait oublier vos misères.

– La première rendue au coin, proposa Magdeleine.

Pour mieux courir, les petites Acadiennes enlevèrent leurs galoches. En les remettant, Marie se trompa de pied.

– Eh bien, en v'là une affaire, dit-elle.

Les filles reprirent leur marche.

Leur joie pétulante, leurs cris et leurs éclats de rire cristallins s'éparpillaient dans l'air. On les entendait s'esclaffer du bout de la rue.

Des dames anglaises aux tailles de guêpe se promenaient très droites sous leur ombrelle de soie. D'autres portaient des chapeaux à plumes attachés sous le menton à cause des vents du large. Quelques-unes venaient en sens inverse et poussaient des landaus à hautes roues. Toutes affichaient le même dédain. À leur approche, les femmes chuchotaient, la main devant la bouche, des remarques que les filles sentaient déplaisantes.

Magdeleine reprit:

– Monsieur Harrison est propriétaire d'une plantation de coton. Il ne vient à la maison qu'à l'heure des repas. Pour lui, je ne suis rien, sinon une esclave. Il ne me parle jamais. S'il désire quelque chose, il frappe la table de son manche de couteau et je dois deviner son besoin.

– Ton père aussi le faisait dans le temps pour demander son café. Tu te souviens?

– Oui, il frappait des petits coups de cuillère sur son gobelet. Je trouvais ça un peu déplaisant, mais c'était mon père.

– Parle-moi de ta chambre. La solitude nous a tellement manqué.

– Comparée à la cale du navire, c'est le paradis.

– Le vrai paradis, c'est l'Acadie. Tu te souviens des fois où nous volions des petits biscuits salés dans la dépense et que nous montions les manger au grenier ?

– Oui. Nous avancions à pas de loup, de peur d'être surprises par maman. Nous devions grimper au dossier d'une chaise puis sur la commode pour ouvrir la trappe. Le plancher du grenier craquait, nous risquions chaque fois de nous faire prendre.

– Nous trouvions de tout sous les combles : des vieux livres empoussiérés dont une bible aux coins roulés, des chaises dépaillées, des vêtements troués par les mites, un rouet. Les vitres des lucarnes étaient toutes ternes avec leurs rideaux de fils d'araignées. La poussière nous faisait éternuer. Pour moi, c'était un coin de trésors. Malheureusement, chaque fois, ta mère nous criait de descendre.

– Nous avons eu une enfance dorée. J'ai l'impression que nous ne retrouverons jamais notre petite vie de famille quand nous ne pensions qu'à nous amuser comme deux jeunes étourdies.

– Que de beaux souvenirs ! Maintenant, que nous réserve l'avenir ? Si on ne dépense pas un sou, dans un an, nous pourrons partir à la recherche de nos fiancés.

– Je me demande à quoi ressemblera Grand-Pré à notre retour.

– Il n'en restera rien. Les Anglais ont tout brûlé. J'espère seulement retrouver mon Nicolas.

– Dis donc, Marie, as-tu vu Jules Le Blanc? Il te cherchait.

– Oui. Le pauvre s'accroche. Il m'en veut encore de ne pas avoir répondu à sa lettre. Pourtant, il y a des lunes de ça. Je lui ai fait comprendre clairement que j'attendais Nicolas et que même si je ne le retrouvais jamais, je ne pourrais pas en aimer un autre. Je ne rendrais pas un homme heureux et je ne le serais pas non plus.

– Et il a pris ça comment?

– Plutôt mal! Je l'ai terriblement déçu.

– Dire que nous aurions pu devenir belles-sœurs!

– Oublie ça. Je ne ressens rien pour Jules.

– Tu l'aimerais peut-être avec le temps.

– Avec le temps! Tu sais bien que chaque fois que les pommiers refleuriraient, mon cœur volerait vers Nicolas.

– Et si Nicolas avait refait sa vie?

– Je me ferais religieuse et je mourrais de peine.

– Toi, Marie Labasque, religieuse! Une fille qui a tous les garçons à ses pieds.

– C'est mieux que de m'embarquer dans un mariage qui ne me sourit pas.

Marie préférait le sacrifice à la résignation à un amour banal dont les «je t'aime» ne seraient que mensonges.

Magdeleine n'insista pas davantage. Une fois que Marie s'ancrait quelque chose dans la tête, elle n'en démordait plus.

– Dis-moi, Magdeleine, pourquoi faut-il tant souffrir? Comme j'aimerais redevenir petite fille quand la vie était douce, que tes frères étaient un peu les miens, qu'on avait tout notre petit monde autour de nous. Dans le temps, Nicolas et moi, nous nous amusions comme des fous. Où sont-ils tous: ton père, tes frères, Nicolas?

– Je voudrais bien le savoir.

– À certains moments, j'en fais mon deuil, puis deux minutes après, l'espoir me reprend et je me dis que c'est impossible que nous ne les retrouvions pas.

– La nuit passée, comme je n'arrivais pas à fermer l'œil, toutes sortes d'idées folles me sont passées par la tête, dont une en particulier. Tu me diras ce que tu en penses.

Marie écoutait religieusement sa cousine.

– Si on expédiait des affiches un peu partout, avec les noms des recherchés, les coureurs de bois accepteraient sûrement de les placarder le long des côtes.

Marie, la figure illuminée, battait des mains.

– Oui, c'est génial. Quelle bonne idée! Faisons des affiches.

– J'ai pensé à Jules Le Blanc pour s'occuper des textes. Comme il est clerc de notaire…

– Jules va refuser.

– Qu'est-ce qui te fait dire ça?

– Rien, laisse.

– Vas-y, dis-moi carrément ce que tu penses.

Marie rougit.

– Jules ne va pas m'aider à retrouver mon amoureux. Il est jaloux de Nicolas.

– Penses-tu ? Jules sait bien que tu ne veux pas de lui.

– Cherchons quelqu'un d'autre, veux-tu ?

– Si tu y tiens.

– Il y a un autre problème, reprit Marie, pour imprimer des feuillets, ça prend de l'argent.

– Nous demanderons l'aide des nôtres.

– Comment veux-tu ? Ils sont tous à sec. Au fait, as-tu des nouvelles d'eux ?

– Ils sont tellement désolés de voir leurs enfants travailler comme esclaves qu'ils vont en mourir. Eux qui parlaient de s'en retourner, de remonter vers le nord pour retrouver leurs familles, ils ont décidé de rester. Leur décision est irrévocable et avec raison ; c'est inimaginable d'abandonner leurs enfants ici. En fin de compte, personne ne trouvera le bonheur en Virginie.

– Tiens, si on allait leur rendre visite histoire de leur changer les idées ?

– Retourner dans la cale ? Ça sent le diable là-dedans. Ils vont tous mourir asphyxiés.

– Si je pouvais me séparer en deux : je veux aller voir Flavie aux trois maisons et je veux aussi parler à Juliette sur le navire.

– Allons d'abord aux baraques et ensuite aux trois maisons. Flavie doit s'ennuyer de toi.

– Allons d'abord voir Juliette.

– Tu as su, pour elle ? Tout le monde lui en veut d'être comme ça. Ils disent que Juliette n'avait pas besoin d'en rajouter aux misères des exilés. Elle ne te parlera même pas. Elle a le bec cloué.

– Elle doit avoir ses raisons. Elle a besoin de mots qui consolent, qui apaisent.

– Tu as vraiment une âme de guérisseuse, Marie Labasque !

– Ta sœur se sent si seule. Peut-être acceptera-t-elle de nous accompagner aux trois maisons ? Marcher un peu lui ferait du bien.

– Elle va refuser.

* * *

À son retour chez les Smith, Marie se rendit directement à sa chambre. La pièce était sens dessus dessous, le lit défait, les tiroirs ouverts. Marie éprouvait une grande déception. Qui avait bien pu oser ? Personne n'avait affaire à pénétrer dans l'intimité de sa petite pièce. Marie ouvrit la porte du placard. Sa robe de mariée n'était plus là. Ce qu'elle avait de plus précieux au monde avait disparu. On avait volé sa jolie robe de mousseline. Une boule dure se formait dans sa gorge. Marie regrettait maintenant de ne pas l'avoir rangée dans le coffre des demoiselles Arseneau.

Au bord des larmes, elle se rendit à la cuisine où sa patronne l'attendait, les poings sur les hanches, le regard accusateur.

– Il manque une nappe dans la lingerie.

– Vous devez avoir fait une erreur en comptant.

– Non. Je les ai comptées deux fois. Elle est disparue en même temps que vous ce matin. Je ne pouvais m'attendre à rien de mieux en engageant des gens de votre espèce.

Marie, d'une honnêteté irréprochable, se sentait injustement soupçonnée de vol. La dame allait sûrement lui montrer la porte. Comme elle n'avait rien à se reprocher, elle partirait sans honte, la tête haute. Elle soutint le regard de sa patronne.

– Moi, voler une nappe, pour en faire quoi? Où nous demeurons, nous n'avons pas de table. Et vous me croyez capable de voler? C'est une accusation que je ne mérite pas, madame.

La femme leva la robe de mariée à bout de bras devant Marie. Une robe où on pouvait reconnaître la finesse du tissu et l'application apportée à chaque point, un travail de longue haleine.

– Et ceci, c'est un autre vol?

Marie lui arracha brusquement le vêtement des mains et le tint contre son cœur en dévisageant la dame, le regard farouche, comme si cette dernière avait commis un sacrilège.

– C'est donc vous? Elle est à moi. Je l'ai apportée d'Acadie. Vous n'allez pas insinuer que je vous l'ai volée aussi? Vous aurez beau douter, accuser, vous ne trouverez aucun voleur chez les Acadiens. Nous sommes un peuple honnête et nous étions riches avant d'être chassés de nos terres par les Anglais, et ça, la veille même de mon mariage.

Il était formellement défendu de parler de la déportation, mais Marie en avait trop sur le cœur. Toutes les armes étaient bonnes pour se défendre.

La femme sembla retrouver ses esprits.

– Je me rembourserai sur vos gages, dit-elle.

– Rembourser quoi? Je ne vous dois rien.

Ce même jour, madame fit poser un verrou à la lingerie, et ce, sous les yeux de Marie qui bouillait de colère.

Marie lui suggéra par la même occasion d'en poser un à sa porte de chambre.

– Mais vous êtes insolente, mademoiselle!

– C'est juste que parfois, la nuit, votre mari, monsieur Smith, ne retrouve pas toujours la porte de son logis.

– Voulez-vous insinuer qu'il est entré dans votre chambre?

– Il a forcé la porte à quelques reprises et je l'en ai empêché.

– Vous devez l'avoir provoqué.

Marie s'était pourtant promise de ne pas en parler. Ce jour-là, toute l'horreur de monsieur Bugeau qui trompait sa femme lui était revenue à l'esprit.

Elle se doutait bien que madame reporterait le blâme sur ses épaules pour blanchir son mari d'un scandale possible. Mais l'occasion était trop belle pour la laisser passer.

– Non, madame. Je dormais quand j'ai entendu des pas sur le perron. J'ai coincé le dossier de ma chaise sous la clenche de la porte. Comme monsieur votre mari frappait sans cesse, j'ai poussé la commode sur la chaise et je suis montée dessus pour l'appesantir.

La dame tenta de banaliser le fait.

– Mon mari a dû tout simplement se tromper de porte. Je vous défends de parler de ce petit incident à qui que ce soit.

Le soir, avant de se coucher, Marie regarda sous le lit, dans la penderie, derrière le chiffonnier placé en angle de la pièce.

À la fenêtre, elle aperçut un petit morceau de ciel et quelques étoiles. La clarté de la lune dessinait des rayons pâles sur son lit. Confinée dans l'endroit le plus isolé, la jeune fille ne perdait pas un murmure des ténèbres : le vent, les aboiements de chien, les pas inquiétants. Elle se recroquevilla en boule et ne bougea plus.

XVI

Les mois passaient, trop lents pour Marie. Elle comptait ses sous et les jours qui la rapprochaient du départ de la Virginie.

Ce matin-là, madame examinait en le retournant dans tous les sens un pantalon de toile méprisable. Elle le tendit à Marie.

– Jetez-moi cette guenille au rebut.

Marie pensait pouvoir en retirer quelque chose de bon, peut-être une robe pour Flavie; la sienne, tout étriquée, faisait peine à voir.

– Si vous me le donnez, je pourrai le faire servir.

– Faites-en ce que vous voulez. Je ne veux plus le voir.

Marie l'enroula bien serré et s'en fut le porter à sa chambre.

* * *

Cette nuit-là, au milieu du silence, Marie fut réveillée par des cris et, entre les cris, une porte qui se fermait brusquement.

La jeune fille se souvenait de l'accouchement d'Angèle Gautherot dans la cale du navire et des souffrances que la jeune femme avait dû supporter pour donner la vie à ses jumelles. Depuis, Marie savait reconnaître les lamentations de l'enfantement qui ressemblaient étrangement aux hurlements du loup.

Elle s'habilla en vitesse, sortit et se glissa doucement sur le perron. Les volets étaient clos. Elle frappa par deux fois. Elle se sentait une intruse. Monsieur Smith allait peut-être l'écarter ou bien lui demander ce qu'elle voulait. Mais elle n'écoutait que son cœur qui la menait bien.

Monsieur Smith lui ouvrit. L'homme semblait soulagé de la voir là.

Marie le croisa sans un mot et fila jusqu'au poêle où elle se pressa de mettre de l'eau à bouillir.

De la cuisine, elle comptait dix minutes entre chaque contraction. Le temps pressait. Elle se rendit à la chambre, contourna Monsieur Smith qui, énervé, tournait en rond. Pour la première fois, Marie lui adressait la parole et c'était pour lui signifier en toute autorité :

– Allez vite chercher le médecin.

Entre deux contractions, madame demanda à Marie de rester à son chevet en attendant le retour de son mari :

– Le docteur m'a prévenue que le travail serait long et pénible.

Marie était au courant. Elle entendait et enregistrait tout ce qui se disait dans cette maison. Elle savait que l'enfant présentait une épaule.

– J'ai peur de mourir.

– Non, madame. Si vous me laissez vous aider tout se déroulera bien.

Marie, novice dans le métier, n'était pas si sûre de ce qu'elle avançait, mais il fallait bien rassurer la mère. La Chiasson lui avait refilé une technique indienne et, fort heureusement, Marie se souvenait très bien des méthodes à employer.

La femme leva sa tête de l'oreiller.

– Que fait le médecin ? Allez donc voir à la fenêtre s'il vient.

Marie fit la sourde. Elle n'était pas venue là dans l'intention de monter la garde auprès de la dame. Elle savonna longuement ses mains et prit son rôle de sage-femme à cœur.

On n'acceptait nulle part les filles accoucheuses. Le spectacle aurait été considéré comme un outrage à la pudeur. Mais comme deux vies étaient en jeu, Marie n'avait pas le choix.

Pendant une contraction, elle pratiqua un examen intra-utérin. Le col de l'utérus était bien ouvert. Marie glissa sa main profondément et tourna un peu l'enfant. La mère donna un violent coup de reins pour échapper à ce geste douloureux et surtout, inconvenant et choquant.

Aussitôt la crampe passée, la parturiente se laissa aller à une violente explosion de menaces et de reproches :

– Laissez-moi ! Vous m'entendez ? Je vous ferai arrêter par les autorités.

Les menaces cédaient le tour à une longue lamentation, qui durait le temps d'une contraction, pour reprendre de plus belle.

Marie restait sourde aux admonitions. Son devoir était de sauver la mère et l'enfant. La Chiasson lui avait bien appris la façon de procéder, mais hélas sans aucune pratique. Combien de fois devait-elle répéter ces mêmes gestes ? Elle l'ignorait. Elle ne voyait aucun changement, toutefois, elle observait la règle à suivre. La dame était en rage et en sueurs.

Marie lui offrit de fumer du chanvre indien haché, une herbe dont la propriété était d'endormir la douleur, mais la femme refusa net.

– Je ne veux pas de vos remèdes de bonne femme.

Chaque fois que l'horloge sonnait les demi-heures, Marie tournait les yeux vers la porte. «Si le médecin peut arriver que je lui cède ma place», pensait-elle. Puis elle recommençait ses mêmes procédés.

– Allez-vous me lâcher à la fin ? Allez-vous-en !

– Je fais ce qu'il faut, madame. C'est le seul moyen à ma disposition. C'est ça, sinon vous et votre bébé risquez la paralysie.

– Vous me paierez ça !

Marie recommença à maintes reprises malgré les cris et les menaces de la dame. Puis le changement s'opéra. À chaque visite intra-utérine, l'enfant se replaçait un peu jusqu'à ce que la tête du bébé s'engage dans le col de l'utérus.

– Ça y est, dit Marie, satisfaite, l'enfant est en place.

À la contraction suivante, Marie posa ses mains sur le haut du ventre de la mère et poussa de toutes ses forces pour aider l'expulsion du fœtus.

– Poussez, madame, poussez.

– Je n'en peux plus. Je suis épuisée.

– Oui, vous le pouvez. Encore un effort.

La parturiente n'eut que le temps de prendre une bonne respiration. La contraction suivante ne se fit pas attendre. Marie attendait, les mains ouvertes, prête à recevoir le bébé.

– Je vois le faîte de sa tête.

À la poussée suivante, l'enfant glissa doucement hors de l'utérus. Marie le reçut dans ses mains, tel un trophée.

– C'est une fille. Elle a tous ses morceaux.

Marie jubilait intérieurement d'avoir réussi un premier accouchement et pas le plus facile. Maintenant, elle était une sage-femme expérimentée.

La porte s'ouvrit et se referma brusquement. Le médecin entrait en vitesse, suivi du père.

L'enfant était née. Marie venait de couper le cordon ombilical.

– L'accouchement a été long et pénible, mais tout s'est bien terminé. Je crois que la mère et la fille sont saines et sauves.

Le médecin félicita Marie :

– Vous avez réussi un travail de compétence. Sans votre assistance, la mère et l'enfant risquaient la paralysie sinon la mort.

Pour la première fois, la femme adressa un sourire complaisant à sa bonne.

– Nous la nommerons Mary, comme vous.

Sa bienveillance n'atteignait pas Marie. La reconnaissance de sa patronne ne la touchait pas autant que sa propre suffisance. Elle avait su démontrer que les Acadiens étaient supérieurs à l'idée que les Anglais se faisaient d'eux et prouver qu'ils n'étaient pas bêtes.

Marie se surprenait elle-même. Quelle force l'avait donc poussée à agir ainsi, sans émotion ? Certes une poussée d'adrénaline. Bien sûr, elle ne regrettait rien. La délivrance réussie, un sentiment tout-puissant de fierté illuminait sa figure. Tout le temps du travail, elle avait gardé son sang-froid, mais maintenant, l'accouchement terminé, ses jambes flageolaient.

* * *

À la cuisine, le docteur s'entretint un bon moment avec la jeune fille.

– Où avez-vous acquis vos précieuses connaissances ?

– Chez moi, en Acadie. Comme les médecins étaient éloignés et presque inexistants, il fallait se débrouiller avec des soigneuses. J'ai aussi appris des indigènes à guérir par les plantes et à réparer les membres brisés.

Le médecin l'écoutait, étonné.

– Racontez-moi de quelle façon vous y arrivez.

– Si quelqu'un se brise un bras ou une jambe, je dois remettre le membre au niveau, faire de grands plumasseaux de fine mousse, les couvrir de térében-thine, une résine recueillie sous l'écorce des conifères, et en envelopper le membre rompu. Je dois poser par-dessus un morceau d'écorce de bouleau qui prend, en se pliant, la forme de la partie. Cela réussit tou-jours fort bien. Je sais faire la saignée et soigner par les suées. Ces pratiques nous viennent de nos amis les Micmacs. Mais à vrai dire, celui-ci est mon premier accouchement, seule. Madame Chiasson m'a enseigné une méthode pour chaque complication, comme les mauvaises présentations, le cordon enroulé autour du cou. Si madame Smith n'avait pas refusé de fumer le chanvre indien, un anesthésiant efficace, ses souf-frances auraient été plus supportables.

Le médecin proposa à la jeune fille un travail au dispensaire où elle serait nourrie et logée en plus de profiter de bons honoraires.

– Vous pourriez mettre toutes vos connaissances au service des malades. Vous seriez mon assistante et, en mon absence, ma remplaçante.

Marie accepta d'emblée sa proposition.

Ce nouveau travail l'emballait ; peut-être la ferait-il revivre ?

– Avec votre permission, je vais rester ici dix jours, le temps des relevailles de madame.

***

Sa démission donnée, Marie emballa le pantalon dédaigné, le plaça sous son bras et se rendit chez les Harrison. Elle en avait long à raconter à Magdeleine : l'accouchement de madame, son changement d'emploi et puis elle voulait suggérer à sa cousine d'offrir à son tour ses services au dispensaire.

Madame Harrison lui ouvrit.

– Votre amie ne travaille plus ici. Elle a sûrement trouvé un emploi ailleurs.

Marie resta un moment bouche bée.

– Elle ne vous a pas dit à quel endroit ? Elle n'a pas laissé un mot pour moi ?

– Non. Après son jour de sortie, je ne l'ai plus revue.

– Ses effets sont ici ?

– Oui. Non.

– Oui ou non ?

– Je crois que oui.

La femme demeurait évasive. Marie doutait de la sincérité de ses dires. Où donc était passée sa cousine ? Pourquoi avait-elle quitté son emploi sans rapporter ses effets et sans même le lui faire savoir ? Marie n'avait que Magdeleine et voilà que celle-ci était disparue mystérieusement. Sa journée de congé s'assombrit.

Marie reprit la rue, déçue, et, ne sachant plus où aller, elle erra sans but. Elle n'entendait plus en marchant que le rythme de ses pas sur le gravillon des ruelles. Elle resta assise sur un banc de parc, des heures durant, sans parler à qui que ce soit, à réfléchir. Puis elle reprit sa marche et tout en se faisant du souci pour sa cousine, elle se rendit au quai où elle pourrait peut-être en apprendre plus long à son sujet.

Quelques Acadiens rôdaient autour du port.

Sitôt Marie arrivée sur les lieux, Jules Le Blanc accourut vers elle. Il lui rapporta que Magdeleine travaillait à l'exploitation des Harrison avec de jeunes Acadiens. Cette nouvelle de source sûre lui venait de deux femmes noires dont les maris travaillaient à la plantation de coton.

– Une fille à la plantation? Je n'y crois pas! Tu sais bien qu'ils l'ont plutôt vendue comme esclave.

Marie était atterrée, mais pas du tout surprise. Madame Harrison lui avait menti. Pauvre Magdeleine! Comment pouvait-elle tenir sous le soleil de Virginie par cette chaleur accablante à laquelle elle n'était pas habituée? Marie laissa l'adresse du dispensaire à Jules Le Blanc et lui recommanda, si possible, de la faire parvenir à Magdeleine.

Jules, un vif-argent, avait plus d'un tour dans son sac. Il accepta la proposition de Marie, sans toutefois promettre de réussir. Que ne ferait-il pas pour se faire aimer de Marie Labasque? Et Magdeleine Dugas, si elle retrouvait son Joseph, allait par le fait même devenir sa belle-sœur.

– Je dois d'abord retrouver ces femmes. Ce ne sera pas facile; les négresses se ressemblent toutes.

Marie regardait tout autour.

– Où est Juliette?

– Dans la cale. Pourquoi?

– J'ai affaire à elle.

– Qu'est-ce que tu lui veux ?

Sans répondre, Marie se faufila dans la cale du vaisseau où Juliette, appesantie par le poids de sa maternité, se terrait dans un coin, seule comme un petit chien qu'on vient de battre. Une couverture cachait son ventre rond et retombait sur ses pieds.

– Juliette, ne reste pas là. Sors prendre le soleil sur le pont.

– Maman ne veut pas que je me pavane devant les gens avec mon gros ventre.

– Viens quand même. Tout le monde a droit au soleil.

Marie lui tendit une boîte de biscuits au chocolat.

– Je les ai choisis spécialement pour toi. Allez, viens ! C'est humide, ici et ça pue. Le jour venu, je veux que tu viennes accoucher au dispensaire.

– Pourquoi ne pas accoucher ici avec madame Chiasson ?

– Avec les rats et les microbes ?

– Je n'ai jamais mis le pied dans un dispensaire. Ça me fait un peu peur : les injections, les outils et tout ça. Et puis je suis sans le sou.

– Je serai là pour t'aider, Juliette. Tu seras entre bonnes mains. Je vais parler de ton cas au médecin en chef. Il est le seul Anglais que je connaisse qui a le cœur à la bonne place. Et puis je t'achèterai une robe convenable, quitte à me refuser quelques articles de toilette. Fais-moi confiance. Tu auras un bon lit blanc et les meilleurs soins. Dès les premières crampes, rends-toi là-bas et dis-leur que tu es ma sœur. Pour le reste, je m'arrangerai.

– Tu es trop bonne, je ne mérite pas ça.

– Tut, tut! Pour ton enfant, as-tu pris une décision?

– Qui en voudrait? Avec les orphelins de la déportation, toutes les mères en ont plein les bras. Je vais le garder. Après avoir aidé maman à élever sa famille, je me réserve le droit d'élever mon enfant. Il sera considéré comme un orphelin de la déportation, comme ta petite Flavie.

– Eh bien, bravo! Je reconnais bien la forte Juliette d'hier à Grand-Pré.

* * *

Le huguenot avait mis une charrette à bras à la disposition des Acadiens. Elle devait servir au transport et à l'approvisionnement en nourriture.

Ce jour-là, Juliette se plaignait de crampes abdominales. La Chiasson se rendit à ses côtés.

– Ton temps est arrivé.

– J'ai peur de mourir comme Angèle Gautherot.

– Enlève-toi cette idée de la tête.

La soigneuse installa une paillasse dans la voiturette, aida Juliette à s'y installer et poussa elle-même la charrette jusqu'au dispensaire.

* * *

Marie se rendit au chevet de sa cousine dans une salle commune où se trouvaient deux rangées de lits. Elle remarqua les cheveux propres de Juliette, enserrés dans une résille, et la blancheur de sa chemise de nuit sur sa peau lisse, un cadeau qu'elle ne regrettait pas. Le ventre de Juliette bombait le drap blanc. Elle gémissait.

Marie la regardait souffrir et la pitié lui serrait le cœur. Elle prit son bras et le serra pour la rassurer.

– Madame Chiasson n'est pas là ?

– Elle doit déplacer la charrette qui nuit à l'entrée.

– J'ai un cadeau pour toi. Déballe-le.

– Des vêtements de nouveau-né ! Tu es en train de te ruiner pour moi. C'est trop.

– Laisse-toi gâter.

Les contractions faisaient grimacer Juliette. Soudain, la jeune femme se mit à pousser énergiquement.

Marie eut juste le temps d'appeler à l'aide. Elle tirait un rideau suspendu entre les lits, quand Juliette s'écria : « Ça y est ! » L'enfant naissait.

Tout le temps de sa grossesse, Juliette avait vomi à peu près tout ce qu'elle avalait, donc le bébé presque rachitique avait glissé doucement dans la vie.

– Eh bien, c'est ce qu'on appelle un accouchement facile. C'est une fille, toute petite, mais pleine de vie.

Le médecin entrait en vitesse. L'enfant était déjà née.

– Dites donc, c'est une pressée, celle-là !

– Quelle est la couleur de ses cheveux ? s'informait Juliette.

– Elle n'a pas un poil sur le caillou, mais ses cils sont roux.

– Ce ne sera pas facile de reconnaître qui est le père.

– Dis-toi qu'elle n'en a pas. Quand elle grandira, tu lui en inventeras un, un merveilleux pour son bonheur.

Juliette serra le poignet de Marie.

Il y eut un moment de silence.

Une naissance, même dans les pires conditions, était toujours un grand événement pour Marie.

Comme on déposait le nourrisson sur son sein, Juliette se mit à pleurer. Un peu à cause de l'émotion et beaucoup parce que cette naissance ravivait dans son esprit toute l'horreur de la conception.

Une infirmière vint lui enlever l'enfant pour les ablutions.

Marie souleva légèrement les épaules de Juliette et lui présenta un verre de lait.

– Bois, si tu veux remplumer ta fille. La petite est belle à croquer, mais elle n'a pas de viande sur les os.

Juliette ne voulait ni boire ni manger ; une grande détresse alimentait ses pensées.

Sur l'entrefaite, Françoise Chiasson entrait, toute joyeuse.

– On dit qu'il y a du nouveau ici ?

Juliette ne parlait pas.

Marie s'exclama :

– C'est une belle fille. Une petite rousse, toute délicate aux doigts effilés.

Juliette se détendit.

– Une rousse! Comme mes frères, Mathurin et Jacques.

– Et tu vas la prénommer…?

– Marianne. Marianne Je-ne–sais-pas-qui!

Une tristesse voilait les yeux de Juliette. Puis son regard se porta vers Marie.

– Dis à maman de venir me voir.

– J'y dirai, mais elle ne voudra pas.

– Maman ne m'aime pas. Je n'ai toujours été qu'une servante pour elle. Maintenant, je me vois mal retourner là-bas avec un bébé dans les bras.

Marie sentait Juliette en plein désarroi.

– Tu ne surprendras personne. C'était difficile de ne rien voir, même si, parfois, les gens font ceux qui ne comprennent ni ne voient rien. Je t'accompagnerai à ta sortie. Essaie surtout de penser à autre chose, à ta fille.

– J'aurais tellement aimé travailler ici avec toi et gagner des sous.

– Une enfant vaut beaucoup plus que des sous. C'est hors de prix.

La Chiasson écoutait leur conversation sans intervenir. Elle se contenta de féliciter Juliette.

Le lendemain, Osite, soucieuse, se présentait au dispensaire. Françoise Chiasson l'attendait à l'extérieur. Juliette cachait son visage dans ses mains.

Osite voyait palpiter son cœur sous sa chemise de nuit. Elle chuchota pour ne pas être entendue des lits voisins.

– Tu en as fait une belle! Voilà ce que c'est que d'élever des enfants! Ça crie, ça pleure la nuit, et quand on les croit en âge de se prendre en main, qu'on a fini de les élever, bang! ça fait les pires bêtises.

– Ce n'est pas ce que vous pensez, maman. Ce n'est pas ma faute. Un salaud m'a fait ça dans la cale du bateau, en pleine nuit. Il s'est rué sur moi comme un étalon en mal de...

– Tais-toi!

Osite lui coupa net la parole. Devant ses enfants, elle avait toujours fait abstraction de la sexualité.

Juliette continua:

– J'ai crié. Vous étiez là, pourquoi n'êtes-vous pas venue à mon secours?

– Je n'ai rien entendu.

– Vous ne m'avez jamais entendue. À la maison non plus vous ne m'écoutiez pas. Je n'étais bonne qu'à travailler. Vous ne m'avez jamais aimée.

– Je t'aimais comme tous mes autres. L'aînée est obligée envers ses parents.

– Vous permettiez tout aux plus jeunes. Moi, maman, tout ce que je voulais, c'était d'être égale aux autres.

Osite regardait tout autour, mal à l'aise.

– Tais-toi, je t'en prie!

Mais Juliette continuait:

– J'ai une enfant et je ne sais pas quoi en faire. Avec tous les petits orphelins de la déportation, je me demande si quelqu'un voudra se charger de ma fille.

Cette phrase rappela à Osite la naissance de Marie, quand Augustin avait voulu se débarrasser de son enfant.

– Ton honneur perdu, il n'y a pas deux solutions.

Tu vas devoir faire face aux cancans et l'élever. C'est ta propre responsabilité.

– L'avez-vous vue ?

– Je passerai la voir en sortant.

– Alors, regardez-la bien ; peut-être pourrez-vous reconnaître les traits de son père ? Moi, je ne sais pas qui il est. Je ne sais pas non plus quel nom de famille lui donner.

Sa mère baissa les yeux et s'en retourna dans le couloir blanc.

Juliette espérait tant qu'elle lui permette de donner le nom de Dugas à sa fille. Comme toujours, sa mère ne répondait pas. Elle devait avoir honte.

Juliette remonta le drap sur sa tête.

Dans la salle commune, on crut bien qu'elle pleurait.

* * *

Chaque matin, Jules se rendait au marché de la place où il s'attardait inutilement devant les étalages dans l'espoir de retrouver les deux femmes noires.

Finalement, le garçon joua de sa propre vie en se présentant à la plantation accompagné de son gros dogue qu'il tenait en laisse. Il se fit passer pour un esclave qui venait marchander une jeune fille au nom de son maître, monsieur Scofield, un nom fictif.

Après avoir examiné le chien aux mâchoires puissantes, à la façon dont on examine une vipère, le propriétaire de la plantation recula de quelques pas, en gardant le dogue à l'œil.

– Retenez votre chien.

Jules s'aperçut que l'homme craignait sa bête. Cet avantage le rassura. Il donna un peu de corde à l'animal afin que son museau frôle la jambe du maître. Il offrit deux choix : une somme considérable ou deux esclaves noirs en échange de la fille.

– Monsieur dit que c'est pour un travail de maison et que les Acadiennes ont des qualités inégalables.

– Qui est ce monsieur Scofield ?

– Un planteur de la Virginie-Occidentale.

– Donnez-moi d'abord votre argent.

– Monsieur Scofield veut d'abord voir la marchandise.

– Je lui rendrai la fille seulement quand vous reviendrez avec l'argent.

Jules laissa un peu plus de corde à son chien.

– Je ne reviendrai pas. Monsieur a dit qu'il allait me tuer si je ne lui amenais pas la fille au retour. Monsieur Scofield a promis de vous payer lui-même et il est un homme de parole.

Harrison réfléchit. Le planteur voyait dans cette affaire un coup d'argent avantageux. Après tout, cette fille ne lui avait rien coûté, il n'avait rien à perdre. Il accepta, mais il semblait éprouver une certaine suspicion. Était-ce la peur du dogue ou encore le manque de confiance envers cet envoyé?

– Maintenant, ajouta Jules, le voyage sera long et je ne veux pas risquer d'échapper la marchandise. Monsieur Scofield me tuerait.

Jules s'inquiétait. Si Magdeleine allait le reconnaître et crier son nom, son plan échouerait et tous les deux seraient punis.

Il tourna le dos et cria pour être bien compris de Magdeleine:

– Pour la livraison, attachez la fille solidement, les mains au dos.

Jules tirait désespérément sur la laisse pour retenir le dogue qui, tout excité, reconnaissait Magdeleine.

Cette dernière gardait la tête basse. Quand elle leva les yeux, elle reconnut Jules et lui lança un regard farouche. Elle crut qu'il travaillait réellement contre elle.

À la sortie de la plantation, Jules détacha les liens de Magdeleine.

– Toute cette mise en scène n'était qu'une ruse pour te tirer de là.

La jeune fille respirait d'aise. Elle n'en finissait plus de remercier Jules.

* * *

Ce fut une Magdeleine plus morte que vivante qui se présenta au dispensaire. Sa peau était brûlée et sa chair à vif révélait une infection sérieuse.

– Magdeleine! Enfin! Mais qu'est-ce qui t'arrive?

Magdeleine se jeta dans les bras de Marie, et recula brusquement au contact de ses brûlures.

– Ayoye! Là-bas, je ne me faisais pas au soleil, je m'évanouissais.

– Et tes maîtres te gardaient aux champs?

– Ils disaient: «Faites-la boire et qu'elle reprenne son travail.»

– Comment peut-on en arriver là?

Magdeleine raconta son aventure:

– Je me suis fait avoir. Les Harrison m'ont affectée aux champs, sans me laisser le choix de refuser. C'est un miracle que j'aie pu leur échapper. Jules en a tout le mérite. Il a inventé un tas de mensonges pour me tirer de là. Il a même été jusqu'à me marchander en échange de deux esclaves noirs.

– Celui-là, quand il s'entête…

– Je suis contente que Jules m'ait tirée de ce bourbier, mais j'ai honte de partir et d'abandonner nos petits Acadiens. Si tu les voyais! C'est triste à mourir. La plupart, pas plus haut que trois pommes, travaillent sans relâche, sous la domination d'un maître. On les mène au fouet comme les esclaves noirs. Ils n'en font jamais assez. Je me demande s'ils gardent espoir de s'échapper un jour. Je n'avais pas la permission de leur parler, pas même aux repas, nous devions manger en silence. Par contre, le maître ne pouvait pas nous empêcher d'échanger des regards. Et maintenant, qu'est-ce que je dirai à leurs parents ? Je ne pourrai pas leur rapporter la vérité crue, ils en mourraient.

Marie demanda à Magdeleine de patienter un peu.

Elle frappa au bureau du docteur Carl Borden, le médecin en chef.

– Si vous avez besoin d'une aide à tout faire, ma cousine Magdeleine aimerait bien travailler ici. Nous pourrions toutes les deux partager la même chambre. Elle serait prête à travailler pour le prix de sa nourriture et de sa pension, comme elle le faisait à la plantation où le soleil la tuait.

C'était défendu de parler de déportation sous peine de mort. Toutefois, Marie n'en faisait qu'à sa tête. Elle savait le médecin humain. Peut-être toucherait-elle son cœur ? Elle osa :

– Le jour de la déportation, les hommes et les femmes ont été séparés et les familles brisées. Toutes deux, nous avons perdu nos fiancés et depuis nous avons juré de ne plus nous quitter. Si vous aviez une tâche pour elle, je vous en serais reconnaissante. Ma cousine attend dans la pièce d'à côté.

– Faites-la entrer.

Le médecin regarda la jeune fille avec compassion. Sa peau était rouge comme un homard. Le moindre recoin de chair était brûlé par le soleil de Virginie.

– Vous avez attrapé une bonne insolation.

– Pardon ?

– C'est une fièvre causée par le soleil. Je vais vous donner une crème à appliquer sur les chairs brûlées. Buvez beaucoup d'eau. Maintenant, dites-moi ce que vous savez faire.

– Tout faire : nourriture, entretien, couture, sauf les soins aux malades.

– Repassez me voir demain.

Magdeleine osa ajouter :

– Me permettez-vous de rester ici et de coucher dans la chambre de Marie ? Si je me fais prendre dans le coin, on me retournera à la plantation et on ne me laissera plus en sortir.

– Attendez-moi un moment.

L'homme revint suivi d'une infirmière toute de blanc vêtue.

– Mademoiselle se dit prête à exécuter différentes fonctions. Si vous pouviez lui trouver une tâche à la mesure de ses capacités et lui trouver un uniforme convenable.

L'infirmière conduisit les filles au poste de garde et s'adressa à Magdeleine.

– Si le travail vous convient, vous serez affectée à la désinfection des chambres et des lits. Au début, une responsable vous expliquera en quoi consiste exactement votre tâche. Vous commencerez votre travail jeudi seulement. Le médecin exige que vous preniez d'abord trois jours de repos pour vous remettre de votre insolation. Vous recevrez les mêmes honoraires que mademoiselle Labasque.

Magdeleine attendit le départ de l'infirmière pour sauter au cou de Marie.

– Ayoye!

Encore une fois, elle devait retenir ses épanchements. Sa peau était si sensible qu'elle en avait du mal à supporter ses vêtements.

– Je n'y crois pas. C'est trois fois notre salaire de bonne.

– Avec tout cet argent, nous pourrons partir plus tôt que prévu, ce qui veut dire dans environ quatre mois.

– Ce soir, nous irons chercher mes vêtements et mon argent chez les Harrison.

– Ma foi, tu es folle! Les Harrison pourraient te reprendre de force. Tu t'achèteras des souliers neufs. J'ai un petit peu d'argent qui pourra te servir. Tu me le remettras plus tard parce que ma Flavie aussi est dans le besoin. Elle est toute déguenillée.

– Tu es en train de te ruiner pour les autres.

* * *

Marie et Magdeleine se rendaient à pied au quai. En chemin, elles décidèrent de cacher une partie de la vérité aux parents des petits esclaves. Toutefois, les mères n'étaient pas aveugles; elles n'auraient qu'à regarder Magdeleine, le corps rempli de gales provoquées par les pustules de l'insolation, pour avoir une idée de la vie insupportable que subissaient leurs fils.

Magdeleine parlait le moins possible. Les mères s'accrochaient désespérément à elle et chaque fois, sans mentir, la jeune fille cachait une partie de la vérité pour calmer leurs inquiétudes.

Marie montra sa dernière trouvaille aux demoiselles Arseneau.

– Peut-être pourriez-vous tailler une robe à Flavie dans ce vieux pantalon? Vous voyez, en prenant les meilleurs morceaux,

Albertine tâtait le tissu râpé.

– Ici, la toile est un peu usée, mais c'est beaucoup mieux que sa robe en lambeaux.

– Par les soirs tranquilles, je pourrai défaire les coutures.

La veuve Hugon, témoin de l'affaire, trouvait à redire.

– Vous n'allez pas couper un vêtement qui, une fois raccommodé, pourrait servir à nos hommes? On voit déjà leur troufignon par les trous de leur pantalon.

Étienne d'Entremont mit un doigt dans la déchirure de son pantalon pour confirmer les dires. Ce pantalon était beaucoup plus attrayant que leurs guenilles trouées qui s'ouvraient à l'air.

– Ici, ajouta la veuve Hugon, on doit d'abord penser au bien de la communauté.

– Je sais, mais ma Flavie fait aussi partie de cette communauté. Ce vêtement est à moi. On me l'a donné. Ma fille a besoin d'une robe.

Comme une tigresse, Marie serrait le vêtement. Edmond Richard le lui arracha des mains.

Le ton montait. Osite intervint :

– Laissez donc, madame Hugon, Marie a raison.

Le vêtement voletait de mains en mains.

À la fin, Osite cria :

– Ça suffit ! On va bien voir si vous allez vous entretuer pour une guenille qui ne vaut pas le sou. Donnez-moi ça immédiatement, dit-elle en tendant la main.

Osite rendit le vêtement à Marie qui le remit à Albertine. Celle-ci lui proposa :

– Si tu ramassais tous les bouts de corde possible, je tricoterais un caleçon à la petite.

XVII

Les coureurs de bois apprirent au huguenot que des Le Blanc se trouvaient à Saint-Pierre-du-Portage, une paroisse du Québec où les Sulpiciens octroyaient des terres aux Acadiens. Ils disaient aussi que plusieurs groupes de déportés avaient essaimé vers le sud.

Le huguenot courut aux trois maisons porter l'heureuse nouvelle aux exilés.

– La Louisiane ouvre son territoire aux Acadiens des quatre coins du monde. Là-bas, leur nombre s'étend au point qu'ils sont en train de former une nouvelle Acadie. Le gouverneur Kerlerec de Bâton Rouge distribue des terres et procure des semences, des outils et des provisions aux nouveaux arrivants.

Cette nouvelle incroyable surprenait tout le monde.

Un appel au loin arrivait comme une lumière dans la nuit.

Mais comme le fait n'était pas confirmé par les journaux, les plus âgés se méfiaient de ce colportage de coureurs de bois. Ces aînés se montraient plus méfiants devant les informations puisqu'ils avaient été désillusionnés maintes fois par des promesses non respectées.

De toute façon, les autorités défendaient aux proscrits de quitter la Virginie. En plus, c'était impensable pour eux d'abandonner leurs enfants aux plantations.

Peu de temps après, comme par miracle, le gouverneur autorisa tous les proscrits à quitter la Virginie.

Les Acadiens étaient fous de joie. Même s'ils n'avaient rien, ils avaient tout, surtout la liberté pour leurs enfants esclaves. Ils parlaient gaiement, comme s'ils arrivaient au bout de leurs peines.

* * *

Sur le quai, personne ne voulait transporter le coffre des demoiselles Arseneau aux trois maisons à cause de son poids excessif.

– Videz-le, ordonna Jules Le Blanc, et nous répartirons le poids entre nous.

Bernadette et Albertine refusèrent net. Elles mourraient avant d'ouvrir leur malle.

– Qu'est-ce que cette caisse peut bien contenir de si précieux ? s'informa Jules.

– C'est la caisse qui est lourde, pas son contenu répondit Bernadette.

– Ouvrez-la.

– Non.

– D'abord, qu'on la dépose dans la charrette !

Albertine, Bernadette et la petite Flavie suivirent à pied jusqu'aux trois maisons.

Des employés municipaux, déjà sur les lieux, distribuaient du pain, de la mélasse, du porc, du riz et du maïs.

Jules Le Blanc courut au dispensaire avertir Magdeleine Dugas que son Joseph pouvait se trouver au Portage.

Magdeleine s'affaissa sur une chaise, incapable de prononcer une parole. Jules la secouait. Elle le regardait, l'air béat.

– Viens, Magdeleine. Tous les nôtres sont attendus aux trois maisons. Va chercher Marie.

Magdeleine, comme mue par un ressort, courut au bureau du médecin. Sur son passage, elle bouscula inconsciemment une infirmière. Elle frappa trois coups et, sans attendre une réponse, sans respect pour le malade qui discutait avec le docteur, elle se jeta dans les bras de Marie, incapable de parler tant l'émotion contractait sa gorge. Marie, surprise de cette intrusion soudaine, recula d'un pas et vit des larmes rouler sur les joues de Magdeleine. Elle poussa vivement sa cousine vers l'extérieur et referma derrière elles.

– Qu'est-ce qui se passe qui te bouleverse tant?

Le souffle coupé, Magdeleine répondit en phrases hachées:

– Le gouverneur oblige tous les nôtres à quitter le territoire. Je pars à la recherche de mon Joseph. Viens vite. Tous les Acadiens sont invités à se rendre aux trois maisons. On dit que là-bas, de bonnes nouvelles nous attendent.

Marie, incrédule, regardait sa cousine avec pitié. Celle-ci allait encore une fois se désillusionner.

– Je n'en crois rien, mais je t'accompagne quand même. Je vais d'abord demander au médecin la permission de quitter mon poste.

– Pas la permission, Marie. Tu donnes ta démission et tu lui dis que tu ne reviendras plus. Grouille !

– Pas si vite Magdeleine. Calme-toi un peu.

– Tu verras bien que j'ai raison. Tous les Acadiens sont obligés de quitter la Virginie, y compris nos petits esclaves. C'est un ordre du gouverneur.

– Je ne crois plus rien de ce qui vient du gouverneur, des Anglais et tout leur tralala.

Marie saisit la main de Magdeleine. Elle marchait tellement vite que celle-ci avait peine à la suivre. Si Marie refusait aussi catégoriquement de donner raison à Magdeleine, quelle fougue la menait tant ? Peut-être ses longues jambes lui donnaient-elles une longueur d'avance sur sa cousine ?

Le soleil plombait. Pas un souffle de vent n'agitait les arbres. Toutefois, dans l'euphorie de retrouver la trace de leur fiancé, les filles ne sentaient plus la chaleur les accabler.

Sur la rue, les proscrits arrachaient des avis placardés dans les endroits publics et les apportaient comme preuve de leur liberté. Les affiches en mains, ils couraient chercher les enfants aux plantations de coton. Maintenant qu'ils étaient libres, plus rien ne pouvait les arrêter.

Comme l'interdiction de séjour visait tout le peuple acadien, les jeunes garçons furent aussitôt relâchés des plantations.

Dans la cour des trois maisons régnait une agitation inhabituelle. Les mères fébriles attendirent pendant des heures interminables le retour des hommes et de leurs fils chassés des champs. À chaque minute, des gens arrivaient par tous les sentiers.

Les jeunes esclaves amaigris et à demi nus approchaient lentement, silencieux, tels des condamnés, comme à Grand-Pré, le jour de la déportation. Deux adolescents soutenaient un garçon qui ne tenait plus sur ses jambes. Plusieurs avaient perdu la parole. Des mères, effrayées de leur mine, figeaient sur le chemin. D'autres couraient au-devant et se jetaient dans leurs bras en pleurant. Qu'est-ce qu'on avait fait à leurs petits pour qu'ils soient à ce point méconnaissables ?

Les parents tentaient de faire raconter à leurs fils ce qui s'était passé dans les plantations, mais chaque fois, les petits s'enfermaient dans un mutisme obstiné. Il n'existe rien comme le malheur pour rendre les enfants muets.

On les fit s'allonger sur l'herbe et on déposa près d'eux des plateaux de nourriture. Les mères s'évertuaient à ramener l'espoir chez leurs garçons qui n'étaient en fait que des gamins. Elles répétaient sans cesse pour bien leur ancrer les mots dans la tête : « C'est fini, nous sommes tous libres. »

Il y eut des effusions de cœur et des pleurs de soulagement.

***

Le huguenot attendait que le rassemblement soit complet pour dévoiler les noms et les lieux où se trouvaient certaines familles.

– D'après un coureur de bois, des centaines d'Acadiens forment une nouvelle colonie en Louisiane. D'autres, dont les Bourgeois, Fontaine, Robichaud, sont installés au Portage où les Sulpiciens distribuent des terres. On dit même qu'un Le Blanc a retrouvé son frère, par pur hasard, au Portage sur le perron de l'église.

– Le Portage, le Portage! répétait Magdeleine qui, tout excitée, frappait des mains. Je pars retrouver mon Joseph.

Marie, attendrie et rêveuse, sourit tristement. Elle se doutait bien qu'un jour ou l'autre, sa cousine allait partir. Sa vie n'était que séparations.

– Je suis bien contente pour toi et tous les autres qui vont retrouver leurs familles. Tant qu'à moi, je n'espère plus rien.

– Si mon Joseph est au Portage, c'est que le *Pembroke* n'a pas coulé et que ton Nicolas aussi est vivant.

– Et si ton Joseph n'était pas au Portage? Des Le Blanc, ils n'y en avait pas moins de cent à Grand-Pré.

– Mon Joseph est en vie, je le sens.

Marie était distraite par des prières venant de l'intérieur.

– Qu'est-ce qui se passe en dedans ? Allons voir.

Un vieil homme gisait, étendu sur un grabat. Marie murmura :

– C'est le patriarche, monsieur Thibodeau, celui qui récite chaque soir le chapelet. Il a l'air très mal en point.

La Chiasson chassa les filles. Ces jeunes, à l'âge des amours, de la fécondation, de la vie, avaient côtoyé la mort trop souvent pour en rajouter à leur malheur.

– N'approchez pas. Sortez d'ici.

Marie recula de quelques pas. Elle avait déjà été témoin d'autres agonies, mais aucune ne lui avait paru si poignante. Elle aurait voulu endormir les souffrances du moribond en lui faisant fumer du chanvre indien, mais avec les blessures répétées, les provisions de chanvre étaient épuisées.

On chuchotait à côté :

– Voyez comme il est enflé. Et cette fièvre qui persiste !

La vie du vieil homme s'en allait goutte à goutte.

Une femme souleva sa tête et approcha un gobelet de ses lèvres,

– Essayez de boire un peu.

Le moribond ne réagissait pas. La Chiasson approcha :

– Vous n'allez pas le forcer à boire ? Des plans pour qu'il s'étouffe.

Soudain, à l'article de la mort, l'homme eut un regain de vie. Il ouvrit les yeux et se mit à parler :

– Je suis arrivé à ma fin. Laissez-moi ici et continuez votre chemin. Vous m'enterrerez au fond de la cour. Si jamais vous voyez mes enfants, embrassez-les pour moi et dites-leur que je ne les ai pas oubliés, que je n'ai pas cessé de les chercher. Dites-leur aussi que je leur souhaite une belle vie et que, de là-haut, je les bénis tous.

L'homme demanda un crucifix et l'embrassa. Épuisé, le vieux Thibodeau murmura quelques paroles inaudibles et rendit l'âme.

* * *

Les exilés se séparèrent en deux groupes.

Ils seraient soixante à se diriger vers le Canada, et plus de cent trente vers la Louisiane où flottait le drapeau français.

L'espoir éclairait enfin les visages.

Les Acadiens réunirent leurs maigres économies. Le groupe qui partirait pour la Louisiane se construisit quatre embarcations grossières.

Les exilés qui se dirigeraient vers le Canada s'accroupirent et fabriquèrent deux charrettes jumelles à partir de jeunes arbres et un canot d'écorce, en cas de besoin. Les charretons à deux roues ressemblaient à des tombereaux. Deux hommes s'occupèrent d'acheter des bœufs. Ils iraient à pied à travers bois et forêts. Le voyage serait long, des années de marche, mais personne n'hésitait.

* * *

Le départ était prévu pour le lendemain. Le soir, on fêterait jusque tard dans la nuit. Tous seraient de la fête, du centenaire jusqu'au dernier-né.

Pendant que les hommes préparaient les gréements, les femmes chauffaient l'eau pour le thé. Jeunes et vieux chantaient, sautillaient et s'alimentaient de pain et de porc pour soutenir leurs forces.

L'amour frappait, comme la foudre. Il jetait ses poignées de semailles chez les enfants chéris des Acadiens. En ce soir béni, Bérénice Doucet et Philippe Maillard découvrirent qu'ils étaient amoureux.

Marie les voyait bien se regarder dans les yeux. Les tourtereaux restaient assis des heures durant, les doigts entrelacés, sans se parler, comme s'ils s'aimaient mieux en silence. Bérénice semblait avoir oublié son amoureux, Jacques Dugas. Ses sentiments pour Jacques ne devaient pas être très profonds, ou encore, Philippe Maillard n'était qu'une passade, tout au plus.

Les Maillard allaient vers le Québec et les Doucet vers la Louisiane. Marie était curieuse de voir comment se terminerait ce coup de foudre. Cette idylle naïve et tendre ravivait ses propres sentiments pour Nicolas et l'inquiétude de ne jamais revoir son fiancé lui crevait le cœur.

* * *

Au petit matin, alors que les exilés préparaient leur départ, Bérénice, toute joyeuse, annonça à sa mère :

– Philippe et moi allons nous marier. Nous partons ensemble vers le nord.

En entendant ces mots, Osite resta bouche bée. La garce dédaignait son Jacques au profil de Philippe Maillard. Son fils Jacques devait entretenir des sentiments amoureux pour Bérénice et celle-ci parlait d'unir sa destinée au jeune Maillard. Son cœur de mère se serrait en pensant à la peine que Jacques subirait en apprenant la nouvelle. Osite eut recours à Marie :

– Bérénice est ton amie. Tu dois avoir une certaine influence sur elle. Essaie de lui faire entendre raison. Dis-lui qu'elle est en train de faire une folie, que Jacques l'attend quelque part et qu'il va souffrir de son rejet.

– Et si Bérénice préfère Philippe ? Si elle l'aime d'amour ?

– Il faut empêcher ça.

– Pourquoi, si elle n'a rien promis à Jacques et si Philippe est sa raison de vivre ?

La blessure d'Osite se changeait en rancœur.

Elle serra les lèvres et détourna son regard, le cœur brisé.

***

Madame Doucet était la deuxième épouse de Jean Doucet et par le fait même, la belle-mère de Bérénice. Elle s'opposait carrément à cette union.

– Il n'en est aucunement question. Tu viendras en Louisiane avec moi et qu'on n'en parle plus ! Tu te marieras là-bas. Peut-être serons-nous en mesure de t'aider ?

– Il ne faut pas tant de façons pour se marier.

Bérénice tremblait d'inquiétude. Si sa mère refusait, allait-on lui interdire les charrettes qui monteraient vers le nord ?

– Vous n'avez pas à me dire quoi faire. Vous n'êtes pas ma mère.

Suite à ce propos irrespectueux envers l'autorité, on entendit des murmures de mécontentement se propager rapidement parmi les témoins. Osite était de ceux-là. Elle en voulait mortellement à Bérénice de dédaigner son Jacques.

Philippe ajouta vivement :

– Pourquoi Bérénice ne viendrait pas au Québec avec moi ? Elle a l'âge de décider de sa vie.

– Choisir de se séparer de sa famille ? Son père ne me le pardonnerait pas.

– Je l'aime et c'est sérieux. Comme c'est là, vous ne trouvez pas qu'il y a assez de couples séparés par l'exil ? Il me semble que vous êtes bien placée pour le savoir.

Madame Doucet fit mine d'ignorer la réplique impertinente du garçon.

– C'est un coup de tête. Ce serait une folie, Bérénice. Ton père m'en voudrait pour le restant de ses jours.

– C'est mon avenir qui est en cause et c'est à moi de décider.

– Si c'est comme ça, reprit Philippe, c'est moi qui partirai vers le sud.

Ce fut au tour de madame Maillard, la mère de Philippe, de s'opposer.

– C'est à la femme de suivre son mari.

La discussion soulevait une vive controverse. Le ton montait, la conversation s'échauffait et tout le monde s'en mêlait. On se mit à crier pour mieux se faire entendre, comme si la voix la plus forte était celle qui avait raison.

La mère de Philippe éclata en pleurs. Le groupe au complet se sentait concerné. Mais comment trancher la question avec la manière de voir différente de chacun et décider qui a raison, qui a tort. Il fallait avant tout empêcher que la discorde s'installe et divise le groupe.

Le huguenot s'avança et suggéra :

– Que diriez-vous d'un vote à main levée ?

– Un vote, rétorqua Philippe, abasourdi par l'intervention du huguenot, un vote pour décider de nos choix de vie. Je n'ai jamais vu pareille affaire !

– Il faut bien en finir. Ce conflit est une affaire de famille et depuis la déportation, tout le groupe n'est-il pas devenu une grande famille ? Chacun choisira en conscience la meilleure solution, comme s'il s'agissait de sa propre destinée.

Un vieillard aux cheveux blancs proposa un vote secret pour qu'il n'y ait entre les gens aucun blâme qui puisse nuire à la bonne entente. Le oui serait en faveur des amoureux et le non serait contre. Ceux qui ne savent pas écrire signeraient d'une croix. Ce serait ça, sinon les jeunes attendraient jusqu'à leur majorité pour convoler.

La proposition fut acceptée d'emblée.

Bérénice et Philippe se retirèrent à l'extérieur. Assis sur l'herbe, ils échangèrent un long baiser. Puis Philippe glissa à l'oreille de sa bien-aimée :

– Si le non l'emporte, nous suivrons le groupe à distance. Ils finiront bien par nous accepter.

Sans hésiter une seconde, Marie signa oui et tous les Dugas, par sympathie pour Jacques, signèrent non. Les votes comptés, on invita le jeune couple à entrer.

Philippe tenait la main tremblante de Bérénice.

Alors, le huguenot s'éclaircit la voix et parla.

– Sur cent quatre-vingt-dix votes, cent soixante-huit sont pour et vingt-deux contre. Maintenant, ce sera à Bérénice et à Philippe de décider de la direction à prendre.

La belle-mère de Bérénice se dit soulagée que la décision vienne du groupe. Ainsi, le blâme de son homme ne retomberait pas uniquement sur ses épaules.

Les amoureux se sentaient emportés, exaltés.

Des applaudissements retentirent. Edmond Richard siffla un long trait.

Philippe s'avança.

– Avant tout, je tiens à demander la main de Bérénice à tout le groupe qui est devenu notre famille et, avant notre départ, nous aimerions fêter notre mariage avec vous.

Le groupe approuva l'initiative. Seuls Osite et ses enfants restaient en dehors de cette joie collective. Ils ne pouvaient retenir l'expression du dédain que Bérénice leur inspirait. Elle qui, autrefois, semblait follement amoureuse de Jacques. Peut-être avait-elle perdu l'espoir de le retrouver un jour? Peut-être ne voulait-elle pas attendre indéfiniment pour élever une famille? Tant de questions sans réponses trottaient dans la tête d'Osite.

Bérénice, au comble de l'émotion, pleurait de joie. Toutefois, son bonheur n'était pas total. Même si elle et Jacques n'avaient jamais échangé de sentiments sérieux, elle se sentait coupable de trahison aux yeux des Dugas.

Dans ce groupe compact où on se marchait sur les pieds, Bérénice devait se soustraire aux regards menaçants de madame Dugas. Celle-ci, juste à son œil gris chargé de reproches, ne manquait pas une occasion de lui rappeler sa déloyauté. Bérénice eut l'idée de lui parler à l'écart des autres afin de dissiper ce désaccord, mais qu'aurait-elle eu à dire? Qu'elle préférait Philippe à Jacques Dugas? Ce serait de jeter de l'huile sur le feu.

On embrassait les fiancés.

Osite laissa sa hargne de côté. Elle n'allait pas s'entêter à nourrir des rancunes bonnes juste à aigrir et à ronger le cœur, comme un chancre.

Marie s'en fut retrouver Albertine.

– Avec votre permission, je prêterais ma robe de mariée à Bérénice.

– Fais comme bon te semble. Si cette robe peut en rendre plus d'une heureuse, tant mieux.

Son tour venu d'embrasser Bérénice, Marie lui souffla à l'oreille :

– Pour l'occasion, je peux te prêter ma robe de mariée.

– Ta robe de mariée ? Ce serait un vrai sacrilège. Tu ne l'as même pas étrennée.

– Si ça peut te faire plaisir. Comme ça, je serai certaine qu'elle servira au moins une fois. Et qui sait si ma robe ne prendra pas goût aux mariages ?

Bérénice lui sauta au cou. Elle s'imaginait déjà en grand apparat devant Philippe. Elle accepta l'offre de bon gré.

Il ne restait que peu de temps avant le grand départ. Philippe tira la main de sa promise et l'aida à transporter ses effets dans la charrette qui devait les conduire vers le nord.

On profita de l'absence des amoureux pour dresser un petit autel au fond de la cour des trois maisons, une planche posée sur deux souches. En l'absence de prêtre, on célébrerait une messe blanche, sans consécration. Philippe et Bérénice échangeraient leur consentement devant témoins et dès qu'ils rencontreraient un prêtre, ils feraient valider et bénir leur union.

– Allez, disait Bernadette aux jeunes, ramassez tout ce que vous pourrez de fleurs.

Les jeunes filles s'éparpillèrent de tous côtés pour une cueillette de fleurs sans culture qui poussaient parmi les fardoches et sur le bord du fossé. Au retour, elles piquèrent dans le sol deux rangées de fleurs sauvages de manière à former un sentier qui conduirait le cortège à partir des trois maisons jusqu'au fond de la cour à un autel rudimentaire.

Pendant ce temps, les hommes sortirent la table sous les arbres. On mangerait dans la cour. Les enfants ramassaient du bois en prévision d'un grand feu.

Mademoiselle Albertine ne supportait pas l'idée de mourir fille. Toujours en attente d'un amoureux, elle pleurait, cachée derrière un arbre, sa déception de ne pas être aimée. Non loin, Osite entendit ses pleurs. Elle s'approcha des reniflements et appliqua des tapes amicales sur l'épaule de la pauvre oubliée.

– Venez, ce n'est pas le temps de chialer; ce serait faire insulte aux mariés. Venez chanter pour égayer ce mariage sans prêtre et sans église.

– Est-ce qu'on chante pour moi, sans mari et sans amour?

–Tut, tut! Ici, combien parmi nous ont le privilège d'avoir un mari? Nous sommes toutes des veuves de la déportation. Venez, demain nous jaserons de tout ça.

– Jaser, jaser! Ça changera quoi?

– Absolument rien . Venez !

Devant les trois masures, Bérénice apparut dans une superbe robe de mousseline blanche à col haut, à poignets brodés et aux bords festonnés. Une mantille, surmontée d'une couronne de fleurs, dissimulait à demi ses cheveux noirs qui tombaient sur ses épaules.

On entendit, venus de tous les côtés, des « oh ! » et des « ah ! ». Bernadette reçut mille félicitations pour son travail délicat.

Marie, attendrie, regardait Bérénice les yeux humides. Est-ce qu'un jour, au bras de Nicolas, elle-même porterait cette magnifique robe ?

Des badauds attroupés s'attardaient à regarder le spectacle de la rue. Parmi eux, un vieil homme se distinguait des autres par son habit blanc et sa longue barbe blanche aussi. Il portait un chapeau de paille jaune à bord rond et à fond plat, penché sur une oreille.

À la vue de la mariée, des hourras et des applaudissements retentirent dans tout le voisinage. Parmi les curieux, quelques garnements sifflaient.

Philippe passa l'anneau au doigt de Bérénice, un petit anneau d'écorce enlevé à une branche d'arbre. Puis le nouveau patriarche appela la bénédiction de Dieu sur les mariés.

La cérémonie terminée, l'homme en habit blanc et au petit canotier de paille se détacha du groupe de curieux et s'avança vers les mariés. Il parlait français.

– Comme vous êtes beaux ! dit-il. Toute cette jeunesse, ça ne me rajeunit pas.

Bérénice sourit.

– Qui êtes-vous ?

– Quelqu'un d'ici. Dans mon dos, on m'appelle dédaigneusement l'immigré. Au travail, tout le monde me fuyait. Les employés se réunissaient, fêtaient. Moi, je n'étais jamais invité à me joindre à eux.

– Mais pourquoi ?

– Quand tu es patron et de surcroît français, tu fais partie d'un autre clan. Et si tu réussis et ramasses des sous, les autres sont jaloux.

– De là à vous dédaigner, il y a une marge. Si je vous disais qu'ici, en Virginie, on nous considère aussi comme des pestiférés. Là-bas, en Acadie, nous vivions à l'aise sur nos terres, tandis qu'ici, nous vivons pauvrement, comme des mendiants. Mais vous voyez, la pauvreté ne m'empêche pas d'être heureuse. Aujourd'hui, je ne veux pas m'attrister. C'est le plus beau jour de ma vie.

Le vieillard racontait et ajoutait au besoin des petits détails émouvants ou ridicules de sa vie. Sa voix était savoureuse, pleine d'inattendu. Bérénice se défendait bien de l'interrompre, elle ne se lassait pas de l'écouter.

– Regardez l'arc-en-ciel, c'est l'étendard du bon Dieu. Il a le reflet de toutes les couleurs du bonheur. Il est porteur de chance et de liberté.

Philippe le serra dans ses bras et l'ajouta aux convives. Les larmes aux yeux, l'homme riait. Il se sentait un des leurs. Il avala sans parler et mangea avec plaisir jusqu'au bout du repas.

Les jeunes frappaient à coups de fourchettes sur un vieux chaudron qui émettait des sons enroués.

Edmond Richard criait aux couples :

– Formez la chaîne !

Quel joyeux tintamarre ! Avec les chansons à répondre, la danse et les cris joyeux des enfants qui folâtraient comme des poussins, le temps filait.

Le vieil homme serra les mains et s'en retourna chez lui.

Osite alluma un tas de bois vert qui se mit à flamber comme un feu de paille.

À minuit, les nouveaux mariés quittèrent la noce en douce pour se retrouver seuls sous la tente où ils s'aimèrent aux sons des refrains patriotiques.

Malgré leur absence, la fête continua jusqu'au petit matin.

Le départ fut remis au jour suivant. Le lendemain, les Acadiens reprendraient le sommeil perdu en dormant, qui dans les baraques, qui dans la nature.

Bernadette servit quelques restes : du pain, des racines, des noix, des oranges et des pamplemousses. On ne devait rien perdre.

À l'aurore, il ne restait plus que les tisons qui achevaient de s'éteindre comme les étoiles dans le ciel et quelques marmots endormis ici et là sur le sol.

XVIII

Les exilés formaient une grande famille qui allait bientôt se scinder en deux.

On nomma Landry commandant de la grande expédition du sud.

Marie et Magdeleine, leurs besaces décolorées en bandoulière et les bagages à leurs pieds, se tenaient à trente coudées de la façade délabrée des trois maisons. Elles attendaient les retardataires qui ne se décidaient plus à se séparer. Seuls des sanglots étouffés brisaient le silence.

Ces exilés, en dépit des séparations répétées, ne savaient pas encore encaisser les coups sans être ébranlés. Depuis des années, ces gens vivaient tous au même rythme. Ils avaient prié, chanté et souffert ensemble, maintenant, le moment de la séparation venu, ils pleuraient ensemble.

Malgré tout, une hâte fébrile s'emparait des exilés. La promesse d'une vie libre et heureuse les animait.

Lentement, la colonne d'exilés s'ébranla vers la rive.

Sur le quai, les hommes, responsables des préparatifs, charriaient des bidons d'eau sur les embarcations grossières et sur les charrettes construites de leurs mains. Les mères regroupaient et comptaient leurs enfants. Flavie n'acceptait pas de se séparer du chien qui la suivait au pas. Les bras accrochés au cou de la bête, elle piquait sa crise. Jules lui abandonna le dogue.

– J'en trouverai bien un autre, il en traîne partout.

Bérénice poussait son mari du coude.

– Regarde qui est là, le monsieur en blanc. Il semble nous chercher des yeux.

Le vieil homme venait vers eux. Il fouilla dans sa besace et sortit une liasse d'argent.

– Acceptez ce petit cadeau de mariage. Vous en aurez besoin, et qu'il vous apporte le bonheur !

Bérénice regarda autour d'elle, indécise comme une enfant qui ne sait pas encore prendre ses décisions seule.

Tout ce que les exilés possédaient était mis en commun. Ce cadeau était donc l'affaire de tous.

Philippe prit le rouleau recouvert d'un petit papier où étaient notés le nom et l'adresse du bienfaiteur. Il fit le compte, cent dollars, un compte rond, sans fraction.

Philippe écarquilla les yeux.

– C'est trop, beaucoup trop. Nous n'avons rien fait pour mériter tout cet argent. Mais comme nous avons mangé nos derniers sous, nous acceptons de bon gré votre générosité.

– Ma vie s'achève et je n'ai pas de famille. Une fois rendus au bout de votre chemin, écrivez-moi pour me donner de vos nouvelles ainsi que votre adresse.

Bérénice promit, même si le voyage promettait d'être long. Elle embrassa le vieil homme et le remercia au nom de tous.

– Vous êtes trop bon! Le bon Dieu vous le rendra. Cet argent servira à tout le groupe. Il nous permettra de manger. Vous n'êtes pas un homme comme les autres. Vous êtes sensible au malheur des Acadiens. Vous savez, depuis notre départ de Grand-Pré, rien ne nous a été épargné.

– Je sais!

Il savait quoi? Bérénice n'osait le lui demander.

– Mais vous, vous n'avez pas connu la misère. Vous avez tant d'argent.

– J'étais propriétaire d'une fonderie que j'ai vendue à cause de mon âge avancé, mais sans famille, sans amis, l'argent sert à quoi?

L'homme ajouta:

– C'était charmant, cette fête. Si mon vieil âge ne me retenait pas ici, je partirais avec vous. Nos chemins ne se croiseront plus et c'est dommage.

– Vous resterez le plus beau souvenir que nous emporterons de la Virginie.

– Je vous souhaite un bon voyage.

* * *

Magdeleine sentait des larmes mouiller ses yeux. Elle étreignait les siens et montait dans la charrette quand elle aperçut Marie qui s'approchait. Elle sauta au sol et supplia sa cousine:

– Viens donc avec nous, Marie.

– Non. Ma décision est prise. On prétend que le père de Nicolas est en Louisiane, je préfère accompagner sa femme et l'aider à retrouver les siens. Là-bas, je prendrai soin d'eux. Les Amireault sont un peu ma famille.

– Non, ta famille, c'est la mienne. C'est chez nous que tu as grandi. C'est ma mère qui t'a élevée. Tu te souviens, lui rappelait Magdeleine, du jour où nous avons juré de ne jamais nous quitter ?

– Oui, dans le temps, j'étais sincère, mais la vie en a décidé autrement. Voilà que nous allons partir dans deux directions opposées. Tu vas beaucoup me manquer.

Magdeleine tomba dans les bras de Marie en pleurant. Celle-ci insistait :

– Ta mère accepte ton choix ?

– Maman préfère me garder à ses côtés, mais il n'existe plus ni mère ni sœur quand le cœur est épris d'un amour comme le mien.

– La séparation sera douloureuse pour ta mère. Reste donc.

– Non, je ne peux pas. Mon Joseph m'attend aux environs du Portage.

– Vous me quittez toutes, toi, Bérénice et les autres.

Les mots sortaient étouffés de la bouche de Marie.

– On ne se reverra jamais, je le sens.

– Tu nous écriras. C'est le seul moyen possible pour ne pas s'oublier.

– Comment le faire, sans lieu fixe ?

Magdeleine essuya ses yeux puis réfléchit un moment.

– Nous pourrions adresser nos lettres aux curés des paroisses qui se chargeraient de nous les rendre.

Sur ce, les filles s'embrassèrent une dernière fois.

– Il faut partir cria un vieillard. N'entendez-vous pas l'alouette?

L'alouette fredonnait, assise sur son nid. Cet humble oiseau pauvrement vêtu, mais si riche de chant, nichait à terre, sans autre abri que le sillon.

– On dit que l'alouette est la fille du jour qui porte au ciel son hymne de joie. Elle chante, sans égards aux races, aux circonstances, aux pauvres. Ce matin, elle chante pour nous.

* * *

Marie, peinée de se séparer des siens, monta dans la première barque. Suivaient les demoiselles Arseneau qui prirent place à l'avant.

Les deux femmes avaient décidé de suivre Marie en Louisiane. N'était-elle pas tout ce qui leur restait d'attache? Et puis elles désiraient être à ses côtés dans le but de s'occuper de Flavie.

Suivaient madame Amireault et les vieillards aidés d'Edmond Richard qui sifflait sans cesse son même refrain. Puis il y avait les autres, les enfants et le chien.

Ils furent bientôt près de quarante à embarquer sur chacun de ces rafiots de l'espoir fabriqués de simples planches de bois liées à des plaques de mousse et, en guise de toit, d'une bâche posée sur une armature de bambou. Les embarcations étaient si fragiles qu'on avait dû colmater les brèches et les interstices pour empêcher l'eau de s'infiltrer à l'intérieur.

Avant de quitter le quai, tout le monde, les bras en l'air, saluait le vieil homme en blanc qui s'attardait sur la rive. Impatiente de partir, Marie se retourna. Bérénice et Philippe couraient vers sa barque. Philippe tenait Bérénice d'une main et de l'autre, un sac qui contenait leurs effets.

Marie n'en croyait pas ses yeux. Les Maillard changeaient de direction. Les bras en l'air, le cœur joyeux, Marie criait :

– Par ici ! Venez. Comme je suis contente !

Le jeune couple, l'eau aux genoux, monta dans la barque. Marie se tassa pour leur faire une petite place à ses côtés.

Les embarcations étaient pleines de vie. Dans la chaloupe, les enfants retrouvèrent vite leur petit babil agréable. Les gamins, sous l'œil amusé des parents, faisaient des grimaces à la Virginie.

Chaque barque était manœuvrée par seize rameurs, huit de chaque côté, encouragés par les refrains des voyageurs.

Il était un petit navire
Qui n'avait jamais navigué.
Il entreprit un long voyage
Sur la mer méditerranée.

Guidés par de vagues rumeurs, les exilés allaient à la recherche d'un parent ou d'un proche transplanté en Louisiane, une contrée fertile.

Les bras épuisés à force de tirer sur les rames, les hommes confiaient leurs esquifs aux caprices du courant qui les menait fidèlement vers le couchant. Autant que possible, les quatre embarcations se suivaient de près et, pour plus de sécurité, elles longeaient la côte. Dans les baies, alors qu'elles glissaient doucement sur des eaux tranquilles, huit autres rameurs prenaient la relève.

En route, les exilés croisaient des petites embarcations. Tous les mercredis, par la voie des eaux, des marchands venaient dans les villes de la Virginie vendre des oranges, des pamplemousses et des pacanes.

Le premier soir, les hommes jetèrent l'ancre dans une anse déserte, un coin de paradis d'une beauté incomparable. Des *crapes myrtles* d'une hauteur de quarante pieds étalaient de grosses grappes de fleurs de tous les tons de rose, blanc, mauve. De quoi en mettre plein la vue aux voyageurs.

Les exilés débarquèrent sur la rive, satisfaits de la distance parcourue parce que chaque coup de rame les rapprochait de leur destination.

Les filles sautèrent sur la grève, légères comme des gazelles, sauf Juliette qui semblait porter dans son âme toute la misère humaine. Marie lui enleva Marianne des bras et Juliette débarqua à son tour.

Une fois tous les voyageurs à terre, il fallait les voir, ils étaient radieux. Ils bougeaient et bavardaient comme des pies. L'immense rive de sable silencieuse s'éveillait, joyeuse, au son d'une langue étrangère. Et comme si la grève leur appartenait, les hommes jetaient les bâches par-dessus bord. Ces toiles serviraient de tentes pour la nuit. Tout le monde s'affairait. À chacun sa tâche. Bernadette alluma un feu et aussitôt, une flamme monta tout en pétillements et en clarté. Madame Amireault la suivait, muette comme une carpe.

Les jeunes filles disparaissaient dans les buissons à la recherche de menues branches feuillues qu'elles mettraient en fagots et qui seraient utilisées comme paillasses. En même temps, de leurs voix graves ou flûtées, elles poussaient des chansonnettes qui réjouissaient les cœurs. Les fillettes ramassaient des coquillages. Les tout-petits vacillaient sur leurs jambes, comme des ivrognes. Quelques gamins se poursuivaient et couraient dans les bois comme de jeunes fauves tandis que d'autres construisaient une cabane sous un saule ; les maisons devaient leur manquer. Un peu à l'écart, Bérénice et Philippe, joue contre joue, se tenaient assis sur un arbre tombé au sol, à regarder la mer, à se parler d'amour probablement. Plus rien ne semblait exister autour d'eux. Quand Osite les appela pour manger, ils n'entendirent rien.

Des groupes, assis en cercle, mangeaient des melons d'eau, seulement des melons. Les pastèques étanchaient la soif et permettaient de ménager l'eau.

Le repas terminé, Albertine ramassa les restes. On ne laissait rien se perdre.

Le soleil baissait. Une armée de bestioles, surgie soudain on ne savait d'où, bourdonnait et s'attaquait à chaque coin de chair nue.

Les enfants coururent aussitôt vers les tentes. Marie souleva Flavie et s'en fut se réfugier sous la bâche.

Les plus jeunes étaient ceux qui s'accommodaient le mieux des misères du voyage.

À cause des moustiques, tout le monde se coucha tôt, ce qui permettrait aux voyageurs de lever le camp au petit matin.

* * *

Les jours passaient. Les voyageurs, serrés les uns contre les autres, s'impatientaient de la lenteur du voyage. Landry encourageait les rameurs à chanter.

Partons la mer est belle,
Embarquons-nous pêcheurs.
Guidons notre nacelle,
Ramons avec ardeur.

Puis un jour, le fond du ciel passa du bleu azur au violet. Un vent impétueux se mit à souffler. Des vagues hautes de cinq pieds crachaient le sel au visage des voyageurs. Les rameurs avaient beau lutter de toute la force de leurs poignets, se tuer à la tâche comme des galériens, c'était pour rien, les barques, malmenées par les flots, faisaient du surplace. Ramer était devenu une épreuve inutile. Landry invita à grands signes les autres embarcations à s'approcher. À l'aide de câbles, les hommes attachèrent les barques les unes aux autres de manière à former un train, ce qui éviterait de se perdre.

Tout le monde était trempé. Les femmes avaient les mains engourdies à force d'étrangler la toletière. Marie tentait tant bien que mal de protéger Flavie contre les vagues qui fouettaient sa figure.

Albertine Arseneau avait une peur bleue de l'onde. Dix années plus tôt, son père avait péri avec trois compagnons lors d'une grande pêche au large. On n'avait jamais retrouvé ni l'embarcation ni les corps. Depuis ce naufrage, Albertine s'était jurée de ne jamais monter dans une barque. Il fallait la voir, secouée de tremblements, le chapelet au cou, les yeux exorbités de terreur. Les mains accrochées au bras de sa sœur Bernadette, elle priait le ciel de les protéger. Elle transmettait sa peur aux enfants qui criaient et pleuraient, sauf Flavie que l'eau salée ne semblait pas incommoder. De ses grands yeux tout pleins de ciel bleu, la bambine regardait Marie et souriait. Au fond de l'embarcation, le chien effrayé grelottait.

Un grain creva, noyant tout le fond des barques et causant des pertes de nourriture. Soudain, une vague en furie projeta les embarcations sur un rocher de la baie. Le choc fut si terrible qu'on crut au craquement que les embarcations se brisaient les unes contre les autres. Les hommes les attachèrent solidement à un arbre.

Les naufragés trempés, les cheveux raides, les yeux rougis par le sel, furent contraints d'attendre sur le rivage que les vents se calment. Les grains sont toujours soudains et brefs.

Descendus sur la rive, les rameurs épuisés, mouillés comme des éponges, avançaient péniblement dans les hautes herbes qui se couchaient sur leur passage. Ils se laissaient tomber de tout leur long sur cette couche humide pendant que, le ventre à l'eau, les quatre barques tiraient sur leurs attaches comme des chiens au bout de leur corde.

Les jeunes, pieds nus, s'amusaient à piétiner près d'une petite crique. Leurs pas s'enfonçaient dans le fond vaseux, laissant des marques derrière eux. Ces gamins qui avaient travaillé dur aux plantations retrouvaient leurs dix ans.

Soudain, on entendit comme des craquements accompagnés de cris. Tout le monde se rassembla autour de Landry.

Des indigènes curieux s'approchaient, armés de bois durs aux bouts aiguisés et de fers pointus qui leur servaient pour la pêche.

Les Chactacs étaient très malpropres. Ces indigènes aux dents noircies puaient. C'était un peuple sans compliments ni cérémonies qui se moquait des révérences et des courbettes. Cependant, ils étaient dévoués aux Français. Une fois convertis, les indigènes devenaient dociles.

Le commandant Landry s'approcha du chef.

– Avec ce temps de chien, toutes nos provisions sont perdues.

– Je connais une cache à l'intérieur, mais beaucoup trop petite pour votre groupe.

Le chef alluma un fanal et invita Landry à le suivre avec les femmes et les enfants dans une étroite caverne.

– Venez. Vous allez être surpris.

À quelques pas des arrivants se trouvait un couloir obscur.

– C'est une caverne de sorciers ?

– Non, c'est la cache aux canots.

On y entassa les femmes et les enfants. Mais comme la cache était humide, ceux-ci préféraient le grand air.

Les Chactacs venaient de découvrir au faîte d'un arbre un nid d'aigles d'une grosse espèce nommée race royale. Ils abattirent l'arbre à coups de hache. Une fois à terre, les Chactacs découvrirent une quantité de gibier de toutes sortes : des lapins, des oies sauvages, des gélinottes, des perdrix et des pigeons, même des renards. Un vrai garde-manger en pleine nature. Il y avait aussi dans ce nid quatre aiglons. Le père et la mère voltigeaient en cercles au-dessus des têtes. Landry passa son fusil aux mains de Bernadette.

– Tirez quelques coups dans les airs pour les tenir à distance.

Les aigles n'auraient pas hésité à crever les yeux de leurs ravisseurs si ceux-ci n'avaient pas été armés de fusils.

– C'est le grand esprit qui nous envoie à manger.

En effet, la Providence les secourait.

La politesse des indigènes était aussi d'offrir des filles en signe d'amitié.

Les filles indiennes étaient libres de forniquer avant le mariage, mais dès qu'elles prenaient mari, elles étaient tenues à la fidélité.

L'excitation des adolescents était à son comble. Des filles pour eux! Déjà pubères, les garçons auraient enfin l'occasion de mettre à l'épreuve leur virilité.

Les mères acadiennes regardaient d'un œil sévère ces sauvagesses aux mœurs relâchées. Quel mauvais exemple pour les filles de Grand-Pré élevées dans la vertu la plus pure! Choquées de cette incitation au péché, les femmes chuchotaient entre elles et parlaient même de reprendre la mer toujours agitée par la tempête.

Rien n'échappait au commandant Landry dont les silences étaient attentifs. C'était un homme de foi, très sévère sur le chapitre de la discipline. Si les garçons oubliaient leurs principes et leur dignité, il les empêcherait par tous les moyens de commettre des bêtises.

Le commandant Landry remercia le chef indigène et lui expliqua que la foi en leur Dieu leur interdisait les relations hors mariage.

Ensuite, il prit les garçons à part.

– Mes enfants, il faut vaincre les tentations de la chair. Vous êtes des chrétiens et non des païens. Ces femmes sont mariées, leurs maris sont jaloux et ils sont armés de flèches empoisonnées.

Les garçons se tranquillisèrent. Ils se regardaient, déçus. Quand les jeunes filles à la peau lisse et dorée sortirent du bois, belles et nues comme notre mère Ève, les jeunes gens, en proie au vertige le plus total, se crurent en plein paradis terrestre. Ils se sentaient prêts à une partie de débauche.

Les filles, pour ne pas dire des enfants, se tenaient à demi visibles derrière les arbres. Si elles se dérobaient, ce n'était pas pour dissimuler leur nudité ; c'était un jeu de cache-cache pour attirer les Blancs et exciter leur désir. Un vrai scandale aux yeux des petites vierges acadiennes soumises à une éducation sévère, rigoureuse et vêtues très décemment. Elles surveillaient les mères à savoir quelle réaction ces femmes adopteraient devant ces comportements étranges.

Albertine, le regard scandalisé, traçait un petit signe de croix sur son sein vertueux et murmurait sur le bout des lèvres : « Mon Dieu, éloignez des nôtres toute tentation impure. »

Bernadette s'exclamait, le ton pince-sans-rire :

– Incroyable !

Osite n'en croyait pas ses yeux. Elle traitait dans leur dos les filles indigènes de petites gueuses, de débauchées. Elle ne savait plus quelle raison évoquer pour tenir les enfants à distance des indigènes.

Confuses d'être si mal tombées, les femmes tournaient les dos des enfants afin de soustraire leurs jeunes âmes innocentes à cette perversion.

– Ne regardez pas par là, répétaient les femmes de tout côté. Allez ramasser du bois mort avec Marie.

Puis Osite partit à grands pas. Elle s'arrêta non loin des indigènes et murmura à l'oreille du commandant :

– Partons d'ici au plus vite.

– Ce serait un affront. Les indigènes sont déjà en train de nous préparer un repas.

– Au diable le repas! La vertu de nos enfants passe au premier plan.

– Les gars, venez manger, cria le commandant Landry pour inciter les inconscients à reprendre leurs esprits.

L'un deux, Edmond Richard, un être prétentieux et vide, murmurait quelque chose d'inaudible à ses compagnons. Ceux-ci pouffèrent de rire.

Landry insista :

– Allons, mes petits coqs. Il faut obéir au commandant.

Mais l'appétit des adolescents n'était pas de ceux qu'on apaise avec des aliments. Ils poussaient le ridicule jusqu'à faire signe aux filles d'approcher.

– Venez manger, répéta le commandant mécontent, vous vous tenez tranquilles ou bien nous reprenons la mer immédiatement.

Il lui fut impossible de faire taire la grande gueule à Richard qui fanfaronnait, le torse bombé :

– Je les enfilerais toutes, les unes après les autres.

Landry, sous le coup de la colère, lança à Edmond un coup de poing en pleine figure qui le fit vaciller.

Il se fit un silence.

Toutes les femmes tremblaient de crainte de voir les leurs s'entretuer.

Edmond Richard porta une main à sa mâchoire et bougonna l'air maussade :

– Vous n'êtes pas mon père pour me corriger.

– Non, jeune polisson, mais je suis le maître de l'expédition et je t'ordonne de te taire.

Landry leva le poing, prêt à frapper de nouveau.

Jamais les garçons n'avaient vu pareille agressivité dans le regard d'un homme. Ils obéirent avant que le commandant ne se serve du fouet.

Finalement, le calme revint. Les exilés partagèrent leur repas avec les Indiens.

Avant de se retirer, les Acadiens et les Chactacs se serrèrent la main en signe d'amitié. Des femmes indigènes offrirent gracieusement aux Acadiens du topinambour, une plante utilisée comme aliment de remplacement dans les périodes de restrictions alimentaires.

Le vent se mourait au pied du rocher.

À l'appareillage, les exilés découvrirent des sauvagesses cachées dans une barque. Le commandant les chassa.

Au départ, les voyageurs remercièrent Dieu par une courte prière pour la nourriture abondante qu'il leur avait fournie.

XIX

Les saisons se bousculaient. Les barques fonçaient.
Une pluie de décembre, glacée et drue, tombait
depuis le midi. Le vent du nord secouait les embarcations et rendait la navigation très difficile. Les vagues
passaient par-dessus bord et l'eau s'accumulait au fond
des esquifs. Les femmes écopaient et incommodaient
les rameurs qui tentaient d'approcher les chaloupes
de la côte. Ces derniers n'avaient plus de bras. Cachés
sous la bâche, les enfants, serrés les uns contre les
autres, grelottaient de froid et claquaient des dents.

Les barques pénétrèrent dans la baie des Puants qui,
large comme un bras de mer, s'étranglait peu à peu
pour finir en marécages qui dégageaient des odeurs
pestilentielles. Une petite rivière nommée Maloumine
se jetait dans la baie. Ses eaux paresseuses glissaient
dans son lit bordé de joncs. D'innombrables pousses
d'un vert tendre en tapissaient le fond. Les Indiens
retiraient de ces herbes une farine agréable.

Les embarcations s'y engagèrent.

À un coude du cours d'eau, les exilés aperçurent une
bourgade, le peuple de la Folle-Avoine.

Les hommes traînèrent péniblement les barques sur
la rive.

Landry se détacha du groupe et rejoignit le chef indien. Les plumes dont la tête de l'indigène était ornée prouvaient son importance.

Landry lui tendit un calumet de paix à plumes blanches et lui demanda ensuite comment se rendre au Mississippi.

Un ancien prit la parole.

– Ton projet est irréalisable. Autrefois, des chasseurs de nos tribus ont fréquenté la Grande Rivière, mais peu en sont revenus. Vous ferez face à des torrents plus rapides que des flèches qui grondent comme le tonnerre. Ils engloutissent les canots. Les hommes qui peuplent ces régions sont des bêtes furieuses qui ne vivent que pour tuer. Ils se massacrent entre eux.

Un autre ajouta :

– Ces terres sont si près du soleil que les hommes qui les atteignent brûlent d'un feu ravageur. Ils se consument et meurent dans leur propre cendre.

Landry, estomaqué, remercia ses frères indiens.

– Nous allons construire des cabanes de bois pour nous loger et au printemps, nous reprendrons la rivière.

Albertine Arseneau, anéantie par la peur, refusait de continuer le périple. Elle s'assit sur une couverture mouillée le temps de se remettre de ses émotions. Des frissons la secouaient. D'un œil maussade, elle regardait la rivière. Près d'elle, les enfants ramassaient des bouts de bois mort qui serviraient à alimenter le feu.

Marie, assise sur le sol détrempé, sentait toujours le mouvement des vagues. Elle se demandait quand cesserait cette sensation étrange de ballottements. Elle recommanda à Flavie de ne pas s'éloigner. L'enfant ressentait toujours une fascination pour l'onde. Flavie était une enfant de la mer, une voyageuse née.

On venait de trouver des tisons rouges sous un tas de cendres. Bernadette tisonna les braises à l'aide d'un bâton. Les bûches s'enflammèrent aussitôt, fournissant un feu clair et réjouissant. Il fallait avoir grelotté interminablement pour tant apprécier la chaleur.

Albertine s'approcha du feu.

– Ah que j'ai hâte à l'été !

La main devant la bouche, elle murmura à l'oreille de sa sœur Bernadette :

– Tu as vu comme Osite mange ? Entre les repas, elle se cache pour grignoter des biscuits quand, autour, les autres meurent de faim. Avec son double menton et ses grosses fesses rondes, elle doit bien peser deux cents livres.

– Quand même ! Pas deux cents. Tu sais, elle s'en donne beaucoup. C'est elle qui s'occupe de tout. Elle a besoin de manger pour refaire ses forces.

– À ce train-là, elle va faire couler la barque. Tu vois comment elle agit avec sa propre fille ? Elle ignore totalement la petite Marianne. Elle va se mettre Juliette à dos.

– Cesse donc tes médisances !

Osite approchait. Albertine se tut net.

Les hommes oubliaient leur fatigue. Aidés des garçons, ils abattirent de jeunes arbres qui serviraient à
fabriquer des cabanes.

Un coureur de bois, au déhanchement souple
et vigoureux des grands coursiers, passait près des
barques par pur hasard. Il s'arrêta et tendit une main
amicale à Landry.

– Mon nom est Ostiguy.

– Ostiguy ! Je ne connais personne de ce nom.

– Il signifie « la maison sous le feuillage ».

– Ce nom vous va comme un gant sur la main.

– Si vous me faites confiance, je peux vous conduire
où vous le désirez. Je connais parfaitement tout le
continent ainsi que les rivières qui se jettent dans le
Mississippi qui coule jusqu'au golfe du Mexique. Je
parle aussi la langue des Indiens. Je suis quasi indien.
Par ici, qui n'a pas besoin de l'Indien ?

– Si vous aviez entendu les horreurs dont le chef
nous a parlé…

– Le chef exagère. Ce ne sont que des menaces pour
vous retenir. Chaque tribu tente de s'approprier jalou-
sement l'amitié des Français. Votre présence réjouit
leur cœur et flatte leur orgueil.

Landry, le maître de l'expédition, lui demanda la
raison pour laquelle il renonçait au commerce des
fourrures, un métier très rentable.

Ostiguy lui expliqua que les Chicachas, appelés
Têtes-Plates, coupaient la route des fourrures par
des raids sanglants dans le but de s'approprier tout
le commerce des pelleteries. Ils terrifiaient les tribus

et capturaient des esclaves pour les vendre aux Britanniques. Leurs mesures impitoyables freinaient les activités des coureurs de bois.

Ostiguy connaissait le français, l'anglais et les langues des indigènes. Les coursiers étaient reconnus comme de bons rameurs et de bons chasseurs. Ils connaissaient le pays à fond, autant les détours que les raccourcis. Ils s'habillaient en Indien, troquant l'habit pour la veste de daim ou le manteau de castor. Ils utilisaient les techniques de chasse des indigènes. Ils étaient aussi les meilleurs commissionnaires. On avait recours à eux pour le transport de dépêches et de journaux. Ils couraient le pays d'est en ouest, comme des fous. Ils étaient aussi bien placés pour apprendre toutes les nouvelles et les colporter d'un bout à l'autre du continent.

Landry oublia les interminables délibérations où les exilés avaient décidé, à regret, d'hiverner sur les lieux, sans savoir exactement comment ils se nourriraient et se vêtiraient; les enfants n'avaient ni chemise ni chaussures. Devant cette nouvelle possibilité, peut-être changeraient-ils d'idée. Si quelqu'un d'expérience pouvait les conduire, ils arriveraient peut-être à destination des années plus tôt. Cependant Landry ne voulait pas prendre l'initiative sans le consentement des voyageurs. C'était à eux d'accepter ou de refuser de payer un guide expérimenté.

La proposition du coureur de bois apportait l'espoir dans le cœur des voyageurs.

L'assemblée accepta d'emblée Ostiguy comme pilote de l'expédition. Suivit aussitôt une tempête d'applaudissements. Tous se réjouissaient de continuer leur périple.

Ostiguy serra la main de Landry pour sceller l'entente. Ce dernier s'informa :

– Vous n'auriez pas vu les nôtres, les Doucet, Amireault, Bugeau ?

Ostiguy sortit de sa poche un papier froissé qui contenait des noms de personnes recherchées et d'autres retrouvées.

– Les Acadiens sont éparpillés un peu partout le long des côtes américaines. Si vous rebroussez chemin, vous risquez de trouver : des Cailler, Le Blanc, Gauthier, Mouton, Gautherot et Provençal au Québec, plus précisément au Portage.

Provençal, comme fou, sautait sur place. Soudain, dans son excitation joyeuse, il saisit Ostiguy par le revers de son gilet et se mit à le secouer fébrilement et à le faire pirouetter. Ses compagnons, émus, se réjouissaient avec lui. Soudain, Provençal s'arrêta net et dévisagea le coureur de bois.

– Quel Provençal ? dit-il. Denis, Maurice, Lucien, lequel ?

– Je n'ai malheureusement pas les prénoms.

– Je pars tout de suite. Je cours rejoindre les charrettes qui montent vers le nord. En me pressant, j'espère bien les rattraper.

Provençal serra les mains de ses semblables et disparut.

«Des Gautherot au Portage», pensait Marie, bouleversée. Elle regardait sa fille adoptive, la petite Flavie Gautherot, qui dormait confiante dans les bras d'Albertine, laquelle se prenait pour sa grand-mère. Le père de Flavie devait chercher sa femme et son enfant. Marie vivait avec l'obsession intolérable qu'un jour, Charles Gautherot reprendrait sa fille. Elle ne supporterait certes pas une pareille déchirure. Le seul fait d'y penser la rendait malade.

Elle se dirigeait vers le sud quand le père de Flavie se trouvait au nord. Elle ne pouvait se résigner à changer de direction même si elle se trouvait lâche de faire passer son bonheur avant celui de Flavie. Une fois rendue en Louisiane, elle écrirait à Charles Gautherot.

Landry questionnait le coureur de bois.

– Avez-vous des nouvelles de l'abbé Félicien ?

– Non. Pas de nouvelles de lui.

– Et des Amireault ?

– Si je me souviens bien, des Mayer, Breton, Richard et des Amireault dont un forgeron vivraient à l'aise en Louisiane, une contrée fertile.

Des Amireault ! Le cœur de Marie s'emballait. La jeune fille entrevoyait enfin la possibilité d'un bonheur. Elle s'avança vers le coureur de bois, un jeune homme aux cheveux attachés en queue de cheval et au corps magnifique. Il était vêtu d'une culotte et d'une veste en daim et chaussé de brodequin, une chaussure en peau, montante, lacée sur le coup de pied.

Le garçon figea devant cette fille aux beaux yeux bleu sombre, ombragés de longs cils, une beauté touchante.

– Madame!

– Vous avez bien dit des Amireault? Je cherche Nicolas Amireault, mon fiancé.

– Votre fiancé? Je vous observais tantôt avec votre enfant et je me suis dit : voilà une bonne mère!

– Flavie est une orpheline de la déportation. Mais revenons-en à Nicolas. Il était sur le *Pembroke*.

– On entend plusieurs versions sur ce fameux vaisseau. Les journaux ont rapporté qu'il avait fait naufrage, mais que croire des informateurs? Les coureurs de bois disent qu'une poignée d'Acadiens auraient pris le navire d'assaut et auraient jeté tous les Anglais à la mer. Le *Pembroke* aurait été vu en Nouvelle-Écosse. Allez donc savoir qui a raison, qui a tort.

Marie ne voulait croire qu'à la deuxième version. Nicolas l'avait prévenue de ce piratage. Au fond de son cœur, elle avait maintenant la conviction que Nicolas et ses frères étaient vivants.

Aussi heureuse que le jour où Nicolas avait frappé à sa porte, la jeune fille refrénait une envie folle de rire, de crier et de chanter, tout à la fois.

Derrière elle, Flavie, accrochée à sa jupe, piétinait et criait d'une voix qu'elle voulait terrifiante, mais qui restait douce comme sa figure angélique. La petite fille grelottait. Marie jeta un regard maternel sur elle, s'agenouilla à ses côtés et l'étreignit sur son cœur pour la calmer. Marie sentait le besoin de déverser sa joie sur quelqu'un, et qui de mieux qu'une enfant pour s'y adonner? Elle entraîna Flavie vers le feu, l'assit sur ses genoux et entonna une romance. Malgré leurs vêtements trempés et la tempête de chien qu'ils venaient de traverser, les exilés chantaient des chansons qui parlaient d'amour et chacun pensait à l'autre qui lui manquait.

Non loin, madame Amireault, toujours réduite à l'état végétatif, étendait machinalement les couvertures sur l'herbe pour les sécher.

Marie laissa tomber la main de Flavie et se dirigea vers la mère de Nicolas. Elle la saisit aux épaules et se mit à la secouer, sans égard pour les draps de laine tout trempés que la femme laissa tomber.

– Des rumeurs courent que le *Pembroke* n'aurait pas coulé, que le navire aurait été piraté par les nôtres. Le coureur de bois rapporte que des Amireault se trouvent en Louisiane, et il a précisé qu'un forgeron et ses fils vivent richement là-bas.

Madame Amireault ne faisait preuve d'aucune réaction. Avait-elle fait le deuil total de son mari et de ses fils où n'avait-elle plus confiance en rien ?

– Vous m'entendez ? insistait Marie. Vous n'y pensez pas, votre mari et vos garçons sont peut-être là-bas, à vous attendre !

Lentement, la femme se pencha et ramassa ses couvertures. Marie les lui enleva des mains.

– Donnez, je peux le faire. Allez plutôt vous installer près du feu avec les autres.

Madame Amireault semblait sortir de sa léthargie. Une lueur traversa son œil vitreux.

– Blaise, murmura-t-elle.

Marie étendait les draps de laine usés quand le coureur de bois s'approcha. Il lui proposa sur le ton du secret :

– Je peux vous conduire rapidement à votre amoureux, en suivant les rivières qui se jettent dans le Mississippi.

Marie, qui n'était pas fille à s'en aller avec n'importe qui, pensait : « Tout un phénomène, ce coureur de bois, mais il se trompe à mon sujet. »

– C'est à monsieur Landry que vous devez vous adresser. C'est lui le maître de l'expédition.

– Le voyage se ferait plus vite à deux. Je pourrais trouver une monture et nous pourrions filer en douce, dès ce soir. Personne ne s'apercevra de notre absence.

– Jamais ! Vous êtes fou ! Vous avez promis de conduire toute notre équipée en Louisiane.

– Je disais ça de même.

– Je l'espère.

– C'est que vous êtes trop jolie, mademoiselle !

Marie rougissait quand on lui disait qu'elle était trop jolie ou qu'elle était trop bonne. Elle se pencha et reprit sa tâche, sans un mot, sans un regard, l'esprit ailleurs.

* * *

Les années passaient, les barques filaient.

Ce soir-là, les exilés se couchèrent tôt pour repartir le lendemain, à la pointe du jour.

Sous la tente, Marie et Albertine chantonnaient une complainte pour endormir Flavie. Tout le monde enchaîna. Une fois la fillette assoupie, Marie couvrit l'enfant de sa propre couverture, caressa son front lisse et sortit marcher le long de la petite rivière.

Dans la pénombre, Marie, les pieds nus, errait sur la plage de galets usés par les vagues. Non loin, un héron levait les pieds sur les cailloux de fond.

Toutes les pensées de la jeune fille allaient vers Nicolas. L'espoir la soulevait. Elle imaginait d'avance leurs retrouvailles. Elle attendrait combien de temps encore? Des mois, des années? Comme le temps lui paraissait long!

Après quelques pas, Marie s'engagea dans un sentier si étroit qu'on ne pourrait y circuler deux de front. Elle ne fit pas long qu'elle sentit une présence pesante, importune, dans son dos. Saisie de crainte, elle n'osait ni se retourner, ni revenir vers les siens de peur de faire face à quelque bête féroce ou encore à un malfaiteur. Elle pressa le pas, bien consciente qu'elle s'éloignait toujours des siens. Derrière elle, on pressait aussi le pas. Des frissons parcouraient ses membres. Pourquoi s'était-elle éloignée des tentes? Si elle criait à l'aide, est-ce qu'on l'entendrait? Là-bas, tout le monde devait dormir profondément.

Elle entendit soudain une voix lointaine.

– Ohé! Marie!

La jeune fille crut reconnaître la voix de Bernadette Arseneau.

– Je suis là.

Elle se retourna, les mains sur sa poitrine haletante d'émotion. Bernadette Arseneau courait vers elle.

– Mademoiselle Bernadette! Vous m'avez fait tellement peur!

Bernadette prit une grosse voix pour gronder la jeune fille:

– Tant mieux si je t'ai fait peur, vilaine imprudente! Qu'est-ce que tu penses de te promener seule le soir dans un endroit inconnu? Tu n'as pas senti que quelqu'un te suivait? Je crois que ma présence l'a dérangé, il a piqué, ventre à terre, droit dans la forêt. Heureusement que j'étais là!

– Qu'est-ce que vous faisiez dehors?

– Qu'est-ce que je faisais! Tiens, je te le demande bien. Comme tu n'étais nulle part, je suis partie à ta recherche. Je ne peux pas croire que tu t'exposes ainsi aux animaux sauvages, aux indigènes et aux individus douteux. Tu ne devrais jamais t'éloigner du camp sans une arme. Tu n'es qu'une tête de linotte! On dit que par ici il y a des bêtes qui ressemblent à de grosses tortues avec de larges mâchoires et qui ne font qu'une bouchée des jeunes filles.

En tout autre temps, Marie, qui ne connaissait pas les alligators, aurait ri d'entendre Bernadette la semoncer comme une enfant, mais en ce moment tragique, sa menace en l'air ne prêtait pas à la rigolade.

– Je suis soulagée de vous voir là, vous ne pouvez savoir à quel point j'ai eu peur!

Tout en marchant, Bernadette fit part à Marie de ses doutes.

– Je me demande si ton poursuivant ne serait pas cet Ostiguy. Chose certaine, il avait sa mine. Ce garçon fait mieux de ne pas toucher à un de tes cheveux, sinon je lui ferai prendre le bord.

– De grâce, n'en faites pas un scandale.

Sous la tente, Albertine, s'inquiétait de savoir où étaient passées Bernadette et Marie. Aussi éprouvat-elle un soulagement à les voir entrer. Quand Bernadette s'allongea à ses côtés, Albertine la poussa du coude et chuchota:

– Qu'est-ce qui se passe?

– Rien. Dors.

– Rien? D'abord, dis-moi ce que vous faisiez dehors toutes les deux, à la belle étoile.

– Chut! Mêle-toi de tes oignons.

– J'ai le droit de savoir. Je ne dormirai pas tant que tu ne parleras pas. Vous êtes essoufflées, comme si vous aviez couru des milles.

– Ça va. C'est la petite qui s'est fait suivre. Maintenant, dors.

– Marie? Mais ce n'est pas vrai! Par qui?

– Il faisait pas mal sombre, mais si j'ai bien vu, le gars avait l'allure du coureur de bois, tu sais, cet Ostiguy.

– Oh! Je n'en serais pas surprise. Je crois que c'est un malin, celui-là. En tout cas, il me fait une drôle d'impression. Il ne cesse de regarder la petite avec des yeux étranges.

– La petite a eu peur. Elle tremblait.

– Pauvre Marie ! Quand je vais raconter ça à la veuve Hugon, elle ne me croira pas.

– Ce ne sera pas nécessaire de lui raconter. Si elle n'est pas sourde, elle est déjà au courant.

Allongée sur le sol, Marie, songeuse, gardait les yeux ouverts. Si Ostiguy l'avait suivie, ce qu'elle croyait maintenant dur comme fer, elle n'en aurait sans doute pas fini avec lui. Le garçon ne l'aurait certes pas violentée, mais peut-être l'aurait-il harcelée, comme à son arrivée alors qu'elle était en train d'étendre les couvertures à sécher. Ostiguy n'avait rien à espérer d'elle. Maintenant, allait-elle avoir cet importun dans les jambes à cœur de jour ? Le voyage promettait d'être long.

Marie caressa la menotte de Flavie et, accablée par les derniers événements, elle s'endormit, l'esprit pesant.

Le lendemain, elle fit part à Landry de l'incident de la veille et des propositions malhonnêtes du coureur de bois.

– Je ne veux pas de lui dans ma barque, vous me comprenez ?

Landry, pensif, caressait son menton. Jusqu'à quel point pouvait-il se fier à Ostiguy ?

– Ne crains rien. Je vais le garder à l'œil.

XX

Les barques glissaient doucement de rivière en rivière jusqu'à l'Ohio. Sur les rives, le paysage boisé laissait place à une plaine herbeuse et drue où abondaient le gibier et les troupeaux de bisons. Ici et là, on apercevait des petits villages circulaires, où vivaient une poignée d'Indiens avec au centre un temple et la maison des chefs : un chef pour la paix, un chef pour la guerre. Ces derniers portaient des cornes sur la tête.

D'autres indigènes vivaient dans de gros villages fortifiés.

Le coureur de bois connaissait toutes les tribus. Il expliquait que certaines d'entre elles étaient ravagées par les épidémies et la chasse aux esclaves.

– Pour calculer le nombre de ses habitants, le gouverneur donne une fourchette par tête. Les Cherokees regroupent plus de vingt mille personnes tandis que les Choctaws comptent quatre ou cinq mille guerriers. Mais les chiffres ne sont pas justes parce que, lors des recensements, plusieurs indigènes sont déjà partis à la chasse.

Tout le monde écoutait Ostiguy; même Marie, qui s'était bien promis de l'éviter, assimilait ses connaissances. Surprise de l'étendue de son savoir, elle restait suspendue à ses lèvres.

* * *

Les mois passaient, les paysages changeaient. Les voyageurs étaient continuellement saisis par l'étrangeté des lieux et des événements. Pas un jour ne ressemblait au précédent.

D'escale en escale, les exilés se ravitaillaient en vivres et en eau. Sur tout le parcours qui menait au Mississippi, des arbres, abattus par les ouragans fréquents, nuisaient à la navigation.

Une nuit particulièrement froide, les Acadiens s'arrêtèrent près d'un village sioux. Ces Indiens à la tête rasée jusqu'au cuir s'adonnaient à l'agriculture, comme la récolte de la folle avoine, du maïs, des citrouilles et des fèves.

Les barques accostaient au moment même où les hommes partaient pour la chasse aux bisons. Les Indiens invitèrent les exilés à les suivre, mais ceux-ci refusèrent poliment leur offre.

Ostiguy leur expliqua qu'ils devaient continuer leur voyage jusqu'en Louisiane. Le chef sioux rétorqua :

– Blancs, toujours pressés.

Cette nuit-là, bien enroulés dans leurs couvertures, les exilés campaient sur la rive près des feux presque éteints quand de longs cris percèrent le silence de la nuit. Une jeune femme mettait au monde un garçon malingre, d'apparence chétive.

Cet accouchement prématuré retarderait le départ des exilés, prévu pour le lendemain.

À chaque naissance, les Acadiens s'arrêtaient pendant dix jours pour laisser à la mère le temps de se remettre de ses couches.

Marie, qui avait consacré une partie de la nuit à l'accouchement, s'endormit au lever du soleil. À son réveil, Ostiguy et les hommes étaient tous partis avec les Sioux. Ils profitaient de ce temps d'arrêt pour s'adonner à la chasse.

Près des tentes, Flavie observait un vieil indigène qui fabriquait des pointes, des flèches et des couteaux.

Marie profita de cette halte pour accompagner les femmes sioux à la cueillette des plantes. Elle apprendrait ensuite à s'en servir comme nouveaux remèdes.

Les enfants ramassaient des racines, des noix et des fruits divers. Le fruit le plus recherché était celui du plaqueminier avec lequel les indigènes fabriquaient un pain délicieux.

Dix jours durant, Marie tissa des liens avec les femmes sioux. Tous les matins, après le déjeuner pris ensemble, elle allait ramasser des plantes grossières qu'elle examinait à la loupe. Elle les étudiait, s'informait des nocives, de leur utilité, de leur qualité, de leur rôle. Elle en oubliait le temps.

Au retour de la chasse, le coureur de bois rapporta une dizaine de faons.

À l'aide de jeunes arbres ébranchés, il dressa une écoperche où il suspendit les peaux à sécher. Les indiennes s'occuperaient du tannage.

Avant le départ, Ostiguy tria ses plus belles peaux de daim et les jeta aux pieds de Marie.

– Je vous en fais cadeau. Vous aurez la plus belle vêture et il en restera pour votre Flavie.

– Et qu'est-ce que je vous devrai en retour ?

– Rien. Faites-moi le plaisir de les accepter et, à mon tour, je me ferai un plaisir de vous regarder les porter. Si vous refusez, je les donnerai aux indigènes.

– Nous avançons vers la chaleur, ces vêtements ne me seront utiles que pour peu de temps.

– L'hiver, les vents du nord amènent des périodes de gel. Nous devrons alors nous réfugier dans les terres. Le voyage durera encore des mois et des mois. Et puis, avez-vous le choix de refuser quand vos vêtements sont en lambeaux ?

Marie tâta les cuirs. La tentation était forte.

– Je vais ressembler aux sauvagesses avec ces peaux sur le dos.

– Non, vous allez me ressembler. Nous avons déjà beaucoup de choses en commun, vous et moi : solitude, errance, sans demeure fixe, moi, par choix, vous par obligation. Avant de vous connaître, je courais mer et monde. Je n'avais jamais ressenti, comme maintenant, le besoin d'un foyer, d'une famille. Aujourd'hui, je me sentirais bien avec vous dans une petite routine de vie de ménage.

– Ne vous méprenez pas à mon sujet. Je ne suis pas libre.

Ostiguy avait pour règle que le temps fortifie les amitiés et affaiblit l'amour.

– Je me contenterai de votre amitié.

Marie le laissa dire, sans y croire. Elle le regarda s'éloigner.

* * *

Marie s'approcha d'Albertine, les bras chargés de belles peaux souples.

– Regardez ce que m'a donné monsieur Ostiguy.

Albertine la dévisagea un moment. Ce coureur de bois cherchait à entraîner Marie dans son sillage comme si elle était sienne. Il allait finir par la gagner à la fin. Cet étranger lui ferait oublier son Nicolas qu'Albertine ne serait pas surprise.

– Coudre les cuirs n'est pas une mince affaire.

– Je vous aiderai.

Tout le temps qu'Albertine consacra à confectionner la robe, elle grognait. Le cuir, même souple, était très résistant. Quand l'aiguille réussissait à traverser les peaux, Albertine criait victoire. Mais ses doigts en subissaient les contrecoups. Dans quel pétrin s'était-elle donc foutue en acceptant ce dur travail?

– Regarde, Marie, j'ai à peine commencé et j'ai déjà le bout des doigts piqués au sang avec ces satanées aiguilles.

Marie saisit la main travailleuse et bécota le bout de ses doigts. Pour Albertine, c'était la plus belle récompense.

Marie eut recours aux indigènes qui lui fournirent des alènes.

XXI

Le temps n'avait plus cours. On ne comptait plus les milles, mais les mois et les années. Des années d'espérance, mais aussi de fatigue et d'inconfort.

Soudain, Ostiguy cria :

– Le Mississippi ! Le père des fleuves !

Tout le monde applaudit. Quel spectacle magnifique que ce grand fleuve inconnu ! On eut dit un long foulard de soie jaune jeté sur un tapis de fleurs d'oranger.

Marie s'informa :

– Sommes-nous rendus à la moitié du voyage ?

– Tout dépendra à quel rythme vous avancerez.

Même si les exilés voyageaient depuis des lunes, ils étaient encore bien loin de leur destination. Rien ne servait de récriminer ou même de regretter. Ne voguaient-ils pas sur le chemin de l'espoir ?

Toutefois, Ostiguy voyait bien les figures s'allonger de désappointement.

– Le grand fleuve jaune est si impressionnant que vous en oublierez le temps.

– Pourquoi jaune ? demanda Marie.

– C'est à cause de ses eaux jaunâtres.

Les deux rives présentaient le tableau le plus extraordinaire, comme des îles flottantes de nénuphars jaunes dont les grandes feuilles rondes servaient de toit aux poissons. Des flamants roses et de jeunes alligators, passagers de ces lieux exotiques, émergeaient de cette nappe fleurie que les barques déchiraient sans pitié. Plus loin, les exilés rencontrèrent un puzzle d'îlots enchanteurs où des milliers de cotonniers en fleurs offraient un spectacle qui glorifiait leur misérable aventure.

Une révélation du beau, du grandiose de la main du Créateur à laquelle nul ne peut rester froid, même quand la foi semble éteinte. Les voyageurs se sentaient rapetisser devant une telle puissance.

Les Acadiens sentaient qu'ils s'approchaient de la région fortunée dont leur avait parlé le guide. Sur les rives, des bosquets d'orangers et de citronniers offraient l'aspect d'une côte dorée.

Sur le sol sablonneux se diversifiaient peupliers, chênes, cèdres, cyprès, lataniers, arbres fruitiers et vignes. Des lichens, surnommés «barbe de capucin», s'accrochaient aux branches. Tous ces arbres semblaient aussi vieux que la création. Soudain, la barque de tête toucha le fond et se trouva arrêtée dans sa marche. Les exilés se virent obligés de décharger entièrement la chaloupe sur la batture de sable avant de la remettre à flot. Il leur fallut transporter tous les effets à bras, ce qui leur fit perdre des heures précieuses.

Malgré les difficultés du voyage, les exilés ne regrettaient pas cette dure aventure. Leurs petites misères étaient bien préférables à l'enfer du navire qu'ils avaient connu.

* * *

Les barques s'arrêtèrent de nouveau non loin d'un village en fête.

Les exilés allumèrent trois feux. Pendant que les hommes montaient les tentes, Osite faisait chauffer un petit cercle de fer pour griller le pain. Non loin, sous un citronnier, Bernadette enseignait le catéchisme aux enfants. Flavie, du haut de ses trois ans, courait parmi eux et dérangeait leur attention. Marie aidait les plus âgés à s'installer à l'abri du soleil. Flavie profita de ce moment d'inattention. Elle piqua directement vers les eaux infestées de reptiles. Terrorisée à la vue d'un alligator qui se glissait vers elle, Flavie restait là, paralysée, les yeux agrandis par la peur, exposant son corps à la gueule du reptile.

Tout le monde accourut y compris Ostiguy. Bernadette, épouvantée, retenait son souffle. Albertine priait le ciel d'intervenir. Marie courait vers l'enfant et criait à s'époumoner:

– Non, Flavie! Viens ici tout de suite! C'est dangereux. Flavie, nooon!

Son non s'étirait pour finir en un hurlement de désespoir.

Le chien, plus vif que l'éclair, s'élança et sauva l'enfant de justesse, en plantant solidement ses crocs dans l'œil du reptile. Ostiguy tira l'enfant vers la rive.

D'une main tremblante, comme un merci, Marie caressa la tête du chien. Elle serra Flavie dans ses bras et lui parla doucement pour la rassurer. Toutes deux tremblaient. Marie s'en voulait de son manque d'attention.

– J'aurais pu empêcher cette situation fâcheuse si j'avais ouvert l'œil.

– Qu'importe maintenant que l'enfant est saine et sauve, ajouta Osite, mais il faudrait lui apprendre à obéir.

Marie avait beau s'évertuer à lui expliquer les dangers de l'onde, Flavie ne voulait rien entendre de ses mises en garde. Tout le monde l'éduquait, permettait, défendait, et elle ne savait plus à qui obéir. Et puis Flavie suivait l'exemple des adultes, pas une journée ne se passait sans que ceux-ci ne mettent les pieds à l'eau.

Après une bonne friction, enroulée dans une couverture sèche, la petite cessa de frissonner. Elle cherchait maintenant à régler son pas d'enfant sur celui de Marie. Flavie aimait courir sur la rive, rejoindre les pêcheurs qui réparaient leurs filets ou encore salaient leurs poissons. Malgré sa périlleuse aventure, elle ne se domptait pas. Elle se soustrayait sans cesse à la vigilance de Marie. Certaines fois, elle pouvait rester assise des heures à s'amuser avec des coquillages. Cette petite aussi recherchait les moments de solitude où les grandes personnes ne dérangeraient pas son monde fantastique, ses êtres imaginaires.

* * *

Le temps passait, le voyage s'éternisait.

Ce jour-là, comme les barques s'arrêtaient sur la rive, un groupe de Natchez, attiré par la fumée, s'approcha des Acadiens.

Osite passa la main dans les cheveux des petits indigènes.

Les sauvages étaient toujours enchantés de voir les Français caresser la tête de leurs enfants.

Les Natchez étaient barbouillés de peintures corporelles. Ils portaient les cheveux attachés en queue de cheval. Ce peuple civilisé, venu de la baie des Puants, avait un lien d'alliance avec les Français.

Ils disaient que leur chef, le Maître du souffle, vivait dans « le monde d'en haut » et accordait son pardon à tous. L'harmonie devait régner entre eux. On pardonnait les délits, les querelles, l'adultère.

Les exilés furent invités à leur fête où on ingurgitait de la boisson noire, obtenue à partir d'une plante, l'*Ilex Vomitoria*, qui permettait de se purifier et que l'on rejetait quatre fois dans la journée. En même temps, on pratiquait le jeûne et la continence sexuelle.

Marie prit la main de Flavie et s'enfonça dans un bois touffu en suivant un vieux sentier qui contournait un rocher. Absorbée dans une douce rêverie, elle prolongea fort avant sa promenade, sans trop s'apercevoir qu'elle s'éloignait.

C'était l'heure propice où les bêtes sauvages vont s'abreuver.

Arrivée à un carrefour d'où partaient trois chemins, la jeune fille allait revenir sur ses pas quand elle aperçut droit devant elle, un couguar majestueux debout sur un rocher. L'imposant félin n'avait qu'à faire un saut et il serait sur elle. La bête féroce étira un cri puissant, terrible, menaçant, comme un sinistre présage.

Marie ouvrit la bouche pour crier, mais paralysée par la terreur, elle ne put émettre aucun son. Elle se ressaisit et, à gestes très lents, elle serra la petite Flavie contre elle, ne lâchant pas la bête des yeux. Le couguar ne bougeait pas. Ils restaient là, immobiles, la belle et la bête, à se regarder. Combien de temps encore, Marie et Flavie allaient-elles attendre ainsi avant d'être dévorées vives?

Puis sans que Marie n'en comprenne la raison, le fauve se retourna lentement et reprit majestueusement son chemin. Marie échappa un soupir de soulagement et se mit à trembler de tous ses membres.

Non loin, un homme avançait à travers les broussailles. Il s'arrêta, la carabine en joue.

Marie reconnut le coureur de bois aux cheveux noués, à l'air hautain. Elle lui fit signe de baisser son arme.

– Ne le tuez pas. Il ne nous a fait aucun mal.

– Il reviendra et cette fois, il ne nous épargnera pas. Ici, vous n'avez pas affaire à vos petites brebis d'Acadie.

Marie entendit une balle siffler et vit le fauve s'affaisser. La jeune fille admirait la sûreté du tir. Ostiguy devait savoir ce qu'il faisait. Il agissait avec cette prudence des coureurs de bois. Il leva sur elle un regard chargé de reproches.

– Quelle imprudence!

– Je sais. J'ai ma leçon.

– Le couguar a flairé ma présence et il s'est senti cerné, c'est ce qui l'a éloigné. Mais il aurait rappliqué, croyez-moi.

– Merci d'avoir été là.

– Vous m'en devrez une, dit-il, tout sourire.

– Comment vous témoigner ma reconnaissance ?

– Vous le savez bien. Épousez-moi.

Ostiguy lui demandait le plus grand sacrifice de sa vie.

– Ici, il y a plein de jeunes filles libres de toute attache.

– Peut-être, mais je n'aime que vous.

– Je veux bien vous croire, mais m'engager dans un mariage sans amour, ce serait comme construire une maison sans fondations. J'ai fait le serment d'attendre Nicolas jusqu'à ma mort.

– Sans moi, vous seriez déjà morte. Épousez-moi.

Marie s'en retourna en murmurant pour elle seule :

– Alors, vous auriez mieux fait de me laisser dévorer vive.

Ostiguy avait-il entendu sa riposte ? Pensif, il rechargeait son fusil.

Marie saisit la main de Flavie et retourna sur ses pas. Elle garda le silence sur l'événement fortuit qui avait failli coûter deux vies. Arrivée au campement, elle en avait encore la chair de poule.

Le souper terminé, les hommes se tenaient assis, le chapeau sur le nez, pour une courte sieste.

Le soir était fantastique. Le soleil jetait une poussière rouge sur tout ce qu'il touchait : le ciel, les arbres et l'eau. Encore une fois, c'était la rencontre de l'infime et de l'infini.

Après s'être entretenu un bon moment avec Ostiguy, Landry sonna le départ.

Tout le monde eut l'air surpris de s'embarquer à la nuit tombante ; surpris, mais tous d'accord parce que chaque coup de rame les rapprochait d'un être cher ou de leur famille. Et puis, Landry en avait décidé ainsi, c'était lui le maître de l'expédition.

L'air était tiède. Le zéphyr poussait les barques qui avançaient sans bruit, à la godille. Sans besoin de rameurs, les hommes pouvaient se reposer.

Marie, attendrie et rêveuse, se tenait assise à l'arrière de la barque. Ses pensées se perdaient dans le sillage que laissait l'embarcation. Elles allaient toutes vers Nicolas.

À ses côtés, Bérénice caressait son ventre et, impatiente de révéler son secret à Marie, elle lui murmura à l'oreille :

– J'attends un enfant.

– C'est vrai, ça ?

Bérénice acquiesça d'un signe de la tête.

– Alors bravo ! Philippe doit être content ?

– Non, il est inquiet. Il rêvait de posséder sa propre maison où tous nos enfants verraient le jour, mais le petit n'a pas attendu. Le bon Dieu en a décidé autrement.

– Prends bien soin de toi.

– Tu parles ! Je ressens toujours un besoin de dormir.

– Tiens, je vais me tasser pour te laisser plus d'espace.

Marie installa Flavie sur ses genoux. Bérénice, la tête appuyée sur les cuisses de Philippe, les genoux relevés, les talons aux fesses, souriait d'aise. Elle ferma les yeux et la main de Philippe vint se placer sur son cœur. Quel beau tableau que cette scène un peu libre, mais si touchante.

La sensibilité à fleur de peau, Marie, attentive à ces moments de tendresse, se demandait quand viendrait le jour où, à son tour, elle poserait amoureusement la tête sur les genoux de Nicolas.

* * *

Les vagues légères léchaient les flancs des chaloupes. Dans la pénombre, on distinguait à peine le sol sablonneux de la rive où s'étalait une vaste forêt de pins et d'arbres fruitiers.

Tout le monde dormait sauf les bateliers accrochés à leur rame.

Soudain s'ouvrit devant eux une région ténébreuse, effroyable. Au-dessus de leur tête, des cyprès entremêlés formaient un treillis en arche où se balançaient des écheveaux de mousse semblables aux quenouilles chargées de la laine des fileuses. À tout moment, des chauves-souris frôlaient les têtes.

Marie se montrait plus forte qu'elle ne l'était en réalité.

Un silence de mort régnait brisé par le cri d'un hibou au rire démoniaque.

Les unes derrière les autres, les barques glissaient sous ces galeries obscures.

Les rayons de la lune s'infiltraient dans la voûte serrée des cyprès, ce qui donnait à ces lieux un aspect d'outre-tombe. C'était un monde irréel et terrifiant, comme le présage d'un malheur, mais qui donnait à la fois une sensation de stupeur, d'infini et de grandiose.

Marie se demandait si Nicolas était passé lui aussi sous ces voûtes caverneuses. Peut-être l'attendait-il là-bas dans la riante prairie des Opelousas dont avait parlé Ostiguy. Bien qu'il fut encore nuit, la barque continuait sa course à l'intérieur de ces arcades sombres. Marie échappa un soupir. Elle ne pouvait s'empêcher de penser à la toute-puissance du Créateur. Dans la barque de tête, Ostiguy gardait l'œil ouvert. Il souffla dans le cor pour annoncer sa présence aux bateliers qui pouvaient venir à leur rencontre sous ces couloirs obscurs et inconnus.

Au son de la trompe, toutes les barques se réveillèrent pour se rendormir aussitôt.

Une fois le son amorti, aucun autre cor ne répondit. Les eaux restaient calmes et les bannières de mousse touchaient les vaisseaux. Étienne d'Entremont les coupait à coups de hache et les jetait à l'eau. Les rameurs avaient hâte de sortir de ces cavernes sombres où les battements d'ailes précipités des chauves-souris frôlaient les cheveux des voyageurs.

Les bateliers se remirent à ramer avec ardeur. En tirant les avirons, ils chantaient à pleins poumons, pour se tenir éveillés, une complainte familière à leur Acadie natale.

Le silence s'installa de nouveau. On n'entendait plus que le cri des hérons qui, dérangés dans leur sommeil par le clapotis de l'eau au contact des rames, regagnaient leur perchoir. Parfois, un vol d'oiseau rompait le silence ou une respiration puissante montait des eaux, sans doute un alligator dont la carapace rugueuse fendait l'eau. Ces créatures répugnantes servaient à amplifier la grandeur impressionnante de ce monde fantastique.

Ostiguy se jeta à l'eau et, à l'insu de Landry, il sauta dans la barque de tête. Il s'approcha de Marie qui sursauta.

– Vous? dit-elle.

Elle ne le craignait pas, mais elle redoutait toujours que ses propositions reviennent plus insistantes. Devait-elle faire du bruit afin de réveiller les autres voyageurs? Ostiguy avait-il entendu ses pensées?

– N'ayez crainte, dit-il sur le ton du secret, je ne vous approcherai pas; je suis trempé. Une fois sortis de ce tunnel, vous verrez ici et là plein de villages abandonnés, tous dévastés par les épidémies.

– Quelles épidémies?

– La fièvre jaune, une maladie infectieuse qui cause un délire.

– Il doit bien y avoir un remède?

– On dit que des sorciers peuvent la guérir avec des incantations.

– Je n'en crois rien.

– Quand il n'existe pas de remèdes, il reste encore ces paroles magiques qui tiennent à la fois de la supplication et de la prière.

– C'est vous qui avez demandé à monsieur Landry de voyager de nuit ?

– Disons qu'il se fie à mes conseils. Comme je connais le Mississippi mieux que lui, monsieur Landry me fait entièrement confiance.

Vers le matin, les exilés sentirent des bouffées d'air pur, puis la lumière du jour perça et enfin l'immensité étincelante de l'Atchafalaya aux rivages enchanteurs, chargés de l'arôme des magnolias en fleurs. De quoi charmer la vue et l'odorat. Lentement, les barques dévièrent de leur course et quittèrent le grand fleuve pour entrer dans le bayou Plaquemine. Sans Ostiguy, les embarcations se seraient perdues dans ce labyrinthe de lagunes dont les eaux paresseuses s'infiltraient dans toutes les directions. Heureusement qu'ils avaient un bon guide parce que les eaux du fleuve s'éparpillaient en canaux qui se quittaient et se rejoignaient tour à tour. Certains bayous mesuraient jusqu'à cent milles de long et allaient se jeter à la mer sans retourner au fleuve, et le Mississippi se trouvait la seule route navigable qui menait directement en Louisiane.

Ostiguy se pencha vers Marie et chuchota :

– À vous, je peux le dire, le jour, dans ce coin, les voyageurs trembleraient de peur et, la nuit, à coucher sur la rive, ils seraient la proie de toutes sortes de bêtes : couguars, loups, alligators, serpents.

– Et sur les îles ?

– Sur les îles se trouvent des coquillages que les sauvages appellent «Nanilathenés», ce sont des araignées de mer. Leur corps est recouvert d'une pellicule luisante et leurs yeux pétrifiés sont durs comme du diamant. Ce coquillage, de la grandeur d'un plat renversé, a une queue de dix pouces extrêmement pointue. Sa piqûre est très dangereuse. On y voit aussi des grenouilles d'une grosseur inimaginable dont le croassement est plus fort que le beuglement d'un bœuf.

Marie écoutait, attentive, un peu craintive, mais tout de même émerveillée. Les connaissances du coursier exerçaient sur elle une sorte de fascination.

Au petit jour, d'immenses troupeaux de pélicans au plumage blanc envahissaient le ciel. Au milieu des cris indescriptibles, ils allaient, venaient et plongeaient en quête d'une pêche toujours fructueuse.

Plus loin, le paysage s'élargissait et la forêt s'ouvrait sur des jardins parfumés de pivoines arborescentes qu'on nommait arbres de Chine.

Les exilés étaient comme plongés dans un monde fantastique.

Le paysage était incomparable, mais cette belle image n'effaçait pas les souvenirs douloureux du passé.

Ostiguy ajouta à voix feutrée :

– Ici, on sent la terre et aussi les noix de coco et les ananas, mais plus loin, nous allons traverser des voûtes encore plus effrayantes et sauter des rapides, mais n'ayez crainte, nous les passerons de nuit.

* * *

Dans une noirceur lugubre, l'embarcation fit un saut terrible au point qu'elle menaça de se briser. Les exilés soulevés dans les airs retombèrent brusquement dans le fond de la barque en se heurtant les uns contre les autres.

Une clameur s'éleva suivie de pleurs d'enfants.

Albertine piqua une bonne crise de nerfs. Puis, épuisée, elle se répandit en plaintes amères. Elle disait qu'elle mourrait abandonnée de tous et que personne ne s'en soucierait. Puis comme si la petite Flavie comprenait ses craintes, elle passa gentiment sa menotte dans le cou d'Albertine. Celle-ci s'apaisa et embrassa la jolie frimousse. Marie pensait à Bérénice. Ainsi secouée, la pauvre risquait fort de perdre son bébé.

– Ça va, Bérénice?

La jeune femme tenait son ventre à deux mains.

– Qu'est-ce qui se passe?

– Nous avons sauté un rapide.

Osite, mécontente, s'adressa à Ostiguy:

– Nous ne sommes pas de la marchandise. À l'avenir, les femmes débarqueront le temps que vous passiez les rapides ou bien notre voyage se terminera ici. Entendu?

– Si vous descendez chaque fois que vous aurez peur, vous n'irez pas loin.

– Avec des sauts comme celui-ci, nous préférons nous rendre en Louisiane à pied.

– Et la nuit, dormir avec les alligators et les serpents ?

Osite se tut net. Dans quelle aventure s'étaient-ils donc embarqués ?

Landry renchérit :

– Ce serait de la lâcheté de reculer devant les obstacles. Les barques, les canots et même les pirogues sautent les rapides. Toutefois, vous êtes libres de faire à votre guise.

Les femmes s'accordèrent quelques minutes de discussion. Le raisonnement de Landry était plein de justesse. Elles se résignèrent à continuer leur route par la voie des eaux, mais la nuit fut une succession ininterrompue de réveils en sursaut et de cauchemars. Bérénice se plaignit d'un mal de ventre qui se termina en fausse-couche. Elle pleurait dans les bras de Philippe.

Puis ce fut comme si l'enfer se changeait en paradis. Sur la rive, des bosquets d'orangers et de citronniers ensoleillaient le paysage.

– Regardez, cria Ostiguy en tendant le bras, ce navire qui vient là-bas fait le commerce du thé.

Les exilés n'étaient pas au bout de leurs peines. L'embarcation de tête buta sur un arbre piqué dont le Mississippi était rempli. Le choc la creva. Il y pénétrait tellement d'eau que la chaloupe coula à fond en une heure. Les voyageurs perdirent beaucoup de ce qu'ils possédaient dans cette mésaventure. Les autres barques, exposées au même péril, hésitaient à s'aventurer à son secours. Une pirogue, qui passait par là, secourut les occupants de justesse. Un chasseur indigène, qui se trouvait à bord, sauva d'une mort certaine un enfant acadien tombé dans le Mississippi où, dans ces eaux basses, fourmillaient des alligators et des serpents.

Ostiguy demanda au sauveteur comment le remercier. Le sauvage répondit :

– Je n'ai rempli que mon devoir. Le Grand Esprit m'a accordé le don de nager comme un poisson, je ne peux l'employer mieux qu'à sauver mes semblables.

Les rescapés durent s'entasser dans les trois barques restantes. Ils éprouvèrent de la difficulté à se rendormir à cause de la frayeur toujours présente et des criailleries d'une multitude de cygnes, de grues, d'outardes qui allaient et venaient toute la nuit dans ces lieux aquatiques.

Les paysages s'opposaient d'une façon frappante.

Le matin, les exilés furent éblouis par le plus merveilleux spectacle qu'il soit possible de voir. Des nuées de tourterelles et de ramiers emplissaient le ciel, au point que le soleil disparaissait.

Mais rien n'était gagné. Le bruit d'un torrent annonçait un prochain rapide, plus périlleux que le dernier. Ostiguy permit aux exilés de descendre des barques.

Albertine refusait d'abandonner son coffre qui dérangeait sans cesse par le poids et l'espace qu'il exigeait. Elle craignait que les hommes l'ouvrent ou s'en débarrassent en le jetant à l'eau.

Bernadette, sentant sa sœur sur le point de pleurer, la prit en pitié.

– Tu peux débarquer. Je vais rester dans la chaloupe.

– Tu ne crains pas pour ta vie ?

– Pas plus que les autres. Si les rapides étaient si risqués, les rameurs ne s'y exposeraient pas.

Avant de mettre pied à terre, Ostiguy donna ses ordres aux bateliers, puis il prit son fusil qu'il porta en bandoulière.

Sans chemin tracé, les exilés sautaient de roche en roche : les uns, pieds nus sur la marne glissante, le pas prudent ; les autres, les pieds endoloris dans leurs souliers réparés avec des épines. Ils avaient beau lever les pieds pour éviter les déchirures, les broussailles leur égratignaient les jarrets, mais les voyageurs devaient marcher. Au bout du chemin, la famille.

Devant eux, Ostiguy ouvrait la marche. Il conduisait le groupe en longeant le grand fleuve sans trop s'écarter des bayous.

À l'embouchure d'une rivière, les arbres et les branches charriées par le courant formaient un bouchon. On s'en servit comme pont.

Marie portait Flavie dans ses bras. Elle perdit pied et échappa l'enfant qui disparut sous l'eau. Elle échappa un cri de mort.

Aussitôt, Ostiguy détacha la bande de cuir qui supportait son arme, la lança par terre et se jeta à l'eau. Au bout d'un moment qui sembla une éternité à Marie, le coureur de bois émergea avec l'enfant qu'il tirait par un bras. La petite n'avait même pas bu un bouillon.

Elle s'accrochait maintenant au cou d'Ostiguy. Marie n'en revenait pas de sa surprise. Sa Flavie était saine et sauve. Cette enfant était une vraie déesse de l'onde. Marie lui tendit les bras.

Comme une anguille, l'enfant en quête de réconfort se glissa agilement des bras d'Ostiguy et se jeta brusquement sur Marie. Elle resta blottie contre elle, figée, grelottante, sans dire un mot.

Marie accorda un bref sourire de reconnaissance à Ostiguy. Ce dernier allait bien lui rappeler à nouveau qu'elle lui en devait une.

Ils avançaient d'un pas vif, les pieds sales de boue. Marie, avec l'enfant sur une hanche, suivait péniblement les femmes. Après quelques enjambées boiteuses, pliant sous le fardeau, elle se retrouva la dernière de la file. Lentement, elle se distança du groupe. Finalement, à bout de souffle, elle s'arrêta et déposa Flavie au sol. « Si Nicolas était là », se dit-elle, épuisée. Puis elle fondit en larmes. Il y avait la fatigue, le sauvetage in extremis de Flavie et ses pieds endoloris. Il fallait pourtant aller. Elle se remit en marche, embarrassée par sa longue jupe de daim. Le groupe avançait, descendait de roche en roche. Marie, aurait bien voulu s'asseoir un moment pour reprendre son allant. Ses jambes tremblaient de fatigue. Les exilés descendaient un ravin sans chemin tracé, tantôt entre les broussailles, tantôt sur le roc tranchant ou les pierres glissantes. Flavie, inconsciente de l'épuisement de Marie, avait repris ses bavardages infinis.

En avant, Ostiguy, en tête du peloton, se retourna et vit Marie qui traînait derrière. Il demanda une pause et s'en approcha.

– La charge de cette enfant est trop lourde pour une jeune fille.

Il lui prit Flavie des bras, la jucha sur ses épaules et reprit la tête du cortège. Le groupe s'engagea dans une étroite prairie tapissée de fleurs d'un ton violet.

Un spectacle à couper le souffle s'offrait à leur vue. Marie s'émerveillait.

– Regardez! On dirait un long fleuve qui brille, comme si un arc-en-ciel s'était écrasé au sol.

Plus près, un tapis de pierres précieuses se déroulait devant le groupe.

Plus ils avançaient, plus l'endroit était prenant. Les exilés marchaient avec précautions sur ce qu'ils croyaient être des perles de verre de tous les tons de mauve et de violet.

Marie se pencha et en recueillit une poignée. Elle recula aussitôt et secoua ses mains avec une moue de dédain.

– Pouah! Des bibittes.

La côte était ensemencée d'insectes aux reflets d'améthyste brillante qui fourmillaient sur les arbres pour s'abattre ensuite comme une averse de fines pierres sur le sol. En fait, cette impression de joyaux n'était qu'une illusion due aux reflets des rayons lumineux du soleil à son déclin, mais le spectacle était impressionnant, à couper le souffle.

À chaque endroit sa beauté.

Marie reprenait son allant. Encore un peu et elle rejoindrait Ostiguy à la tête du peloton.

Un plaisir planait dans l'air qui caressait la peau, dans l'eau qui chantait, dans les feuilles qui respiraient. Dieu récompensait les exilés par une région magnifique, revêtue des attraits les plus enchanteurs de la création, comme si la nature cherchait à se faire pardonner ses gaffes des derniers jours. Les exilés se laissaient envoûter par ces lieux exotiques. S'il n'y avait pas ces nuées de maringouins pour les indisposer. Mais les Acadiens ne se plaignaient pas ; ils en avaient tellement vu.

Ils remontèrent dans les barques. Ils devaient contourner prudemment des troncs d'arbres qui émergeaient.

Des colibris parés de bleu, de rouge, de vert, faisaient du surplace sur les lis jaunes des marais où des centaines de hérons au plumage cendré s'adonnaient à la pêche. Ces beautés pénétraient jusqu'à l'âme. On eut dit une forêt noyée où les alligators pullulaient dans les eaux stagnantes. Sur ces eaux limoneuses des pirogues circulaient.

Dans les eaux basses, un village flottant était en vue. Ici et là, de grandes maisons sur pilotis, appartenant aux planteurs, étaient entourées de modestes cabanes d'esclaves noirs.

Les exilés sentaient qu'ils approchaient de cette région fortunée où régnait un perpétuel été, dont parlaient les indigènes.

On abandonna les radeaux de l'espoir sur les terres basses exposées aux inondations. Tout le reste du voyage, les exilés feraient route à pied.

Les exilés étaient épouvantés à l'idée de passer leur première nuit dans ces prairies étranges, entourées de forêts inconnues, hantées d'ours, d'alligators et de reptiles qui infestaient la colonie. Mais la pire plaie dont souffraient les étrangers, dès qu'ils mettaient un pied en terre louisianaise, était les maringouins. Ces moustiques ne faisaient pas mourir tout le monde, mais ils transmettaient la fièvre jaune, la malaria, le choléra et le typhus qu'il fallait ensuite combattre.

On approchait de Bâton Rouge. Ostiguy raconta que cette ville devait son nom aux indigènes qui avaient délimité leur territoire en entourant la place de grands poteaux enduits de sang d'animaux. Les exilés aperçurent de loin ces longs bâtons rouges. Ils touchaient presque la fin de leur périple. Marie ferma ses beaux yeux rêveurs et ne pensa plus qu'au moment où Nicolas la serrerait dans ses bras.

XXII

Des pagayeurs avaient vu des rescapés de la déportation s'approcher de Bâton Rouge. Ils accoururent aussitôt au domaine de Blaise.

Les deux rameurs entrèrent en coup de vent chez le forgeron Amireault, un grand propriétaire terrien.

Depuis son arrivée en terre louisianaise, Blaise exerçait le métier de forgeron et de maréchal-ferrant. Avec le peu d'argent amassé, il s'était acheté une jument puis une autre jusqu'à en faire un commerce lucratif. Un jour, l'idée lui prit de fabriquer des balustrades de balcons en fer forgé. Blaise se plaisait bien à plier, discipliner et donner une belle forme au fer. Son travail d'artiste était très prisé des Espagnols qui fourmillaient à Bâton Rouge. Les affaires progressaient au point tel que le forgeron dut refuser des commandes, ce qui l'obligea à embaucher des jeunes à qui il enseigna le métier. Comme il logeait ses employés dans sa maison, il avait du engager des femmes pour l'entretien et la nourriture.

Avec le temps, il avait agrandi son domaine et sa maison.

Blaise, qui à son arrivée en Louisiane se contentait de peu et ne dépensait presque rien, était rapidement devenu un nouveau riche respecté.

– Blague à cochon! En voilà des manières d'entrer chez le monde!

Blaise avait une figure rigide, mais c'était un homme invitant. Toutefois pas question de céder un pouce de son autorité.

– Maintenant que vous êtes là, prenez une chaise.

– Nous apportons une nouvelle qui peut vous intéresser. Une colonne de réfugiés acadiens approche de Bâton Rouge. Ces gens voyagent à pied.

– Des Acadiens? Blague à cochon! Ce n'est pas vrai! Qui sont-ils?

Les rameurs essoufflés racontèrent que dès qu'ils avaient appris la nouvelle, ils étaient accourus l'en informer.

Blaise, les yeux étincelants d'espoir, se leva et se mit à marcher de long en large dans sa grande cuisine. Était-ce possible que son Élisabeth et ses filles soient parmi ces arrivants?

– Je voudrais bien savoir de quel coin de l'Acadie viennent ces gens.

– Impossible de vous en dire plus.

– Retournez là-bas et dites à ces arrivants que Blaise Amireault leur ouvre toute grande sa maison. Tenez, montez mes chevaux. Choisissez les plus rapides.

Blaise laissa en plan une soupe à l'oignon qui fumait dans son assiette. Il appela ses domestiques et donna l'ordre aux uns d'inviter tous les Acadiens de la place et aux autres, de préparer un grand festin. Il verrait à ce que sa table plie sous l'abondance des plats.

– Espérons que ce soit un jour de grandes retrouvailles pour plusieurs des nôtres.

Blaise ne tenait plus en place. Peut-être les arrivants rapporteraient-ils des nouvelles des siens? Après des années d'attente, le forgeron n'arrivait pas à faire le deuil de sa femme et de ses deux filles qu'il portait affectueusement dans son cœur. Il ne se passait pas une journée sans qu'il ne pense à elles, particulièrement le soir alors qu'il regardait les tisons fumer tristement dans l'âtre. Le lendemain, il reprenait sa bonne humeur, les gens tristes étant peu appréciés en société.

Il accueillerait les exilés comme des frères. Il somma ses serviteurs d'aller emprunter des chaises chez ses plus proches voisins. Tous ces Acadiens, à la parole et aux gestes lents, couraient comme si soudain, il leur avait poussé des ailes.

Les Acadiens de la place apportaient des plats cuisinés, des fleurs, des rires. L'ambiance de la cuisine était chaleureuse avec ses joyeux bavardages. Qui, parmi eux, n'espérait pas retrouver des membres de leur famille?

Toutefois, Blaise craignait de se préparer une autre déception, comme à l'arrivée des groupes précédents. Après avoir assisté aux retrouvailles de ses semblables, le soir, il se retrouvait seul dans sa grande maison silencieuse. Les invités partis, il frappait à violents coups de poings sur la table en déblatérant contre les Anglais.

Blaise ne se domptait pas. Comme à chaque arrivée, l'espoir de retrouver les siens le reprenait. Il était si heureux qu'il fit cesser tout travail sur son domaine.

* * *

Des centaines d'Acadiens louisianais, venus recevoir les exilés, étaient réunis dans la grande maison ensoleillée de Blaise Amireault. Les femmes, impatientes d'avoir des nouvelles de leur Acadie, préparaient un repas convivial. Elles s'affairaient comme des abeilles devant la cheminée. Au bruit des casseroles, les hommes installaient des tables provisoires. On ne ménageait rien. Le forgeron avait les moyens; il possédait de grandes terres et jouissait de douze serviteurs.

Dans cette agitation vive, Blaise tournait en rond et riait sans raison.

– Apportez des nappes ici, ajoutez des chaises là.

Le forgeron parlait et parlait, toutes ses pensées lui sortaient par la bouche.

– Ils vont nous raconter ce qui s'est passé là-bas, après notre départ.

Soudain, Blaise s'écria en pointant le doigt :

– Regardez. Ils viennent.

Instantanément, l'agitation cessa et les rires s'éteignirent pour faire place à un silence absolu.

Au loin, une colonne d'exilés s'avançait lentement vers eux, bagages en main. Ils étaient près de cent cinquante exilés, pieds nus, les vêtements décolorés en lambeaux, les boutons sautés, les cheveux gommés de saleté et la peau brûlée par le sel et le soleil. Deux hommes, exténués, traînaient une lourde malle. Les femmes marchaient d'un pas de somnambule, les épaules écrasées, la tête inclinée sous un soleil de feu. Les enfants gravitaient autour de leur mère. La faim leur tordait l'estomac. À leur tête, le curé de la place ouvrait la marche. On pouvait voir valser le bas de sa soutane noire.

Les Acadiens, qui croyaient retrouver de joyeux arrivants au teint frais et rafraîchissant, voyaient s'approcher des déguenillés au visage terreux. Ces déportés avaient tout supporté, tout souffert, tout perdu, tout pleuré. Ils étaient si maigres qu'ils faisaient presque peur à voir. Le spectacle arrachait les larmes. Blaise regrettait de ne pas avoir mis des voitures à leur disposition.

Les Acadiens de Bâton Rouge semblaient avoir oublié leur propre voyage alors que, des années plus tôt, eux-mêmes étaient arrivés en Louisiane aussi misérables que les nouveaux arrivants. Qui aurait dit qu'ils oublieraient?

Tout le village de Bâton Rouge était là, en grand apparat, les femmes en bottines vernies, les paysans en chemises repassées, les filles en jupes à volants. Les petits enfants bien portants sautillaient à quelques pas du groupe. Quel contraste avec les pauvres exilés! Les misères du voyage, la faim, les décès, les enfants pris comme esclaves, avaient laissé des traces profondes sous leur peau et dans leur cœur.

Sur le perron de la grande maison de Blaise, ainsi qu'à toutes les fenêtres, les pouls s'accéléraient, les yeux se mouillaient, les gorges se serraient d'émotion. Soudain, dans un même élan, les Acadiens coururent au-devant des exilés. Ce fut aussitôt le délire, des embrassades, des accolades, des pleurs de joie, de soulagements.

Marie se faufilait entre les gens de la place dans l'espoir de retrouver son Nicolas. Lentement, sa joie s'estompait. Ses recherches vaines, elle s'approcha d'Élisabeth Amireault. N'était-ce pas le meilleur endroit où attendre son fiancé? Nicolas allait sans doute se jeter dans les bras de sa mère.

Deux adolescentes, sales et déguenillées s'échappèrent du groupe en courant et leurs mains délicates saisirent les grosses mains de Blaise qui ne les reconnut pas immédiatement. Elles répétaient:

– Papa, papa, c'est nous, tes filles, Rose et Adeline.

– Rose! Adeline! C'est pas vrai! Pas mes petites filles?

Tout le sang de ses vieilles veines ne fit qu'un tour. Blaise les regarda mieux. Une joie intense illuminait sa face grillée par le feu de la forge.

Comme ses filles avaient grandi! Lors de son emprisonnement au fort Cumberland, elles n'étaient que des gamines à robes courtes. À l'adolescence, les filles changent, la taille se forme, les traits prennent toute leur beauté. Blaise les trouvait belles dans leurs robes étriquées, usées à la corde. Il referma ses bras sur elles.

– Si vous êtes là, c'est donc que votre mère ne doit pas être loin ?

– Maman est ici. Elle n'est pas bien forte. Elle doit couver quelque maladie.

– Votre mère, ici ? Où ça ? Dites-moi.

Blaise cherchait sur chaque figure celle de sa femme. Des hommes lui tendaient la main, mais trop pressé de retrouver son Élisabeth, Blaise, comme fou, ne les voyait pas.

Une femme au visage émacié se détachait du groupe. La malnutrition et l'épuisement déséquilibraient son pas.

À sa vue, Blaise éprouva un frisson de pitié. Il constatait à quel point son Élisabeth avait vieilli et comme les épreuves avaient mordu profondément sur elle. Où étaient passés son charme et son regard pétillant ? Elle avait maigri, ses joues se touchaient presque et ses yeux gris avaient pris la couleur de la mer orageuse à force de couver une rancune envers les Anglais.

Ils restaient tous deux, face à face, à se regarder, comme des étrangers. Élisabeth n'était plus la même.

Blaise colla son visage au sien et éclata en sanglots.

Puis il se ressaisit et prit sa main.

– Nicolas est parti hier avec quelques indigènes pour la chasse sur les rives du Mississippi. S'il avait pu prévoir ton arrivée, il serait resté. Mais que veux-tu, notre fils a l'âge de gagner son pain ! Il n'est bien nulle part, celui-là. Il m'a dit de ne plus l'attendre. J'ai supposé qu'il allait plutôt à la recherche de sa belle.

Un peu en retrait, Marie ne perdait pas un mot de l'entretien des Amireault. Nicolas parti, toutes ses espérances s'effondraient. Abasourdie, désemparée, elle restait là, les pieds cloués au sol. Maintenant, elle n'avait plus sa place sur cette terre étrangère. Une douleur insupportable lui serrait le cœur. Elle aurait voulu fuir à l'instant, courir derrière Nicolas, remonter le Mississippi et rattraper son fiancé au plus vite, mais seule, elle n'y arriverait pas. Elle restait là, figée dans sa peine. Nicolas parti, son rêve n'aboutirait jamais. Un sanglot l'étranglait.

Blaise, dans le feu des retrouvailles, ne voyait que sa femme et ses filles.

– Benjamin et Vincent sont là, juste derrière toi. Ils attendent leur tour d'embrasser leur mère.

Élisabeth ne réagissait pas aux retrouvailles des siens. Blaise gardait confiance ; avec un peu de patience, il lui ferait oublier toutes les monstruosités de la déportation. Sa femme retrouverait bientôt ses facultés.

Il se tourna vers ses filles.

– Rose, viens par ici un peu. Devine lequel de ces deux-là est Benjamin et lequel est Vincent.

Vincent, le cadet, avait grandi plus rapidement que son frère Benjamin. Les garçons étaient maintenant de taille égale.

– Si vous pensez m'avoir avec votre petit défi ! Je sais reconnaître mes frères.

Rose joua leur jeu. Elle posa une main sur l'épaule de Vincent.

– Toi, tu es Benjamin.

– Non, moi c'est Vincent. On t'a bien eue, hein ! Vous entendez ça, papa ?

Rose n'avoua pas qu'elle l'avait fait exprès, juste pour échanger des impressions avec ses frères et les amuser un peu.

– Toi, Benjamin, te voilà rendu pareil à Nicolas. Il ne manque maintenant que lui à notre bonheur.

Blaise saisit la main de sa femme.

– Regarde mon domaine. Je me suis fait un chez-moi ici, mais sans famille, je n'avais rien. Nous allons enfin recommencer à vivre. Tout ce que j'ai t'appartient.

Blaise se rendit compte qu'il parlait seul.

La cuisine sentait bon le levain et la cannelle. Autour de la table, on se donnait l'accolade, des tapes dans le dos, on s'embrassait. Toutes ces effusions laissaient Marie mélancolique. Si au moins Magdeleine avait été là : elle aurait pu se confier à elle, vider sa peine. Mais sa cousine était si loin, à des années de distance. Marie réfléchissait à la dernière conversation qu'elle avait eue avec Magdeleine. Si elle avait pu deviner pour Nicolas, elle aurait suivi sa cousine au Portage. Ici, dans cette foule d'exilés, les cœurs ne battaient plus au même rythme que sur l'embarcation. Les familles se reformaient et les exilés sans parents se retrouvaient encore plus seuls. Marie se sentait perdue au bout du monde.

Elle sortit sur le perron, les larmes aux yeux, la petite Flavie toujours accrochée à sa jupe. Elle serra la fillette dans ses bras.

Ostiguy surveillait les moindres gestes et réactions de Marie. Il la suivit en douce à l'extérieur.

– Je comprends ce que vous pouvez souffrir.

Marie le fixa d'un air grave.

– Laissez-moi.

– Vous jouez l'indépendante, mais au fin fond de votre cœur, la réalité est tout autre. Qui n'a pas besoin d'une âme sœur ?

– Non. Je vais retourner en Acadie. Ma place n'est pas ici.

– Quelle insouciance ! Vous ne pouvez partir seule. Ce serait mettre votre vie en péril. Vous seriez morte avant même d'arriver au Canada.

Marie éclata en sanglots.

– Secouez-vous un peu, bon sang ! Vous avez des amis ici. Vous pourrez vous refaire une vie, élever une famille. Votre fiancé ne vous mérite pas.

Ostiguy ajouta, le regard perdu :

– Ce garçon est quand même chanceux qu'une jeune fille naïve comme vous se meure d'amour pour lui. J'aimerais bien qu'on se soucie autant de moi.

Marie se raidit et prit une attitude hostile.

Ostiguy s'approcha et prit son coude.

– Ce serait bien triste de voir une belle jeune fille comme vous pleurer le restant de ses jours pour un garçon qui s'est évaporé dans la nature. Combien de jeunes gens seraient prêts à faire des folies pour vous ?

Ostiguy était-il encore une fois en train de semer le doute dans son cœur, de lui faire la cour ? Marie en avait ras le bol des impressions et des suggestions de ce coureur de bois qui fragilisait ses promesses. Toutefois, elle n'arrivait pas à le détester.

– Je me suis promise à Nicolas et je n'ai qu'une parole.

– Vous êtes une si délicieuse entêtée.

– Pas entêtée, mais fidèle à mes serments.

– Inébranlable alors?

– Comme le roc.

– À votre aise, alors!

Albertine, l'épaule collée au chambranle de la porte, n'échappait pas un mot de leur entretien.

Elle sortit précipitamment et appela:

– Marie, viens manger.

– Je n'ai pas faim. Allez-vous-en tous les deux; j'ai besoin d'être seule.

Ostiguy se mit à arpenter le perron en allers et retours fréquents. Il avait encore des choses à dire à Marie. Tantôt, la vieille fille partie, il reprendrait la conversation.

Albertine, inquiète de voir Marie aussi taciturne, s'empressa de la rassurer.

– Sois confiante. Ton Nicolas reviendra. Ici, c'est le meilleur endroit où attendre ton fiancé. Tôt ou tard, un enfant revient à la maison de son père.

Albertine ajouta sur un ton maternel:

– Viens, je te garde près de moi.

Marie sentait une chaleur humaine dans ses paroles. Elle n'avait plus personne autre que les sœurs Arseneau.

– Si vous saviez comme je tiens à vous!

Ostiguy croisait les deux femmes.

– Et à moi aussi ? demanda-t-il, le visage ouvert d'un large sourire. Après le repas, j'aimerais que vous veniez me retrouver devant la forge. J'ai des choses à vous dire qui pourraient vous intéresser.

Marie resta bouche bée. À quoi s'attendre ? Ostiguy savait-il où se trouvait Nicolas ? Lui cachait-il la vérité ?

– Quelles choses ? Pourquoi pas ici même ?

– Des choses qui vous regardent, ajouta Ostiguy.

– Et qui, je suppose, regardent Nicolas ?

– Cessez de me poser des questions, petite curieuse.

– Vous avez raison, je suis curieuse et c'est pour cette raison que j'y serai.

Albertine écoutait derrière la porte.

Bernadette surprit l'indiscrète. Elle n'allait pas perdre une chance de taquiner sa sœur. Elle prit un ton chantant :

– Celle qui écoute à la porte la prend sur le nez, dit-elle.

Albertine fit la sourde ; Marie retenait toute son attention. Elle passa affectueusement son bras autour des épaules de la jeune fille et l'entraîna doucement dans la grande maison du forgeron.

* * *

À l'intérieur, Blaise demandait à ses filles de servir un peu de bière de sapin.

– Messieurs, je vous recommande cette boisson. Allez, tout le monde, buvez à l'avenir des Acadiens à Bâton Rouge. Quelques gorgées de bière, ce n'est pas grand-chose, mais avalées entre nous, autour d'une bonne table, vous verrez comme ça vous détend un homme.

Rose et Adeline servaient et, à chaque tournée, elles se versaient une rasade. Elles se sentirent vite étourdies d'une vapeur de joie. Elles riaient pour rien. Blaise leur prit la coupe des mains, puis très calme, sans colère, il reconduisit Rose à une chaise.

– Viens par là.

Mais Rose ne l'entendait pas de cette oreille. Elle répliqua :

– Je suis capable de me diriger moi-même.

Au fond de la cuisine, Adéline retirait une bouteille de l'armoire et buvait à même le goulot.

Blaise ne se sentait pas en mesure de réprimander ses filles. Il était resté longtemps seul avec ses pensées et, de silence en silence, il en était arrivé à se convaincre que la douceur l'emportait sur la rigueur.

Il s'adressa au prêtre. Ce dernier était venu pour confesser, célébrer une messe, bénir et valider les mariages et baptiser les enfants ondoyés.

– Monsieur le Curé, quand vous aurez terminé vos devoirs religieux, nous passerons à la table.

Devant les visages las et somnolents des exilés, le prêtre décida de manger d'abord. Ces gens avaient besoin de refaire leurs forces et ils étaient trop émotifs pour se concentrer sur les prières.

De son grand couteau, Blaise traça une croix sur le pain et le trancha.

Puis le prêtre leva le doigt pour retenir l'attention du groupe.

Il récita le bénédicité et invita les convives à manger. Devant chaque invité fumait un bol de soupe bourré de légumes. Les arrivants trempaient leur pain dans le bouillon et mangeaient avec un appétit d'ogre. On n'entendait plus que les cuillères racler le fond des assiettes creuses.

Vint le tour de Blaise de s'adresser à tout le monde. Il s'avança légèrement, posa les coudes sur la table et prolongea un peu le silence. Puis il s'éclaircit la voix comme s'il ne voulait glisser sur aucun mot.

– Quelqu'un peut-il nous raconter ce qui s'est passé en Acadie après le départ de la flotte ?

Pendant un bon moment les arrivants furent incapables de parler. Puis le vin de gadelle aidant, Landry, le maître de l'expédition, commença par nommer tous les exilés morts en mer de maladie ou de misère.

Blaise apprit la mort de son ami Augustin Labasque sur la plage de Grand-Pré.

Après un triste silence, Blaise se leva, s'approcha de Marie et lui ouvrit les bras.

– Ma fille, les portes de ma maison vous seront toujours ouvertes. Vous pouvez demeurer ici jusqu'au retour de Nicolas.

Marie, les mains crispées sur sa fourchette, restait muette. Depuis sa tendre enfance, ce forgeron à la voix forte l'intimidait au point de le voir dans ses cauchemars. Avant d'entrer dans sa maison, Marie n'avait pas pensé un instant à y trouver un gîte. Elle s'entendit répondre :

– Merci ! Je me trouverai bien un endroit. Je ne suis pas seule, j'ai une enfant à m'occuper, une orpheline de la déportation. Tantôt, je vous raconterai son histoire. Il sera bon que tout le monde l'entende.

Blaise Amireault passa sa grosse main rugueuse sur la tête de Flavie.

– Alors, bienvenue à vous deux.

Il prit la main de sa femme, la posa affectueusement sur le poignet de Marie et pressa un peu.

– Restez avec nous, Marie, dit-il.

Marie raconta à tous les Acadiens présents la naissance des jumelles Flore et Flavie et la mort d'Angèle Gautherot et de sa première fille.

Aussitôt, l'atmosphère de la cuisine devint chargée. Deux tables plus loin, Charles Gautherot figeait la fourchette en l'air, les jambes sciées par la mauvaise nouvelle.

Dans l'assistance, on esquissait des signes discrets pour faire taire Marie, mais celle-ci ne comprenait rien à leurs simagrées. Inconséquente, elle continuait. Comment aurait-elle pu se douter de la présence de Charles Gautherot dans cette maison quand le coureur de bois avait rapporté que les Gautherot se trouvaient au Portage ?

Erreur ! Charles Gautherot était arrivé sur le même navire que Blaise.

Charles était un tendre qui ne savait pas encaisser les coups durs. L'homme, blême comme du lait, repoussa son assiette, se leva et retomba lourdement sur sa chaise.

Marie courut chercher les sels en cas de besoin. En passant devant Osite, celle-ci tira sa jupe.

– Veux-tu me dire ce qui t'a pris ? Tu ne voyais pas qu'on te faisait signe de te taire ?

Marie, pressée par les soins à prodiguer, ne releva pas la remarque désobligeante de sa tante.

Une agitation se propageait dans le groupe sous l'effet de l'émotion partagée. Les chuchotements reprenaient comme le murmure du vent dans le feuillage.

On entourait Charles, mais celui-ci, revenu de ses émotions, se rua sur Flavie et la serra dans ses bras.

– Ma fille, ma petite fille !

Flavie le regardait de son visage d'innocence.

Marie, sidérée, prit sa tête à deux mains et s'entendit échapper tout haut :

– Lui, ici ! Tout est fichu.

Charles Gautherot cachait son visage dans les cheveux de sa fille qui ne comprenait rien à son geste précipité. Marie crut qu'il pleurait aux tressautements de ses épaules.

Flavie tentait de se soustraire aux effusions. Elle saisit la main de Marie qui ne savait comment se rétracter.

– Je m'attendais si peu à cela. Si j'avais pu prévoir que vous étiez ici, j'aurais employé une manière plus délicate.

– Ne vous excusez pas. Le coup n'aurait pas été moins dur.

La mort dans l'âme, Marie poussa la fillette dans les bras de son père.

– Va, Flavie, c'est ton papa. Tu te souviens combien de fois je t'ai répété que ton papa, même s'il était très loin de toi, t'aimait très fort.

Marie avait de la difficulté à parler. La douleur d'une autre séparation tordait sa bouche. Déjà, Flavie ne lui appartenait plus.

Elle ajouta à l'intention de Charles :

– Flavie est une enfant de bon caractère. Prenez-en bien soin.

Désormais seule, Marie ne savait plus que faire ni où aller. Elle n'avait même pas un coin retiré où se laisser choir. Le cœur écorché, prêt à éclater, elle fila à l'extérieur.

Les jambes flageolantes, Marie fit quelques pas dans l'allée fleurie d'iris. Elle poussa machinalement la grille donnant accès au chemin. Elle avait perdu son fiancé, et maintenant, elle perdait sa fille. Elle ne s'était jamais sentie aussi seule. Deux drames, coup sur coup. C'en était trop.

Le cœur vide, incapable d'un raisonnement logique, elle se répétait : « Je n'ai plus rien ni personne. Tout est fichu. Je vais virer folle. »

Elle marchait droit devant elle, sans but, sans intérêt. Ses pas lents écrasaient le gravier. Son être avait frappé tant d'obstacles que le ressort était brisé. Elle n'avait même pas le droit de craquer, d'en achever pour de bon ; les commandements de Dieu le défendaient.

Le temps passait, l'ombre allongeait sa silhouette.

La route menait ses pas sur le chemin qui conduisait au bayou, quand elle sentit une présence derrière elle, sans doute Ostiguy. Celui-là, s'il pensait profiter de ses malheurs pour la voir craquer, il serait bien servi.

Marie repousserait désormais toute affection, toute attache qui la feraient souffrir ensuite. Du revers de la main, elle essuya le déluge de larmes qui inondait son visage quand elle s'entendit nommer.

– Mademoiselle Labasque.

Cette voix grave, sans être sévère, ne lui était pas familière. Elle se retourna et resta un court moment paralysée. Charles Gautherot arrivait dans son dos, son chapeau à large bord renversé sur la nuque, sa chevelure fauve mêlée à une bonne odeur de cannelle. Le grand monsieur à la figure noble, à la barbe fraîchement rasée, la regardait d'un œil si clair qu'elle se troubla.

Charles Gautherot avait inévitablement remarqué ses joues brûlantes. Marie rougit, comme prise en défaut.

– Pas de chance aujourd'hui, dit-elle, rien ne va !

Charles la couvrit de sa veste et lui emboîta le pas.

– La vie est dure, mademoiselle. Elle nous arrache des êtres chers, brise nos rêves les plus fous et nous laisse le cœur en miettes.

– Les souvenirs font mal, dit-elle, surtout les bons.

– Parfois, ils aident à vivre.

– Et parfois à mourir.

Marie gardait les yeux baissés sous ses longs cils pleins de pudeur.

– Après avoir supporté les pires afflictions, on serait porté à croire que nos malheurs sont derrière. Tout événement douloureux ne mérite-t-il pas une certaine compensation ?

Charles ne savait que répondre. Il lui enleva familièrement une ronce accrochée à sa jupe de daim. Marcher vers nulle part avec cette jeune fille avait quelque chose de séduisant pour Charles.

Ils marchèrent une heure ensemble. Marie fut tout de suite à l'aise avec lui. Charles était trop correct pour qu'elle lui en veuille. Elle lui raconta, en s'attardant aux détails cette fois, l'accouchement d'Angèle, son départ et celui de sa fille pour l'au-delà.

– Flore avait un duvet blond de nouveau-née, de minuscules ongles, un visage fin, des yeux bleus et une odeur d'ange cachée dans son cou délicat. Malheureusement, la petite Flore n'était pas plus forte qu'une mouche.

Charles tentait de dissimuler une tristesse mal cachée.

– Le portrait est bon. Je m'en souviendrai.

Charles était un homme droit, calme et réservé. Toutefois les malheurs les plus cruels qui s'étaient abattus sur sa famille le rendaient profondément vulnérable. Avant d'apprendre la mort d'Angèle, il ne se serait jamais arrêté à penser à l'amour. Mais ce jour-là, avec les exilés, Marie était venue. À son arrivée, il ne l'avait pas remarquée. Il n'y faisait même pas attention, puis tout à coup, il la voyait partout. Sa tête en était pleine.

– Je me demande ce que l'avenir nous réserve. J'aime à croire qu'il existe encore de grandes joies en ce bas monde.

Marie regardait par terre. Elle murmura quelque chose qui ressemblait à : «Je ne suis pas assez naïve pour y croire. »

– Je tiens à vous remercier pour les bons soins et l'affection dispensés à ma fille. Entre elle et moi, rien n'est gagné. Je suis un étranger pour Flavie. Elle me l'a fait sentir assez clairement en me repoussant. Vous êtes et vous serez toujours la seule personne à qui elle tient vraiment. Elle m'en voudrait de la séparer de vous. Comme mon travail au moulin à farine ne me permet pas de m'occuper d'une enfant, accepteriez-vous d'en prendre soin comme avant ? Chaque semaine, je vous verserai une pension.

Marie se sentait réticente. Si c'était pour se préparer une autre déception, ce serait non ; elle n'en pouvait plus de tant de déchirures.

– Ce serait pour combien de temps ?

– Je ne sais pas. Ce sera à Flavie de décider du moment. Mais je tiens à me garder le droit de la visiter à mon gré. Pour ma part, la porte de ma maison vous sera toujours ouverte.

– Alors, j'accepte.

– Nous nous éloignons un peu. Si nous allions voir ce que racontent les autres ?

– Notre promenade va faire jaser.

– Je l'espère bien.

L'accent était si tendre que Marie prit la réplique pour un aveu. Elle rougit de nouveau. Cette allusion éveillait chez elle des sentiments troublants, mais à chaque émotion douce, le visage de Nicolas venait s'imposer à son esprit.

Charles saisit son bras et le serra avec l'impression de la posséder un peu. Il lui fit faire demi-tour. «Si je me laissais aller, pensait-il, je l'embrasserais.» Puis il se ravisa aussitôt. Là-haut dans son ciel, Angèle lui rappelait qu'il avait un deuil à observer. Il eut honte de son désir. Mais pour peu, revenu dans le monde des vivants, Charles ressentait une envie d'aimer et de se laisser aimer, et Marie était là, si proche, si séduisante. Une tendre amitié naissait entre eux, comme une ouverture.

Ils montaient l'allée fleurie quand Charles déposa un chaste baiser sur la joue de Marie. Elle lui adressa un sourire timide. Marie avait tellement besoin qu'on s'occupe d'elle.

Marie et Charles entrèrent ensemble aux sons mélodieux des grenouilles et des oiseaux.

Ostiguy, éméché, arpentait le perron à petits pas, en s'appuyant à la rampe pour ne pas tomber. Il fut surpris d'entendre les voix de Marie et de Charles. Il n'avait pas assez de Nicolas comme rival, il allait en surcroît entrer en concurrence avec Charles Gautherot.

Sur le perron, Marie croisa Ostiguy.

Celui-ci lui adressa un sourire tranquille, se mit à siffler doucement et entra à leur suite.

Dans la grande maison de Blaise, les trois arrivants se dispersèrent parmi les convives. Marie choisit une chaise inoccupée près d'Albertine. Autour de la table, on discutait encore des retrouvailles et des tragédies de la déportation.

Ostiguy, habile à toutes les manœuvres, choisit le siège voisin de Charles Gautherot.

– Cette fille n'est pas pour vous, dit-il, elle est déjà ma reine. Vous voyez cette robe qu'elle porte, c'est le fruit de ma chasse.

– Que de bruits pour rien !

Et comme s'il était indifférent à ses propos, Gautherot se leva et s'en fut retrouver Flavie assise dans le coude de l'escalier.

Étienne D'Entremont prenait la parole.

– Le village n'a plus une maison debout. Madame Lamontagne est ici avec ses deux bambins. C'est tout ce qui reste de ses dix enfants. Et ma sœur Fabiola n'en a plus qu'un, cinq ont été déportés on ne sait où et sa petite Adèle est morte juste avant notre départ de Grand-Pré. Il n'y a pas de scènes plus barbares que celles qui touchent des enfants innocents. Il n'y a pas de pardon possible.

– Racontez-nous. Nous devons tout savoir des mauvais traitements des Anglais. Videz votre cœur pour que le bonheur puisse à nouveau y entrer.

– Nous nous sommes cachés, ma sœur Fabiola, ses enfants et moi, derrière la colline qui dominait le village. Nous avons vu les Anglais incendier les maisons, les granges, les entrepôts, le moulin à scie. Nous avons gagné la forêt et échappé aux Anglais de justesse. Notre fuite a été un calvaire à cause du froid et des soldats qui avaient ordre de tirer à vue sur les fugitifs.

Étienne murmura, la bouche amère :

– Les Anglais pouvaient tout se permettre, le sang ne paraît pas sur les habits rouges.

Tout en racontant, le poing D'Entremont s'abattit sur la table avec violence.

– Nous avons dû nous rendre comme des lâches. Il vaut mieux ne pas raconter ces atrocités devant les enfants. Ils en ont déjà trop vu. Peut-être oublieront-ils avec le temps ? Quand ils seront au lit, je vous raconterai ce qui s'est passé. Vous n'en croirez pas vos oreilles.

Étienne faisait allusion au scalp de la petite Adèle. Il ressentait la nécessité de parler de ces crimes odieux. Tout le monde devait savoir jusqu'à quel point les Anglais étaient barbares.

Chacun racontait les jours tristes qu'ils avaient vécus. Et chaque histoire provoquait des larmes et des reniflements.

Les Acadiens de Bâton Rouge racontèrent à leur tour leur déportation avec tempêtes, maladies, honte, supplices, mortalités, sans compter qu'ils avaient dû mendier et chaparder dans les potagers pour subsister. Toutes leurs histoires vécues se ressemblaient et rapprochaient les anciens déportés et les nouveaux.

À chaque commentaire, l'indignation de l'assistance montait, la colère explosait et les cœurs s'allégeaient un peu de leur fardeau.

Albertine se faufila lentement entre les convives, jusqu'au pasteur.

– Monsieur l'abbé, j'aimerais vous parler d'un sujet un peu délicat.

– Si vous avez l'intention de vous confesser, nous pouvons nous retirer à l'écart.

– Ce n'est pas pour une confession, mais plutôt pour un conseil, un soutien. Vous voyez la jeune fille, habillée à l'indienne, là-bas, près de la fenêtre?

Le curé ne pouvait la manquer. Marie était placée vis-à-vis d'eux, à deux pas de la table, isolée et bien en évidence.

Albertine enchaîna:

– Elle est la fille d'Augustin Labasque, mort lors de l'embarcation et depuis, elle est sans famille. Elle est fiancée à un de vos paroissiens, Nicolas Amireault. Elle vient tout juste d'apprendre que son promis a quitté la Louisiane, hier. La petite est inconsolable. Peut-être pourriez-vous lui parler, l'encourager?

Avec emphase, Albertine se pressa de raconter au prêtre l'entretien dont elle avait été témoin entre Marie et Ostiguy, le coureur de bois.

– J'étais là, derrière la porte, à guetter le moment de surprendre les manigances d'Ostiguy, juste dans le but de protéger la petite. Je crains que ce moineau-là ne profite de sa fragilité pour la séduire et la détourner de sa promesse. Il ne la lâche pas d'une semelle.

Albertine ajouta, la voix chargée d'émotion:

– Si vous saviez à quel point cette enfant me tient à cœur! Ma sœur et moi l'avons gardée après le décès de sa mère et depuis, nous la considérons comme notre propre fille.

– Comptez sur mon appui. Je lui adresserai quelques paroles de réconfort, toutefois, cette jeune fille doit rester maître de ses sentiments et décider elle-même de son choix.

– Marie est fiancée. Une promesse est une promesse.

– Encore faut-il qu'il y ait un fiancé.

Déjà, Marie n'était plus là. C'était l'heure de son rendez-vous avec Ostiguy près de l'entrepôt.

Ostiguy ne cessait de boire. Pris d'un hoquet continu, il trébuchait près du perron. La bière de sapin bavait sur son menton.

Marie ne put retenir une moue de dédain. Elle ne pouvait sentir les gens qui boivent. Elle rentra.

La soirée de retrouvailles se prolongea jusqu'à tard dans la nuit.

Après avoir rapporté plusieurs deuils, naissances et unions, les peines et les joies des uns étaient devenues celles des autres. Ces Acadiens de sang n'avaient-ils pas tous, par leurs aïeux, un ascendant commun?

Peu à peu les conversations s'éteignirent dans la grande cuisine de Blaise. Les exilés gavés, le visage éclairé d'un sourire reconnaissant, se retiraient pour la nuit.

Dans les maisons de Bâton Rouge, toutes les chambres disponibles étaient offertes aux arrivants. On éparpilla ces derniers dans les foyers acadiens où ils étaient reçus comme de la grande visite. Chacun profita d'un bon lit.

Marie, Flavie et les demoiselles Arseneau acceptèrent de partager temporairement le couvert et le gîte des Amireault.

Avant de s'endormir, Marie s'agenouilla, les coudes sur son lit, et récita trois Ave. Elle n'allait quand même pas raconter sa détresse à Dieu ; de là-haut, Il voyait et savait tout. Marie se glissa la tête sous les draps et demeura couchée sur le côté, les yeux ouverts. Des larmes lourdes et lentes mouillaient ses joues rondes.

* * *

Le lendemain, au saut du lit, Marie noua machinalement ses cheveux sur sa nuque. Un vent chaud entrait par la fenêtre et gonflait les rideaux. Elle ouvrit les persiennes et le jour entra. La jeune fille demeura pendant un bon moment les bras allongés sur l'appui de la croisée. L'odeur du foin pénétrait dans la pièce avec l'air du matin. Marie en respira une grande bouffée.

Dans la basse-cour, deux chevaux blonds buvaient au tonneau et s'ébrouaient. Non loin, une femme jetait des grains aux poules. Près de la grille de la maison, des enfants s'amusaient à pousser une brouette trop lourde pour leurs bras malingres. Rose et Adeline étaient couchées dans l'herbe. Sous un magnolia en fleurs, les servantes de Blaise étendaient des vêtements fraîchement lavés. Un Acadien disait en étendant largement les bras : « Regardez, mes enfants, nous avons de la terre en abondance. On construira notre maison ici. »

Marie les envoyait. Ces projets n'étaient pas pour elle. Quand on n'a pas de mari, on n'a pas de bras d'homme pour couper le bois et bâtir sa maison.

Les arrivants étaient là, à causer et à s'esclaffer. Le bonheur leur sortait par tous les pores de la peau quand sa vie à elle n'était qu'un long calvaire.

De la déportation à ce jour, elle n'avait marché, peiné, rêvé et vécu que pour retrouver son fiancé. Et voilà que, sur le point d'atteindre son but, elle apprenait que Nicolas s'était volatilisé. Et que dire de Flavie qui, maintenant, ne lui appartenait qu'à demi ? Comment retrouver le goût de vivre suite à de pareilles tragédies ?

Toute son énergie tombait. Marie se retrouvait aussi abattue que le jour où on avait embarqué Nicolas sur le *Pembroke*. Elle n'avait plus faim, plus envie de rien d'autre que de se recoucher et d'attendre sa mort. Dieu n'entendait-il pas ses prières ? De là-haut, Il devait être témoin de sa descente aux enfers. Mais non, son Dieu se cachait.

Restée au lit, dans les draps chauds du matin, Flavie, les joues roses, les yeux rieurs, chantait.

Marie mit un doigt sur ses lèvres pour inciter l'enfant à se taire.

– Chut ! Tu vas déranger toute la maisonnée.

– Tant pis ! Moi, j'aime chanter et je chante !

– Flavie, tu me fais de la peine quand tu répliques.

Flavie se tut, mais son rire clair s'égrenait dans la chambre et laissait voir ses belles dents blanches. Sur les draps en désordre, la fillette exécuta une cabriole pour faire rire Marie.

Celle-ci prit sa main affectueusement.

– Cesse tes bouffonneries. Viens, descendons.

Autour de la table, les invités rassasiés traînassaient devant les assiettes sales. Blaise Amireault, les mains chevauchées sur celles d'Élisabeth, lui faisait hacher du persil pour l'ajouter à l'omelette.

Marie salua d'un signe de tête.

Blaise Amireault s'approcha promptement et lui désigna une chaise.

– Assoyez-vous là, Marie. C'est la place de Nicolas.

L'empreinte de Nicolas était partout dans cette grande maison : sa respiration devant la fenêtre ouverte, son odeur sur l'oreiller, ses mains sur la lampe, son pas dans l'escalier, sa place à la table. Et sa douce présence rappelait à Marie sa cruelle absence.

Incapable de ne rien dire, Marie planta son couteau dans le beurre qu'elle étala sur une rôtie sur laquelle elle ajouta de la confiture d'oranges. Elle servit Flavie et s'obligea ensuite à avaler quelques bouchées qui refusaient de descendre.

Marie ne se sentait pas à l'aise dans cette maison où tout le monde courait au-devant de ses moindres désirs. Après une semaine, elle décida de loger chez les sœurs Arseneau. Ces dernières venaient de dénicher une petite maison sur pilotis qu'elles avaient payée rubis sur l'ongle.

* * *

Kerlerek, le gouverneur de la Louisiane, distribua aux exilés des terres boisées aux environs de Bâton Rouge.

Aussitôt les Acadiens se mirent au travail. Ils commencèrent par semer le blé entre les arbres. Puis pressés de dormir sous leur propre toit, ils abattirent de grands cyprès pour se construire des maisons de bois sans plancher.

Pour s'installer, les arrivants reçurent de l'aide de l'état et aussi de leurs parents et amis, de sorte qu'en peu de temps, les derniers arrivés furent aussi bien installés que leurs confrères du début, un peu comme dans leur chère Acadie lorsqu'un jeune couple se mettait en ménage. Cette façon généreuse et particulière de donner au suivant n'était que le retour du balancier.

Les Acadiens apprirent aux Louisianais comment cultiver le blé en Louisiane. Ils se rendirent compte que le lin ne poussait pas bien dans cette colonie. Et comme la laine était trop chaude pour la température, ils apprirent à cultiver le coton pour se vêtir. Ils arrivèrent vite à produire des récoltes louisianaises : le maïs, la cane à sucre et le riz.

Marie se remit à l'ouvrage, mais le cœur n'y était pas.

Albertine et Bernadette l'observaient. Ses beaux yeux bleus étaient passés au gris.

Ces femmes commençaient à douter que Marie ne prenne du mieux. Un jour où ses pensées vagabondaient, Bernadette eut l'idée géniale d'encourager Marie à travailler.

– Secoue-toi, bon sens! Nous ne t'avons pas confectionné une robe de mariée pour t'enterrer dedans.

– Faut-il survivre à n'importe quel prix?

Albertine tapota affectueusement son poignet.

– J'ai une proposition à te faire. Tu te souviens, là-bas, en Virginie comme tu te plaisais au dispensaire? Tu t'emballais juste à l'idée de soigner les gens, et ce, même si ceux-ci étaient des Anglais. Tu as des aptitudes, des connaissances, du savoir et tu te dois de les mettre au service des malades. Pourquoi n'irais-tu pas solliciter un poste au dispensaire du village? Parle au directeur de ta pratique dans le métier, les malades pourraient en tirer profit. Et puis, ici, contrairement à la Virginie, tu soignerais les nôtres.

– Je vais y penser.

– Tu es en train de mourir à force de penser. Ce n'est pas d'une morte dont les malades ont besoin. Va, et change-moi vite cette face de carême pour une plus joyeuse.

Marie sourit forcément.

Bernadette intervint à son tour, histoire de lui secouer les puces.

– Au dispensaire, tu verras des plus blessés que toi. Parfois, ça nous fait oublier nos propres bobos.

– Bof!

– C'est quoi ce «bof»? Quand on dit bof, c'est que ce bof cache quelque chose.

– Tu vois ce que je te disais, Albertine: la petite ne veut pas.

– Ce n'est pas ce que j'ai dit, rétorqua Marie. Je veux d'abord y réfléchir tranquillement.

– Et tu vas réfléchir encore combien de temps?

– Je ne sais pas trop. Il y a Flavie.

– Pour Flavie, tu peux compter sur nous. Tu le sais très bien.

Après un silence qui n'en finissait plus, Marie céda aux instances des demoiselles Arseneau.

– Je peux toujours offrir mon aide, mais c'est juste pour vous faire plaisir.

XXIII

Nicolas Amireault chassait seul sur les bords du Mississippi quand l'ennui de revoir les siens le ramena à la maison de son père.

Il déposa son fusil et alluma un feu sur la plage.

Il cuisait quelques petits poissons sur la braise quand il tomba face à face avec un crotale diamantin, un reptile venimeux d'un mètre de long. Nicolas pensa tout de suite à son arme dont il ne pouvait disposer rapidement. Un peu audacieux, il ramassa un bout de bois qui avait servi à attiser son feu et décida de jouer à l'attrapeur de serpent. Il essayait de le ramasser avec son bâton. L'espace d'un instant, l'éclat bref du diamant l'aveugla et il ressentit comme un coup d'épée traverser sa jambe.

Nicolas sentit aussitôt un picotement dans toute sa jambe. Le venin mortel commençait son œuvre. Le garçon se tordait de douleur, il se retenait de crier; il avait besoin de toutes ses forces pour marcher afin de trouver du secours. S'il n'obtenait pas une aide immédiate, il allait mourir d'une vilaine morsure.

Les jambes flageolantes, au bout de quelques pas d'un héroïque effort, il réussit de peine et de misère à monter dans son canot. Les picotements qui avaient envahi sa jambe, gagnaient maintenant sa cuisse.

Arrivé sur la côte où se trouvait une bourgade qui ne comptait pas plus de dix feux, Nicolas dirigea avec peine son canot vers eux. Les Indigènes pourraient peut-être lui sauver la vie. Certaines tribus y arrivaient en suçant le venin et en le recrachant. Déjà, il ne pouvait plus bouger ses jambes. Il se laissa tomber hors de son embarcation et parvint à rouler sur lui-même dans l'eau peu profonde jusqu'à la berge. Il tomba immobile, pareil à un mort.

* * *

Depuis six mois, Marie se rendait au dispensaire le cœur serré, l'âme si déchiquetée que le ciel dut en avoir pitié.

Ce matin-là, elle sortait du cabinet du médecin quand elle vit un groupe d'indien courir en tenant un homme dont la tête dodelinait et les pieds rasaient le sol.

– Déposez-le ici.

Marie eut aussitôt recours au médecin.

Ce dernier, avec son œil connaisseur, détecta tout de suite un empoisonnement, mais lequel ? Il existait un contrepoison particulier pour chaque classe de reptile.

Une belle femme indigène les accompagnait. Une longue tresse pendait dans son dos et une frange épaisse cachait son front. Elle s'approcha.

– Serpent, morsure, crotale.

Puis le groupe d'indigènes disparut. Une porte se ferma, puis plus rien.

Sans perdre un instant, le médecin injecta un liquide dans le bras du blessé.

– Surveillez-le bien, dit-il à Marie. S'il ne revient pas à lui, j'augmenterai la dose.

Marie s'assit à ses côtés. Elle espérait que le jeune homme s'en sorte vivant.

Le blessé entrouvrit des yeux de merlan frit et les referma.

Marie avisa le médecin de ce léger changement.

– Parfait, dit-il satisfait, le contrepoison commence à agir. Je crois qu'il s'en remettra. Il s'en est fallu de peu pour que ce jeune homme traverse dans l'au-delà. Vous pourrez dire à sa dame qu'avec un peu de chance, dans quelques jours, il pourra repartir sur ses jambes.

– J'en prends note, docteur.

Soudain, sous la barbe et les cheveux en broussailles, Marie crut reconnaître les traits de son fiancé. Un frémissement rapide passa dans sa chair. Elle écarquilla les yeux. « C'est bien lui. C'est Nicolas », se dit-elle, complètement ébranlée.

D'un coup, tout ressurgit. Son cœur reprit le rythme fou de ses seize ans. Marie ressentait les mêmes émotions que le premier jour. Il n'existait plus de coureur de bois, plus de Jules, plus de Charles, personne autre que Nicolas, son amour, sa vie.

Le souffle coupé, Marie ouvrit la bouche pour crier son nom, mais aucun son ne s'en échappait. Elle restait là, paralysée.

Elle n'avait qu'une envie, prendre la tête de Nicolas entre ses mains, mais elle réfréna ses élans; il y avait cette femme. Marie comptait les années d'éloigne-ment. Flavie était là pour les lui rappeler. Sept années avaient passé, sept années d'attente, de rêves, de désir, d'espoirs, de désespoirs, pour en arriver à une pareille déception. Nicolas n'avait pas su l'attendre. Elle ne lui en gardait pas rancune; c'était davantage aux Anglais qu'elle en voulait. Si ce n'avait été de cette déportation, Nicolas et elle seraient heureux à Grand-Pré. Marie détestait plus que jamais les Anglais. À cause d'eux, sa vie était brisée à jamais.

Son quart de travail terminé, Marie retourna chez elle, démolie. En plus de la peine d'avoir perdu Nicolas, elle éprouvait la honte d'être remplacée. Elle qui était restée fidèle, irréprochable. Elle garda sa douleur pour elle seule. Albertine et Bernadette n'en surent rien.

* * *

Le lendemain, Marie, fébrile, releva ses cheveux en chignon et les couvrit de sa coiffe. Elle pourrait ainsi contempler Nicolas à son aise sans risquer d'être reconnue de lui.

Elle sentait un empressement à se rendre à l'hôpital. Elle s'y présenta une demi-heure plus tôt. L'aide-infirmière de nuit achevait sa ronde. Surprise de l'arrivée hâtive de Marie, l'assistante ne lui cacha pas sa satisfaction.

– Mademoiselle Labasque! Quelle bonne idée d'arriver en avance! Je vais profiter d'une aide aux déjeuners.

– Si vous préférez partir, je me débrouillerai avec la jeune créole pour distribuer les cabarets.

Marie se pressa de distribuer les repas. Tout le temps du service, son regard s'attardait sur lit de Nicolas. Sa journée de travail fut une distraction continuelle.

Le lendemain ressembla à la veille.

* * *

Ce mercredi, la démarche titubante, Nicolas, mal en point, s'appuyait au bras de Marie. Quelques gouttes de sueur perlaient sur son front. Il pesait lourd sous le poids de sept années d'attente. Mais quelle douceur Marie éprouvait à sentir son corps s'appuyer contre le sien ! Sans un mot, elle fit plusieurs allers et retours dans le long corridor blanc.

Nicolas avait une femme qui l'attendait. Il ne lui appartenait plus. Marie ravalait discrètement. Le dispensaire n'était pas l'endroit propice où vider sa peine.

Nicolas, comme un étranger, ne lui accordait même pas un regard. L'avait-il reconnue, oubliée ou encore était-il honteux ?

Marie ne savait plus si elle devait l'aborder ou faire mine de l'ignorer. La belle Indienne lui revint à l'esprit et Marie se tut.

Elle aida Nicolas à s'allonger sur le lit. Allait-il s'apercevoir que sa main tremblait ?

Le lendemain, le corps de Nicolas était couvert de rougeurs.

Le médecin établit un diagnostic sans équivoque.

– Notre patient fait une réaction au contrepoison. Faites-lui une injection.

Une peur irraisonnée saisit Marie. Elle se mit à claquer des dents.

– Je ne suis pas capable.

– Pas capable! Je vous ai enseigné la manière, pourtant.

Sur ce, le chirurgien passa au laboratoire, une pièce attenante à la chambre.

Restée seule avec le patient, Marie murmura:

– Je ne pourrais pas.

Nicolas reconnut cette voix chaude et tendre qui seule au cœur arrive. Certes, il perdait la tête. Il balbutia, la voix étranglée par l'émotion:

– Marie? Toi, ici? Mais qu'est-ce que… ça ne se peut pas!

La main de Nicolas cherchait la sienne, mais Marie la retira.

– Ici, ce n'est pas l'endroit. On va vous injecter un médicament. Le médecin va revenir dans la minute.

Nicolas, dépité, suivait Marie des yeux. Leurs regards se rencontrèrent. Elle était toujours aussi adorable, un peu amaigrie, mais très belle.

Le médecin revint avec deux fioles coiffées de bouchons de liège.

Marie s'éclipsa devant le docteur. Elle traversa à la pièce voisine.

Tout le temps de ses soins, Nicolas restait étranger au dialogue du médecin. Aux questions médicales, il répondait par des signes de tête distraits. Ses pensées erraient dans la pièce d'à côté. Tantôt la belle Marie le vouvoyait. Elle était de glace. Nicolas cherchait la raison de cet étrange revirement; ces sept années d'éloignement avaient-elles agi sur ses sentiments? Peut-être était-elle mariée? Nicolas chassa aussitôt cette pensée. Ils étaient presque mariés. Si c'était le cas, elle le lui aurait dit carrément. Peut-être lui en voulait-elle de ne pas l'avoir retrouvée plus tôt. Que de questions sans réponses! Marie lui avait dit: «ici, ce n'est pas l'endroit», comme s'il existait un lieu approprié pour les moments intenses. Se retrouver était pour eux l'événement le plus important de leur vie et voilà que Marie s'arrêtait à un détail, l'endroit.

Marie ne semblait pas prête à parler et ce n'était pas l'intention de Nicolas de la brusquer.

* * *

Ce jour-là, le médecin venait de signer son congé de l'hôpital.

Nicolas lambinait dans l'espoir de revoir Marie.

À sa sortie du cabinet, Marie l'entraîna dans une pièce peu fréquentée, un petit laboratoire tout blanc où se trouvait une réserve de fioles, de remèdes, d'onguents et de bandages. Dans ce réduit, ils pourraient s'embrasser à volonté. Mais tout se passa autrement. Les fiancés restaient là, debout, face à face, à se regarder. Marie sentait des larmes monter à ses yeux.

Nicolas avança sa main.

Marie recula d'un pas.

– Marie, ma belle, ma douce Marie.

Après sept ans, Nicolas n'avait rien perdu de sa beauté, si ce n'était de deux rides qui barraient son front et ajoutaient une certaine maturité à son charme.

Marie ressentait une envie folle de se jeter dans ses bras, mais elle réfréna ses élans. Nicolas était marié et peut-être père de famille ; les beaux garçons ne moisissent pas célibataires.

Nicolas la secouait, insistait.

Elle restait sans bouger, la tête appuyée au mur. Pourquoi avait-elle entraîné Nicolas dans cette pièce ?

– J'aimerais qu'on se reparle. Je suis de service et je dois terminer mon quart. Venez. Si on nous surprenait ici, je me ferais rappeler à l'ordre. Nous pourrions nous retrouver ce soir, disons à sept heures.

– À sept heures seulement ? Comme le temps sera long !

– Peut-être devant l'église.

– Venez plutôt sur mon radeau. Nous parlerons de nous deux et de cette vilaine manie de me vouvoyer.

Marie sourit.

– Si ça te convient mieux ! Explique-moi la manière de m'y rendre et je serai là.

Nicolas s'avança, tout à son bonheur de l'embrasser, comme dans ses rêves, mais Marie demeurait distante, comme si elle faisait face à un étranger. Elle n'arrivait pas à lui demander s'il était marié ; la réponse la terrifiait d'avance.

– Est-ce que le médecin t'a donné un nouveau rendez-vous ?

– Je ne sais plus trop.

– Ça va, je lui demanderai pour toi.

Marie reconduisit Nicolas dans la salle d'attente et, d'un signe de la main, elle lui désigna familièrement la sortie.

XXIV

À la fin de son quart, une surprise attendait Marie. Nicolas était là, près de la grande porte. Elle sentit ses genoux fléchir.

Nicolas déposa un baiser sur son front.

Marie se sentait incapable de le repousser.

– Attends ! Avant d'aller plus loin, il faut que tu me dises une chose.

– Pas tout de suite. Viens sur mon chaland, nous jaserons plus tranquilles.

Nicolas marchait contre sa promise et, de sa main ouverte, il caressait son dos. Marie se laissait conduire.

Nicolas campait sur une péniche, le long du bayou. Il se contentait de la plus fragile demeure, une baraque flottante fabriquée d'un ramassis de planches et de tiges de bambou qu'il pouvait ouvrir librement sous le ciel. Ce pauvre chaland semblait pour lui tout aussi important qu'une seigneurie.

Pour ces gens qui avaient tout perdu, ils avaient tout parce qu'un rien leur suffisait.

– C'est ici que nous allons vivre. Ce sera notre maison.

Nicolas ouvrit le rideau de toile qui servait de porte et Marie se glissa à l'intérieur.

Ses yeux firent lentement le tour de la pièce exiguë. Tout était en désordre. Pour pénétrer dans la péniche, Marie devait lever les pieds sur mille objets disparates, laissés à la traîne : cordages de chanvre, vêtements, peaux, outils, pagaies, chaise, agrès de pêche, jusqu'à de l'étoupe noire qui puait le goudron.

Dans un coin, une natte en bambou et une couverture de laine servaient de lit.

Comme les amoureux cadrent volontiers dans n'importe quel environnement, Nicolas enlaça Marie et l'étreignit tendrement. Le désir, l'attente, la passion transportaient leur cœur hors de la sphère terrestre.

Nicolas, pour qui les tentations ne survenaient que pour leur résister, voyait maintenant la vie sous un angle différent. Sept années de séparation lui avaient appris à saisir le bonheur quand il se présentait.

– Nous allons maintenant nous marier toi et moi et nous habiterons ici.

Le regard de Marie s'illumina. Elle savait maintenant, sans avoir à le lui demander, que Nicolas était libre de toute attache.

Nicolas n'avait qu'une chaise. Il invita Marie à s'asseoir sur ses genoux. Elle acquiesça sans hésiter ; son cœur ne serait jamais trop près de celui de Nicolas. Elle appuya la tête sur son épaule. Elle se sentait toute petite dans ses bras puissants.

Ils se retrouvaient seuls et Marie se demandait jusqu'où leur amour les mènerait ; sans doute sur la natte de bambou. Dans son esprit surgit l'histoire des enfants infirmes. Elle se leva.

– J'ai faim.

Nicolas sortit d'un sac deux oranges et un ananas.

– Nous allons devoir manger dans la même assiette mais je vais bientôt remédier à cet inconvénient. Si tu veux, demain, nous passerons chez le potier. À la Pottery sur la rue du quai, on peut trouver mille pièces de vaisselle en terre cuite.

La nécessité de partager la même assiette éveillait chez Marie un désir d'intimité grandissant qui sommeillait dans tout son être. Elle regardait la natte avec le désir de s'y abandonner dans les bras de Nicolas. Mais, encore une fois, la raison l'emporta sur la tentation.

– Si on allait plutôt manger chez moi?

– Non, je ne te laisse plus partir. Je t'ai et je te garde.

– Je ne peux pas m'installer ici tout de suite. Les demoiselles Arseneau seraient scandalisées de me voir en ménage sans la bénédiction du curé.

Le regard de Marie se promenait autour de la pièce. Elle imaginait une huche, un lit, des chaises, des berceaux, et bien sûr des enfants plein les berceaux, cependant, quelque chose clochait.

– Tu tiens à ce que nous habitions ici, sur un radeau?

Nicolas décelait sur le visage de sa bien-aimée une tristesse qui ressemblait à une grande déception. Il passa un bras autour de son cou et appuya sa joue contre la sienne.

– Ce n'est pas la grande maison de ton père, mais c'est tout ce que je peux t'offrir.

– Ici, tout a été pensé en vue d'une seule personne. Nous serions un peu à l'étroit.

Marie tenait à plus d'espace, à une vie plus confortable pour les siens.

Son regard s'arrêta un moment aux fleurs qui égayaient la table aux mouchetures d'humidité et elle changea aussitôt de visage. Nicolas avait eu la gentillesse de fleurir sa péniche, spécialement pour sa visite. Elle lui adressa un sourire reconnaissant.

– Tu vis ici en permanence ?

– Pas en permanence. Je partais des mois pour la chasse, mais la saison terminée, j'y revenais chaque fois. Je suis plus libre ici que chez mon père, mais je me sens un peu honteux de ma retraite et de ma paix. En réalité, je m'éloignais des miens pour mieux penser à toi. Pendant des heures et des heures, assis au bout de ma table, je rêvais de te retrouver. J'aurais voulu t'envoyer un peu de mon silence. Je t'appelais et je t'appelais, mais tu ne me répondais pas.

– Oui, je te répondais, mais tu ne m'entendais pas sur ton radeau désert.

– Tu crois que mon radeau était désert, mais non, ta présence était continuellement dans mes pensées. Mille fois, je me suis rappelé comme c'était charmant aux noces de Salomon à Pierriche, à chanter main dans la main. Tu te souviens ?

– Oui, je me souviens. J'étais heureuse comme aujourd'hui. Il existe de ces jours qu'on n'oublie jamais.

– Et notre échappée sous le pommier en fleurs. Rappelle-toi comme ce moment était troublant. Malheureusement, comme dans la nature il n'existe pas de portes où frapper, sur l'entrefaite, la belle Juliette est arrivée. Elle avait bien besoin de nous tomber dessus celle-là !

Nicolas en était encore indigné.

Aujourd'hui, Marie voyait le côté plutôt cocasse de la situation. Elle sourit.

– Juliette est maman d'une petite fille, une petite maigrichonne mouchetée de taches de rousseur.

– Juliette est mariée ?

– Non, je te raconterai. Ça va prendre des générations pour effacer le passé.

Leurs mains se joignirent.

– Enfin réunis, toi et moi, pour le restant de nos jours.

– Dire que je pensais que tu avais tout oublié, même mon nom.

– J'ai essayé tant de fois dans mes moments de découragements, mais je n'y arrivais jamais.

Marie et Nicolas regardaient le bayou en parlant entre eux du passé, des années de bonheur perdues, de Flavie, quand Marie réalisa que le radeau se déplaçait lentement.

– La péniche s'échappe. Nous allons nous perdre dans les bayous.

– Peu importe puisque tu es là.

Nicolas avait levé l'ancre en douce.

Il serrait sa bien-aimée dans ses bras et sa main caressait son cou tendre.

– Marie, Marie, Marie ! Comme je t'aime !

– Et moi qui me faisais des idées noires ! À ton arrivée au dispensaire, quand je t'ai vu en compagnie d'une belle femme, j'ai cru que tu étais marié. Je n'osais pas te le demander, je redoutais trop la réponse.

– Je t'avais promis de t'aimer toujours.

– Et qui était cette belle fille qui t'accompagnait ?

Nicolas lui expliqua que quelques femmes faisaient partie d'un groupe d'indigènes qui lui avaient sauvé la vie.

– Je ne peux pas t'en dire plus. Je ne me souviens pas de mon arrivée au dispensaire.

Nicolas renversa Marie sur sa natte et leurs corps se soudèrent au-delà de la limite permise. Le temps filait trop vite. Les amoureux repoussaient sans cesse le moment de se quitter.

La tombée du soir imprégnait la péniche de fraîcheur. Marie se leva promptement.

– Je dois partir. Les demoiselles Arseneau vont s'inquiéter.

– Tu demeures avec elles ?

– Pour un certain temps, oui. En quittant la maison de tes parents, les Arseneau ont acheté une petite maison le long du bayou. Elles sont parmi les rares exilés qui ont apporté leur argent. Elles traînaient dans leur gros coffre des vestes aux manches remplies de dollars et cousues à points serrés. Elles sont les seules qui, pendant le voyage, n'ont pas participé aux dépenses communes. Il faut les comprendre, Albertine a toujours vécu dans l'insécurité. Ces femmes n'ont plus l'âge de travailler et elles n'acceptent pas de vivre aux crochets des autres.

Nicolas jeta une laine sur les épaules de Marie et lui donna un dernier baiser dans le cou. La lune éclairait la devanture des maisons.

– Je vais te reconduire, mais ne va pas croire que je vais en prendre l'habitude. Nous allons bientôt passer devant le curé pour faire bénir notre union. Je m'occupe de cette démarche dès demain.

– Et la petite Flavie, qu'est-ce qu'on en fera?

– Si ça peut te faire plaisir, nous la prendrons avec nous.

* * *

Dans la maison sur pilotis, Albertine s'inquiétait du retard de Marie. Telle une mère aimante, elle se tournait les sangs.

Après une attente interminable, elle entendit des voix joyeuses s'approcher. Marie entra la première, les yeux rieurs.

– Devinez qui j'amène? dit-elle, le ton chantant.

Albertine, incrédule, posa une main sur son cœur.

– Mon Dieu! Ce n'est pas possible. Pas le garçon de Blaise Amireault?

Une fois remise de ses émotions, Albertine tapota l'épaule de Marie.

– Je te l'avais bien dit, Marie, que tu retrouverais ton Nicolas. Toutefois, je n'aime pas te voir traîner à la noirceur seule avec un garçon. Bon, allez, prenez une chaise, tous les deux.

Assise sur son lit, Bernadette reprisait tranquillement un bas. Flavie dormait à ses côtés. En entendant les grands éclats de joie, Bernadette se leva comme un ressort et commença à s'affairer autour de la table.

La belle Marie, hier encore morte de chagrin, était aujourd'hui transportée de joie.

– Venez, Nicolas, nous raconter vos aventures devant une bonne tasse de café, dit-elle. Je peux aussi vous préparer un petit réchauffage de légumes ou simplement du riz au lait. Je gage que vous n'avez pas soupé.

– Nous avons mangé quelques fruits.

Marie tirait la main de Nicolas.

– Viens voir ma Flavie comme elle est adorable.

Flavie était couchée sur le ventre, la robe relevée, les foufounes juchées sur ses genoux ramenés sous elle avec une indécence d'angelot. Elle dormait les cheveux éparpillés sur l'oreiller.

Nicolas sourit de la voir.

Marie embrassa sa joue et remonta le drap sur son cou. La fillette souleva à demi une paupière, puis repartit aussitôt au pays des rêves.

XXV

Le dernier jour d'octobre, un vent furieux s'élevait sur la Louisiane.

Bernadette souleva avec précaution la robe de mariée qu'elle avait pris soin de laver, de repasser et de réajuster à la nouvelle taille amaigrie de Marie. Elle la déposa sur le lit.

– Quand tu seras habillée, je piquerai une couronne de roses dans tes cheveux.

Marie apparut dans la cuisine, toute de blanc vêtue. Elle tenait un voile de mousseline dans sa main.

En la voyant, Bernadette, émue, s'exclama :

– Tu es superbe.

– Qu'est-ce que je fais de mon voile ?

– Pose-le sur ta tête. Je fixerai les roses dessus. Ne bouge pas la tête ; je risquerais de te piquer. Maintenant, tourne-toi un peu que j'arrange cette ceinture.

Bernadette n'en finissait plus de tournailler autour de Marie. Elle ajustait un ceinturon qu'elle bouclait, serrait et desserrait pour laisser retomber lâchement les longues bandes jusqu'au sol.

Albertine pleurnichait tout haut. Chaque fois, les mariages l'émouvaient, et davantage quand il s'agissait de sa quasi-fille.

Bernadette la regardait, l'air hébété.

– Cesse de lyrer, Albertine, tu vas faire pleurer la petite. Aujourd'hui, le jour est à la fête.

Albertine n'arrêtait pas de pleurnicher.

– Si Augustin la voyait; il la trouverait magnifique.

Marie figea en pensant à son père. Que n'aurait-elle pas donné pour être à son bras, aujourd'hui?

– Croyez-vous que papa me regarde de là-haut?

– Bien sûr, reprit Bernadette qui tournicotait autour, tu vois le ciel? Les nuages se sont déchirés juste pour que ton père et ta mère puissent y passer la tête.

Bernadette et Albertine s'extasiaient devant la ravissante Marie au visage égayé d'un sourire de bonheur.

Marie embrassa les femmes sur les deux joues.

– Je croirai à mon mariage seulement quand Nicolas et moi aurons tous les deux dit oui.

– J'ai une surprise pour toi, ajouta Albertine qui tenait difficilement sa langue, mais tu l'auras seulement après ton mariage.

– Quelle surprise? insistait Flavie. Je veux savoir.

– Une belle surprise, mais c'est un secret. Allons! Dépêchons-nous si nous voulons être à l'heure pour le mariage.

Sur l'entrefaite, Charles Gautherot montait les marches, tout endimanché, une main sur la tête pour retenir son haut-de-forme. Charles devait servir de témoin et conduire Marie à l'autel. Il lui tendit la main avec un sourire bienveillant et l'aida à monter dans sa calèche. Ses doigts s'agitaient par réflexe. Il s'écarta de la mariée pour mieux la regarder. Il se demandait ce que Marie possédait de plus que les autres filles. Étaient-ce ses yeux, son air intelligent, sa réserve ou encore l'ensemble de ses traits? Marie était d'une beauté à faire damner un saint. Charles détourna la vue pour cacher l'admiration qu'il lui portait.

Il commanda son cheval, tira à hue et à dia et la bête prit son pas régulier.

La jeune femme lui échappait au profit de Nicolas comme si de rien n'était. Charles n'était pas triste. Au fond de lui, il avait toujours su, sans se l'avouer, que cette fille n'était pas pour lui. «On n'en meurt pas», se dit-il. Après tout, cette attirance pour Marie était la preuve que sa vie ne s'arrêtait pas à la mort d'Angèle comme il l'aurait supposé. «Je finirai bien par en trouver une qui sera la bonne», se dit-il.

La voiture bien menée filait sur le chemin, faisant lever une poussière brûlante.

Un vent chaud sifflait et riait comme un fou, poussant le cortège devant lui. Il semblait dire: «Oust, allez tous voir ce qui se passe d'extraordinaire dans la petite église de Bâton Rouge.»

Charles desserra son nœud papillon qui l'emprisonnait comme un carcan et glissa un doigt autour de son col amidonné dur.

La voiture cahotait aux caprices du chemin.

– Voilà que ça sonne au clocher!

Marie, silencieuse, ne cessait de tripoter sans délicatesse ses gants de dentelle. La supposition que Nicolas ne soit pas là à l'attendre lui tordait les tripes. Encore en ce grand jour, elle s'attendait au pire ; elle en avait tant vu ! Elle descendit de voiture et secoua sa robe poudrée de la poussière fine de la route.

Dans le transept de l'église, Nicolas attendait sa promise.

Marie n'eut qu'à paraître pour soulever aussitôt l'admiration de l'assemblée. Elle avançait avec grâce dans l'allée centrale.

Nicolas, ému, la regardait s'approcher vêtue de mousseline blanche et couronnée de fleurs, belle comme un ange.

Ils échangèrent un regard où on pouvait lire toute la tendresse du monde.

Bernadette, qui entendait les commentaires élogieux fuser de toute part, s'en accordait tout le mérite. À ses côtés, Albertine retenait ses larmes, mais elle ne pouvait retenir des petits sanglots saccadés, comme un hoquet, ce qui faisait rire deux adolescents.

L'église était pleine à craquer. L'harmonium s'arrêta brusquement. Un silence profond planait maintenant sur l'assistance. On se juchait sur les agenouilloirs pour mieux voir les mariés échanger les anneaux d'or. L'émotion était à son comble. Marie, émue, versa une larme qui tomba sur l'anneau et brilla comme un diamant.

* * *

Au sortir de l'église, toute la noce se rendit chez les Amireault où un grand pique-nique aux écrevisses attendait les invités.

Albertine n'en pouvait plus de patienter. Après les échanges de vœux, elle glissa une enveloppe dans la main de Marie.

– Hier, monsieur le curé m'a remis ceci pour toi. J'ai cru bon d'attendre ce grand jour pour te la rendre.

Marie, étonnée, lut la provenance de la missive et échappa un cri de joie.

– Québec ! Pas Magdeleine ? Ce n'est pas possible ! Nicolas, tu vois ça ? Un cadeau du ciel ! Si tu veux m'excuser un moment, je vais aller la lire dans la chambre de tes parents. Je ne peux pas attendre.

À vouloir aller trop vite, Marie déchira l'enveloppe. À l'intérieur, il y en avait une plus petite qui était adressée à Osite Dugas.

Marie revint, radieuse, la missive à la main. En passant près d'Osite, on la vit, fébrile, lui remettre un pli et lui murmurer quelque chose à l'oreille. Un éclair de joie illumina le visage d'Osite.

Une fois les mariés assis à la table d'honneur, le curé bénit les tables et appela l'attention des convives.

Marie se leva.

– Je viens de recevoir une lettre du Québec. Plus précisément, de ma cousine Magdeleine Dugas. Je vais la lire tout haut car je sais que son histoire intéresse tout le monde.

Le bruit des voix, des marmites et des ustensiles s'éteignit doucement. Un silence absolu régnait dans la grande cuisine.

Marie sauta le premier paragraphe qui lui était dédié personnellement.

Elle lut à haute voix :

Que de chemin nous avons parcouru depuis notre triste séparation! Il s'en est passé des choses depuis, tellement que je ne sais par quel bout commencer. Pour cette première lettre, j'irai au plus court.

Nous avons dû marcher entre terre et mer pour arriver à nous nourrir de chasse et de pêche. Le voyage a été très difficile : épuisement, scorbut, décès, vents, neige, pluies. Nous avons couché dans des granges et des hangars où nous sommes morts de froid, de faim et de misère. Toutefois, au bout du chemin, des retrouvailles.

Papa et mes frères, Jacques et Mathurin, sont ici avec moi.

Ils saluent tous les Acadiens de la Louisiane.

Comme à toutes les retrouvailles, on entendit des hourras s'élever au-dessus des tables. Puis le silence se rétablit. Marie reprit sa lecture.

J'ai retrouvé mon Joseph en chemin, plus précisément à Boston devant une petite église anglicane. C'est Joseph qui m'a aperçue le premier. Il a crié mon nom et est accouru vers moi. Nous n'en finissions plus de rire, de pleurer, de nous regarder. Nous étions complètement fous.

Une fois mon Joseph retrouvé, tout le reste du voyage a été un enchantement, même nos misères n'étaient plus rien. Quand on a l'amour, on a tout.

La semaine suivante, nous nous sommes mariés. Notre fille Marie-Josephte, âgée de vingt mois, et notre fils Antoine, cinq mois, sont nés en exil. Nous sommes actuellement au Portage, chez les Roy, une famille acadienne charitable, en attendant de nous établir sur un lot.

Les pères de Saint-Sulpice offrent des terres aux Acadiens, le long d'un joli ruisseau. Là-bas, pas de rivière, que des ruisseaux, pas de montagne, que des terres plates encadrées d'érablières. Dans ce coin de pays, les sols sont riches. Les pères désirent y fonder une nouvelle Acadie. On nous a laissé le loisir de choisir nos lots pour favoriser le voisinage des familles.

Tu connais François Forest? Il est en ménage avec Rosalie Martin. Ni l'un ni l'autre n'a retrouvé sa famille. Ceux-ci étant seuls, nos liens sont devenus aussi serrés qu'entre frères et sœurs. Les Forest seront nos voisins immédiats.

Je vis comme dans un rêve, avec beaucoup de projets à venir. Le bois est prêt pour notre maison. Je la veux exactement comme celle de mes parents à Grand-Pré, avec une grande cuisine et un grenier où mes enfants auront la permission de jouer.

Les mauvais jours sont derrière nous.

J'espère que tu as retrouvé ton Nicolas et que tu vis, comme moi, de grands moments de bonheur. Tu le mériterais bien.

Dire que nous avons juré de ne jamais nous séparer et nous voilà aux extrémités de l'Amérique.

Je te souhaite une vie heureuse avec ton Nicolas.
Écris-moi et donne-moi des nouvelles de toi et du groupe.
Je ne t'oublie pas.
Je t'embrasse bien fort.

Magdeleine.

Osite pleurait un mélange de joies et de peines. Dans sa lettre, Cajétan promettait de lui envoyer régulièrement de l'argent pour le voyage de retour. Malheureusement, il lui faudrait patienter le temps d'accumuler la somme nécessaire à son voyage et à celui de ses enfants.

Osite était heureuse, bien sûr, de retrouver la trace de Cajétan et de ses fils Mathurin et Jacques, mais ceux-ci étaient au bout du monde. Elle était grand-mère et elle se plaignait de ne pas connaître ses petits-enfants. Elle refusait de reconnaître Marianne à Juliette comme sa petite-fille. Toutefois, elle était heureuse de recevoir des nouvelles de son mari et de Magdeleine. Désormais, la certitude de revoir les siens la ferait vivre jusqu'au grand départ vers le Québec.

* * *

La nuit venue, sur le chaland, Nicolas leva sa lanterne vers Marie qui collait son beau visage au sien. Sa voix, son regard, tout son corps lui fit passer dans la chair un frémissement plus rapide que la petite flamme dansante.

– Tu veux vraiment élever nos enfants sur un radeau ? dit-elle. J'aimerais bien avoir comme Magdeleine une grande maison où élever notre famille.

Nicolas l'embrassa avant de répondre, la voix mielleuse :

– Pour les débuts, il faudra nous contenter de la péniche. Tu ne manqueras de rien. Ici, on a tout. Plus tard, on verra. Je pourrai construire une petite maison sur pilotis, quitte à ajouter une chambre à chaque nouvelle naissance.

– Nous serons un peu à l'étroit, ici.

Nicolas, plus amoureux que pratique, plaquait de nouveau sa bouche sur celle de Marie, tout en l'attirant vers son lit de fortune.

– Sur le plancher, oui, mais une fois le toit ouvert, comme plafond, nous avons l'immensité du ciel et des milliers d'étoiles.

Marie murmura d'une voix enveloppante :

– Je préfère la terre ferme où nos enfants pourront courir sans risquer de se noyer.

Après un nouveau baiser qui n'en finissait plus, Nicolas dégrafa la robe de Marie en disant :

– Ici, nos garçons pourront pêcher directement de la fenêtre.

– Pour ça, oui, dit-elle, mais ils ne pourront pas courir.

Sa robe glissa à ses pieds.

Nicolas serra la belle Marie contre son grand corps chaud et posa son index sur sa bouche.

– Chut ! dit-il en la déposant sur la natte.

– Sept ans à t'attendre, à te désirer, à désespérer, puis, comme par miracle, tu es là, dans mes bras.

Marie essuyait une larme.

– Nous ne nous quitterons plus jamais.

Nicolas prit Marie avec toute cette délicatesse dissimulée sous sa force.

Fin

REMERCIEMENTS

Famille Marcel Mailhot

Gilles Germain, timonier

Audrey Lortie Geoffroy

Sébastien Darche

Jean Brien

Nelson Tessier

M. & Mme Rolland Guilbault

Marie Brien

Irénée Brien

Martine Gagnon

Sonia Dalpé

France Dalpé

Raphaëlle Mailhot

Francis Laporte

BIBLIOGRAPHIE

Achard, Eugène. *La Touchante odyssée d'Évangeline : traduction libre du poème de Longfellow avec notes explicatives*, Montréal, Librairie générale canadienne, 1946.

Grandbois, Alain. *Vers le Mississippi.*

Longfellow, Henry Wadsworth. *Évangéline*, traduction de Pamphile Lemay, Montréal, Boréal, 2005, 248 p.

Pellerin, Jean. *Gens sans terre*, Montréal, Les Éditions Pierre-Tisseyre, 1988, 517 p.

Rumilly, Robert. *Histoire des Acadiens*, Montréal, Fidès, 1955, 1038 p.

De la même auteure :

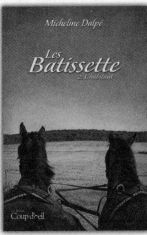

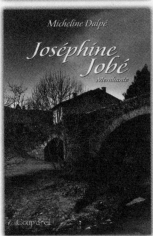

**Retrouvez la plume unique de Micheline Dalpé
à travers ses romans imprégnés de sensibilité
et de bouleversements.**

Les Éditions
Coup d'œil

www.facebook.com/EditionsCoupDoeil